WESLEY L. DUEWEL

TOQUE O MUNDO
por meio
da ORAÇÃO

UNITED PRESS
UM SELO EDITORIAL HAGNOS

Touch the world through prayer
Copyright ©1986 by Wesley L. Duewel

Portuguese editon © 2014 by Editora Hagnos Ltda.
All rights reserved

Tradução
Onofre Muniz

Revisão
Andrea Filatro
Josemar S. Pinto

Capa
Maquinaria Studio

Diagramação
Sonia Peticov

Editor
Juan Carlos Martinez

Coordenador de produção
Mauro W. Terrengui

1ª edição — Novembro de 2014

Impressão e acabamento
Imprensa da Fé

Todos os direitos desta edição reservados à
EDITORA HAGNOS
Av. Jacinto Júlio, 27
São Paulo - SP - 04815-160 Tel/Fax: (11) 5668-5668
hagnos@hagnos.com.br - www.hagnos.com.br

Dados Internacionais de Catalogação na Publicação (CIP)
(Angélica Ilacqua CRB-8/7057)

Duewel, Wesley L.

Toque o mundo por meio da oração / Wesley L. Duewel; traduzido por Onofre Muniz. — São Paulo: Hagnos, 2014.

Título original: Touch the world through prayer.

ISBN 978-85-243-0479-8

1. Orações 2. Deus 3. Jesus 4. Promessas 5. Vida cristã I. Título II. Muniz, Onofre

14—0606   CDD—248.3

Índice para catálogo sistemático:
1. Orações   248.3

Editora associada à:

Respeite o direito autoral

Àquele que me amou a ponto de, no Getsêmani, agonizar em oração por mim e pela colheita do mundo todo até seu suor se tornar em gotas de sangue pingando sobre seu manto inconsútil.

A minha gratidão à minha piedosa mãe, mulher de oração, em cuja sepultura estão gravadas as palavras: *Ida Duewel — intercessora*. À minha esposa, Betty, que me permitiu gastar muitas horas extras trabalhando no meu escritório neste livro; e à minha secretária, Hilda Johnecheck, pela permanente ajuda no preparo do manuscrito.

Sumário

Prefácio — 9
1. Deus chama você para orar — 11
2. Deus está preparando a colheita para você — 17
3. O seu indescritível poder — 23
4. A sua incrível autoridade — 36
5. O seu parceiro de oração entronizado — 44
6. O parceiro de oração que habita em você — 51
7. Os seus catalisadores invisíveis de oração — 59
8. Você pode tocar o trono de Deus pela oração — 69
9. A oração pode lhe dar acesso a qualquer lugar — 75
10. O rei lhe entrega as chaves do reino — 81
11. Você pode participar da rede divina de oração emergencial — 89
12. Você pode semear com lágrimas — 103
13. Você pode aprofundar a sua oração pelo jejum — 112
14. Você tem autoridade de oração por meio da cruz — 121
15. Você precisa usar o comando de fé — 129
16. A sua oração pode ajudar a provar que Cristo é Deus — 143
17. Você pode derrotar e amarrar Satanás — 153
18. O seu louvor pode derrotar o Diabo — 164
19. A promessa é para você — 171
20. Elias era igual a você — 181

21. Deus precisa de você para preparar o caminho — 189
22. Como você pode preparar o caminho do Senhor — 195
23. Você pode experimentar e compartilhar o reavivamento — 203
24. Permita que Jesus e Paulo orientem a sua oração — 215
25. A sua oração pode ceifar a colheita mundial — 222
26. Você precisa triunfar em oração — 230
27. Como você pode vencer em oração — 236
28. Você pode ser um guerreiro de oração — 245
29. A sua oração pode ser um investimento eterno — 257
30. Orações que jamais podem ser perdidas — 267
31. Como organizar um retiro de oração pessoal — 277
32. Como orar por uma pessoa — 290
33. Como preparar listas de oração — 295
34. Como concordar em oração — 299

A minha oração de compromisso com a intercessão — 303

Prefácio

Toque o mundo por meio da oração, do dr. Wesley L. Duewel, é tão convincente em suas muitas referências bíblicas, sua lógica, suas ilustrações e seus exemplos que, quando você tiver terminado de ler este livro maravilhoso e inspirador, não terá dúvida em concordar que pode alcançar — sim, e até mesmo mudar — o mundo por meio da oração.

O dr. Duewel, missionário na Índia durante 25 anos, ex-presidente da Sociedade Missionária Oriental (agora OMS International) e da Associação Evangélica de Missões Estrangeiras, é um homem de oração. Como resultado de sua longa, rica e fértil caminhada com Cristo, ele extrai muitas lições espirituais e compartilha experiências dramáticas de respostas à oração.

A responsabilidade do dr. Duewel pela oração tem sido intensamente expressa por meio de seus muitos textos sobre os temas da oração, do Espírito Santo, de ganhar almas e do despertamento espiritual. Ele até editou durante muitos anos a *Revival Magazine,* dedicada a convocar o corpo de Cristo à oração, ao arrependimento e ao avivamento. Compartilhamos essa mesma responsabilidade com o dr. Duewel.

Durante cinquenta anos, a oração desempenhou importante papel na nossa vida pessoal e no ministério da Cruzada

Estudantil para Cristo. O nosso primeiro ato, quando Deus nos chamou para começarmos este ministério de âmbito mundial, foi organizar uma cadeia de oração ininterrupta, que continua no mundo todo até hoje. Fomos convencidos pelo dr. Duewel de que o maior poder disponível aos filhos de Deus é a oração: *Nada tendes porque não pedis* (Tg 4.2).

Este livro motivacional está repleto de sugestões práticas e inúmeras experiências que edificam a fé. Contém várias lições simples para os crentes novatos e instruções mais profundas para os crentes maduros. Seus princípios de oração e seus argumentos para o reavivamento, quando aplicados, podem ajudar a produzir um despertamento espiritual no nosso país e, de fato, no mundo todo.

É bem possível que você esteja prestes a entrar na maior e mais gratificante aventura de sua vida — um ministério de oração intercessora. Sim, você pode *tocar o mundo por meio da oração.*

Bill e Vonette Bright

1

Deus chama você para orar

Deus tem um plano maravilhoso por meio do qual você pode ter uma influência de alcance mundial. Este plano não é apenas para alguns poucos escolhidos. É para você e para mim. Permita-me falar-lhe um pouco mais a respeito.

Pela oração, você pode se colocar ao lado de Billy Graham quando ele prega em cruzadas em qualquer lugar do mundo e pode fortalecê-lo, abençoá-lo e levantá-lo no exato momento em que ele estiver levando as boas-novas a milhares. Pela oração, você pode se colocar ao lado de Luis Palau em suas cruzadas na América Latina. Pela oração, você pode estar ao lado de George Beverly Shea quando ele canta o glorioso evangelho.

Pela oração, você pode acompanhar qualquer missionário a regiões remotas da terra. Pela oração, você pode andar no meio de mercados tomados pela multidão, ministrar em selvas úmidas, alimentar milhões de famintos, homens, mulheres e crianças carentes de pão para o corpo e do Pão da Vida para a alma.

Pela oração, você pode contribuir com o ministério de qualquer pastor ou evangelista em uma igreja ou em qualquer lugar do mundo. Muitas vezes, senti que, pela oração, eu estava bem ao lado de um homem ou uma mulher de Deus.

Pela oração, você pode tomar nas suas mãos uma criança que sofre. Pela oração, você pode tocar numa fronte febril em qualquer hospital, mediando o amor curador de Jesus.

Deus lhe deu um meio de fazer sua presença ter valor, uma forma de ser um verdadeiro parceiro na obra do reino, se você realmente assim o quiser.

Na verdade, santos notórios vêm praticando a oração ao longo dos séculos. De forma alguma, nós nos esquecemos deles ou dos papéis que eles desempenharam na mudança da história por meio da oração. Graças a Deus por Tiago, o meio-irmão de Jesus, que passou os últimos anos de sua vida orando pelas igrejas que Deus estava levantando. Quando ele morreu e seu corpo foi preparado para o enterro, descobriu-se que seus joelhos estavam tão calejados por causa de horas e horas de genuflexão, que quase se pareciam com os de um camelo. Ele ficou conhecido como "Tiago Joelhos de Camelo". Graças a Deus por Savonarola na Itália do século 15, que orou por um reavivamento naquela época corrupta. Graças a Deus por Brainerd, missionário junto aos índios norte-americanos, e por sua vida de oração e lágrimas. Graças a Deus por "Hyde da Oração", o missionário na Índia que talvez tenha sido o maior guerreiro de oração do século 20.

Deus, porém, não depende de alguns santos convictos apenas. O plano dele é que cristãos comuns, como você e eu, nos tornemos poderosos em oração para a bênção e salvação de pessoas e para a colheita da safra de Cristo entre as nações atuais.

Não existe nenhuma razão no mundo pela qual você não possa se tornar tão firme na sua vida pessoal de oração a ponto de Cristo vir a contar com você para ajudar a edificação de sua igreja e o avanço de seu reino em muitas partes do mundo.

A começar pela sua família, igreja e comunidade, por meio da oração diária você pode exercer um papel significativo que fará diferença mesmo em terras distantes.

Repetidas vezes, Deus usou pessoas como você e eu para ajudá-lo a atender a necessidades especiais de oração emergencial em determinado dia ou ocasião. Quando Deus chama alguém para esse papel especial e temporário, normalmente seleciona um de seus filhos que venha orando fiel e sistematicamente.

Você não precisa gastar horas por dia a fim de se qualificar para o exército de oração de Deus. Graças a Deus por aqueles que podem orar e *de fato* oram dessa forma. Mas Deus conhece as limitações da sua agenda, do seu lar e das suas responsabilidades profissionais. O plano de Deus é acrescentar uma dimensão completamente nova à sua vida de oração. Seja você um diretor executivo ou uma dona de casa, seja um operário ou um estudante, seja um advogado ou um ministro do evangelho —, Deus deseja que você comece uma nova, eletrizante e efetiva vida de oração.

Não tenho a pretensão de apresentar uma fórmula mágica para transformar você num gigante espiritual da noite para o dia. Mas quero salientar as possibilidades deste plano simples, tal qual ele é esboçado na Bíblia. Você pode ter novo poder e eficácia na oração. Você pode desempenhar um papel significativo no plano de Cristo. Você pode ser a pessoa de oração que Deus quer que seja — você realmente pode, se realmente quiser. Você tentará?

O maravilhoso plano de Deus para você
Deus tem grandes expectativas para você e para mim. E ele tem todo o direito de pensar assim. A pessoa comum dos dias atuais tem mais habilidade de influenciar os outros do que em

qualquer outra época. Isso é especialmente verdade em relação aos cristãos. Billy Graham disse que prefere estar vivo hoje a ter vivido quando Jesus andou pela terra. Concordo plenamente. Nos dias atuais, o cristão comum pode ter mais influência para Deus que o cristão comum de qualquer geração anterior.

Este é um tempo empolgante na história. Há mais crentes vivendo hoje do que em qualquer outro tempo. A igreja de Cristo se espalhou em mais áreas do mundo, louva a Deus semanalmente em mais línguas e está testemunhando ou mantendo contato com mais pessoas do que antes. Há mais obreiros, mais igrejas locais, mais instituições de treinamento bíblico, mais organizações cristãs e mais sociedades missionárias.

Por meio dos extraordinários meios de comunicação via rádio, televisão e literatura, podemos facilmente acelerar a obra de Deus além de qualquer medida já conhecida. Podemos alcançar as nações distantes mais rapidamente, podemos apresentar o evangelho em mais línguas e temos os meios de convocar e orientar a oração para o mundo inteiro com mais eficiência. Podemos alcançar o mundo, se assim quisermos. A maior carência hoje não é de pessoas ou de recursos. A maior necessidade é de oração. Sem aumentar o número de obreiros cristãos ou o apoio financeiro a eles, podemos ver os resultados multiplicados se apenas multiplicarmos a oração.

A oração é o maior recurso da igreja. É o meio mais eficiente de preparar o caminho do Senhor e está disponível a todos nós, cristãos, hoje. Você mesmo pode influenciar mais pessoas para Deus e ter um papel maior no avanço da causa de Cristo pela oração do que por qualquer outro meio. Essa não é a única coisa que você precisa fazer, mas é a *mais importante*.

Tem-se dito com frequência que o Diabo treme quando vê o mais fraco filho de Deus de joelhos. Se isso é verdade, pense no que poderia acontecer se cada cristão realmente levasse a sério sua função de orar de maneira regular e específica, unindo-se a milhares ou milhões de outros cristãos, todos orando pelas mesmas necessidades prioritárias ao redor do mundo. Você está disposto a fazer parte desse exército de oração?

A URGÊNCIA DA SUA ORAÇÃO AGORA

O calendário de Deus pode estar indicando a rápida aproximação do retorno de Cristo. O grande plano de Deus, para o qual ele criou o mundo e o ser humano, tem sido postergado e frustrado pelo longo reinado do pecado e de Satanás desde a queda de Adão. De acordo com a Bíblia, porém, a demora para a volta de Cristo não se deve tanto a Deus estar pacientemente esperando que o mundo se arrependa, mas, sim, a ele estar pacientemente esperando que levemos o mundo ao arrependimento (2Pe 3.9). Isto é enfatizado pelo fato de que, de todas as condições e de todos os sinais que devem preceder a vinda de Cristo, talvez reste somente um a ser cumprido: *E este evangelho do reino será pregado pelo mundo inteiro, para testemunho a todas as nações, e então virá o fim* (Mt 24.14).

Não sabemos o que, na visão de Deus, constitui o testemunho adequado para as nações comparativamente não alcançadas, contudo, por meio do rádio, podemos hoje irradiar a mensagem do evangelho a praticamente todos os cantos da terra. Milhões de pessoas não alcançadas por missionários residentes têm acesso ao evangelho por meio de rádios missionárias. Praticamente todas as províncias da China são cobertas por esse meio. Sabe-se que milhões de outros na Rússia, na Albânia e em terras muçulmanas estão ouvindo mensagens cristãs, transmitidas em sua própria língua ou em uma língua que pode ser minimamente compreendida.

É sempre muito mais eficiente quando a pessoa pode ouvir o evangelho em sua língua materna. Embora haja estimativa confiável de que 95% das pessoas do mundo têm disponíveis porções das Escrituras impressas numa língua conhecida, que Deus acelere os esforços daqueles que entregam a própria vida para completar a tarefa de traduzir as Escrituras em *todos* os dialetos e idiomas restantes. Além disso, a *Gospel Recordings* informa que a música cristã foi gravada em mais de 4.362 dialetos e línguas.

Entregar a mensagem do evangelho a todo ser humano, entretanto, não é suficiente. O fator crucial é garantir que a mensagem será compreendida e aceita. A oração é a resposta. O Espírito Santo é dado quando o povo de Deus pede (Lc 11.13). Não há dúvida de que isso não é verdade somente quando pedimos para nós mesmos, mas também quando pedimos para os outros. Por isso, a eficácia do presente esforço missionário depende da nossa oração, possibilitando ao Espírito Santo agir em poder.

Em outras palavras, a chave para a evangelização do mundo, em preparação à volta de Cristo, pode ser a sua e a minha oração. Se o principal fator protelatório é a falta de oração, não fique surpreso se Deus fizer um suprimento especial para que a oração seja mais eficiente hoje do que jamais foi.

2

Deus está preparando a colheita para você

A sua oração pela colheita mundial pode ser mais eficiente hoje porque Deus, em sua soberania, está coordenando as tendências mundiais para produzir uma rápida frutificação a seus filhos. Se dermos prioridade à oração e à obediência, este pode ser o maior tempo de colheita da terra. Nem todo cristão é chamado a ir. Nem todo cristão é capaz de fazer uma contribuição substancial para a obra do reino de Cristo. Mas não há limite para o que qualquer cristão pode realizar pela oração!

A explosão populacional da terra

As estatísticas de crescimento da população mundial nos informam que a população da terra no tempo de Cristo era de cerca de 250 milhões de pessoas. Levou mais de dezoito séculos, ou por volta do ano de 1850, para a população total alcançar a marca de 1 bilhão. Oitenta anos depois, aproximadamente em 1930, a população mundial subiu para 2 bilhões. Por volta de 1960 — somente trinta anos depois —, a população do mundo avançou para 3 bilhões. Chegou a 4 bilhões por volta de 1975. Ao final de 1986, passamos da marca dos 5 bilhões (já em 2013 a Organização das Nações Unidas — ONU — informou que a população mundial era de 7,2 bilhões de pessoas). A população da terra explodiu com tanta rapidez que os bilhões e bilhões que devem ser alcançados para Cristo quase nos esmagam. Como podemos recuperar o tempo perdido? Somente multiplicando a colheita por meio da oração.

A RÁPIDA URBANIZAÇÃO

Deus está movendo as pessoas para as cidades a fim de que elas possam ser alcançadas mais rapidamente. Em todo o mundo, os vilarejos estão estáticos e morrendo, uma vez que os primeiros a sofrer a fome são os aldeões. As perspectivas de alimento, educação, serviços de saúde e oportunidades de emprego disponíveis nas cidades são um convite aos jovens e aos ambiciosos.

O êxodo para as cidades é um fenômeno que se acelerou na década de 1980. (Em 1900, apenas 13% da população mundial vivia em cidades, cerca de 200 milhões de pessoas. Essa taxa, cinquenta anos depois, subiu para 29%. Em 2005, 3,2 bilhões de pessoas viviam em centros urbanos, ou 49% da população mundial.)[1] A maior migração urbana da história do mundo ocorrerá até 2030. Estima-se que em 2030 60% da população do mundo esteja fora do campo, quase 5 bilhões de pessoas.[2]

Cidades de 1 milhão de habitantes ou mais são chamadas de "cidades de classe mundial". Existem cerca de quatrocentos segundo a ONU. A média de cidades de classe mundial dobra a cada catorze anos; algumas, em apenas dez anos. Dada a intensa concentração de pessoas vivendo num raio menor, podemos

---

[1] <http://economia.estadao.com.br/noticias/geral,mundo-vai-viver-nova--onda-de-exodo-rural-imp-,608628>. Acessado em 27/06/14.
[2] <Ibidem>.

alcançar muito mais gente numa cidade do que num vilarejo, e num período menor de tempo. Paulo centralizou seus esforços evangelísticos em cidades, e então as igrejas das cidades alcançaram os vilarejos. Não deveríamos adotar essa técnica comprovada no nosso trabalho hoje?

As cidades estão maduras para a colheita espiritual. Mas o melhor tempo de colheita de todos os tempos é agora. Por quê? Nos primeiros dez a quinze anos após a chegada dos novos habitantes da cidade, eles são mais receptivos do que em qualquer outro momento. Enquanto vivem nos vilarejos sob o escrutínio da família, dos membros da casta, dos amigos, dos sacerdotes e dos líderes religiosos da aldeia, é difícil para os indivíduos que ouvem o evangelho decidirem por conta própria. Ao chegar à cidade, eles se veem relativamente sem raízes e, muitas vezes, inquietos e desiludidos por não encontrarem um novo lar para sua almejada utopia. Liberados da vigilância dos parentes e dos líderes religiosos, esses indivíduos estão mais abertos e prontos para a mensagem do evangelho. É crucial que os alcancemos agora.

Em alguns anos, a maior migração urbana terminará, e as pessoas terão fincado raízes novamente. Mais do que nunca na história do mundo, esta é a hora de Deus para trabalhar e orar. A oração é a única maneira adequada de multiplicar os nossos esforços com a rapidez suficiente para colhermos a safra que Deus deseja.

O NOSSO MUNDO JOVEM

Graças a Deus pela relevante receptividade do jovem. A grande maioria dos que foram ganhos para Cristo recebeu Cristo na juventude.

As estatísticas nos informam que a população do mundo na média é mais jovem do que no século passado. Metade da população da América Latina e da Ásia tem 20 anos de idade ou menos. Quarenta por cento do mundo tem menos de 15 anos de idade. A população está explodindo com tanta rapidez que se estima que nos próximos anos nasçam mais crianças do que aqueles que viveram desde os dias de Adão até 1960.

Embora a explosiva população dos países do Terceiro Mundo faça deles sociedades jovens, a expectativa é que o Terceiro Mundo comece a envelhecer como o mundo ocidental. O tempo oportuno para alcançar jovens receptivos é durante a nossa geração. É por isso que o apelo do Espírito Santo à Igreja é mais forte e mais urgente hoje do que jamais foi.

O NOSSO MUNDO DESILUDIDO E VAZIO

O mundo ocidental está começando a se dar conta de que o falso deus do materialismo fracassou. Países do Extremo Oriente estão se dando conta, também, pela evidência do aumento da taxa de suicídio no Japão. E cada vez mais, nos dias futuros, o Terceiro Mundo, agarrando-se desesperadamente à riqueza material como solução para os seus problemas, compreenderá: *Quando os bens se multiplicam, multiplicam-se também os que os consomem* (Ec 5.11). O crescimento do islamismo militante é um testemunho da desilusão produzida pelo fracasso do materialismo.

O comunismo também tem influenciado grandemente o nosso mundo. Sua sedução repousa no fracasso de governos e povos em atender às necessidades e expectativas das massas. Mas esse sistema também é um falso deus. Ele mantém seu poder apenas pela força, na falta de liberdade e na ditadura, e muito do mundo comunista já está decepcionado e vazio. Eles gritam por mudança, por mais liberdade e por algo que os satisfaça. Anos atrás, um ex-marxista escreveu um livro intitulado *The God That Failed* [O Deus que fracassou]. Para milhões que estão sob o comunismo, o seu deus fracassou.

Sem dúvida, essa foi uma das razões para a tremenda colheita espiritual na China durante o século passado — talvez a maior colheita em tempo tão curto da história mundial. Claro, a vida fiel, o testemunho e o sofrimento de crentes, o volume de contínua oração tanto dentro como fora da China e o ministério da rádio missionária, todos tiveram importantes papéis.

Outros milhões se decepcionaram com os falsos deuses da educação e do materialismo. Reações ocorreram na forma de reavivamentos combativos em algumas das religiões antigas.

Sim, as pessoas do mundo estão talvez mais desiludidas e vazias do que nunca. Seus deuses as decepcionaram. Sabemos que Jesus é a resposta que elas vêm procurando. Que tempo oportuno para colher a safra do mundo para o Senhor!

Deus chama você e eu

Se alguma vez na história houve um momento com potencial para a máxima colheita mundial, esse momento é agora. Se houve um tempo em que a iminente volta de Cristo deu um sentido de urgência às missões e à oração, esse tempo é agora. Se houve um tempo em que um cristão que não pudesse ir ao campo missionário poderia, contudo, ter um papel mundial por meio da oração, esse tempo é agora.

Se em algum momento os crentes evangélicos que apoiam as várias sociedades missionárias, rádios e equipes evangelísticas puderam alguma vez bloquear o poder de Satanás e preparar o caminho do Senhor pela oração, esse momento é agora. Vamos todos emitir mais claramente o chamado à oração. Unamos as nossas orações com as orações de outros que compartilham o mesmo compromisso com o Senhor, com a colheita mundial agora e com o reavivamento nascido do Espírito agora. Este é o dia que o Senhor fez, o dia que foi preparado para nós como seus colaboradores.

Este livro foi escrito com o propósito e com a oração de que ele venha ajudá-lo a ser o homem ou a mulher de oração que Cristo deseja que você seja. Isso é gloriosamente possível. Creiamos e nos esforcemos em oração. Esta hora é um presente de Deus, seu chamado a você e a mim.

3

O SEU INDESCRITÍVEL PODER

O maior privilégio que Deus dá a você é a liberdade de se aproximar dele a qualquer momento. Você não está apenas autorizado a falar com ele; está convidado. Você não tem apenas permissão, mas é aguardado. Deus espera que você se comunique com ele. Você tem acesso instantâneo e direto com Deus. Deus ama tanto a humanidade, e de um modo muito especial a seus filhos, que está acessível a você o tempo todo. Existem pelo menos sete elementos para este maravilhoso poder que ele lhe dá.

O PODER DE CONTATAR A SALA DO TRONO CELESTIAL

Como filho de Deus, você tem plena autoridade para entrar em contato com Deus, o Soberano do Universo, sempre que desejar. Ele está sempre entronizado no céu; todavia, por meio da oração, você tem acesso à presença dele tanto quanto tem qualquer anjo ou arcanjo. Não é preciso esperar por um convite; você já tem o seu. Não é preciso agendar com antecedência; você já está autorizado a se aproximar de Deus instantaneamente. Deus nunca está ocupado demais para ouvir você; ele nunca está tão envolvido que não lhe possa responder.

Antes da reunião com a rainha Elizabeth, foi-me dito: "Nunca fale primeiro; espere até que lhe seja dirigida a palavra.

Nunca pergunte nada à realeza; apenas responda. Em sua primeira resposta, você deve acrescentar as palavras 'majestade'".

Quando você fala com o Senhor do Universo, porém, é completamente o inverso. Jesus disse: *Quando orardes, dizei: Pai* (Lc 11.2). Você não precisa ter receio de omitir algum título formal e acabar desonrando Deus, nem há frases recomendadas para tornar a sua oração mais sagrada ou para obter a resposta garantida, e não há nenhum termo oficial que você deva usar obrigatoriamente.

Quando a rainha Elizabeth visitou a Índia, uma garotinha foi escolhida para lhe entregar um buquê de flores. Durante semanas, a menina ensaiou exatamente como fazer a reverência perante a rainha e como se afastar de sua majestade (sem tropeçar!), a fim de ter certeza de se portar da maneira mais conveniente. Mas você pode ter certeza de que os próprios filhos da rainha não sofriam essa restrição!

Em oração, você vai até Deus como seu filho. Não é preciso esperar que um anjo lhe apresente. Não é preciso tentar tornar-se mais aceitável. Não é preciso preparar cuidadosamente o que dizer. Você vai exatamente como é, abrindo o seu coração e dizendo a Deus como se sente e o que deseja. Não existe uma oração de postura que seja mais sagrada do que outra. Você é filho de Deus, e ele está ansioso e disposto a lhe ver!

O poder para cooperar com Deus

Deus escolheu realizar muitos de seus soberanos propósitos com a nossa ajuda. Paulo declara repetidamente que Deus nos designou para uma parceria cujo propósito é o progresso do evangelho. O apóstolo enfatiza a sagrada responsabilidade de trabalharmos com Deus. Toda forma de obediência a Deus é urgente, mas existem muitas situações nas quais somos limitados. Podemos não estar no lugar que é necessário. Podemos carecer de habilidades ou de treinamento especiais. Mas podemos sempre trabalhar com Deus por meio da oração.

Pela oração, podemos cooperar com Deus em qualquer lugar, a qualquer tempo e em qualquer tipo de necessidade. Fomos criados para orar. Fomos salvos pela graça de Deus para entrar num ministério de oração. Temos a liberdade, o direito e a posição de filhos oficiais de Deus, chamados para trabalhar com ele, escolhidos para esse propósito específico.

Além disso, Deus disse em Êxodo 19.5,6: *Toda a terra é minha; mas vós sereis para mim reino de sacerdotes.* Isaías profetizou: *Mas vós sereis chamados sacerdotes do Senhor* (Is 61.6). Por que Jesus nos fez *sacerdotes* para servirmos a Deus (Ap 1.6)? Por que todos os cristãos são chamados de *sacerdócio santo* (1Pe 2.5) e *sacerdócio real* (v. 9)?

Obviamente, parte do propósito de Deus em nos designar como sacerdotes é que devemos adorá-lo e louvá-lo. Mas isso inclui muito mais. Devemos ser um sacerdócio *real*. Cristo governa o mundo hoje por meio da oração. Devemos compartilhar esse governo pela intercessão em favor dos outros, assim como Cristo intercede constantemente por eles (Hb 7.25). Nós recebemos acesso oficial à sala do trono celestial para podermos unir a nossa intercessão com a de Cristo!

Se Cristo intercede, por que a nossa intercessão é necessária? O que as nossas insignificantes orações poderiam acrescentar à poderosa intercessão de Cristo? Foi do agrado de Deus construir seu eterno plano para que nós, seus filhos, nos unamos a Cristo em seu papel intercessor e de governo hoje. Se não estivermos usando os minutos excedentes no ministério de intercessão em favor dos outros e da obra de Deus, estaremos desapontando Deus no chamado especial ao qual ele nos designou. Se quisermos, podemos transformar qualquer noticiário de rádio, de TV ou artigo de jornal em um chamado para a oração. Podemos ficar alerta para compartilhar da campanha de Deus por um mundo quebrantado. A oração é a forma suprema de sermos obreiros juntos com Deus.

O poder para resistir a Satanás e derrotá-lo

Satanás é o arqui-inimigo de Deus e do homem. *O Diabo, vosso adversário, anda em derredor, rugindo como leão que procura a quem possa devorar* (1Pe 5.8). Ele é o mestre em estratégia por trás de todo o mal no mundo. Seu reino é formado por anjos caídos, demônios e pecadores. Ele procura constantemente desencorajar, impedir e derrotar os obreiros de Cristo e sua obra. Ele está determinado a se opor de toda forma que puder. Um de seus nomes é *Destruidor* (Ap 9.11, *Nova Tradução na Linguagem de Hoje*). Ele procura destruir as pessoas, os lares, as nações, o plano e a obra de Deus.

Satanás coordena um bando de espíritos impuros chamados de demônios. Eles parecem ter poder para afligir as pessoas nas quais habitam. Às vezes, Satanás parece ser capaz de exercer algum controle sobre as forças da natureza e de se contrapor à obra de Deus por meio de *milagres* demoníacos (2Ts 2.9,10). Ele tem tamanho poder e autoridade maligna que até o arcanjo Miguel apelou ao Senhor para repreender Satanás (Jd 9).

Como você e eu poderíamos resistir a Satanás ou derrotá-lo? Certamente apenas Deus pode conter, reprimir e derrotar inimigo tão poderoso. Mas não, a Bíblia claramente dá esse poder ao cristão comum como você e eu.

Não devemos nos render à tentação. Jesus deu um exemplo de como fazer isso usando a Palavra de Deus (Mt 4.1-11). Ele encorajou Pedro a ser vitorioso vigiando e orando (Mt 26.41).

Devemos permanecer firmes na fé. As Escrituras prometem: *Resisti ao Diabo, e ele fugirá de vós* (Tg 4.7). A palavra grega para *resistir* significa "levantar-se contra". Quando Cristo está conosco, podemos resistir a Satanás.

Devemos orar. Esta é a nossa arma mais poderosa. A oração faz a presença de Cristo se manifestar, e Satanás e seus demônios têm de retroceder como a multidão no Getsêmani (Jo 18.6). A oração se agarra às promessas de Deus e as ergue como um muro entre nós e os poderes das trevas. A oração pode trazer os anjos de Deus rapidamente para a nossa ajuda (2Rs 6.15-17; Dn 10.13; Hb 1.14). A oração pode subverter os planos de Satanás. A oração pode combater qualquer combinação de forças satânicas.

Quando Paulo descreve a nossa batalha espiritual em Efésios 6, declara: *Pois não é contra pessoas de carne e sangue que temos de lutar, mas sim contra principados e poderios, contra os príncipes deste mundo de trevas, contra os exércitos espirituais da maldade nas regiões celestiais* (v. 12). No versículo 11, Paulo fala sobre a necessidade de assumirmos a nossa posição contra os planos do Diabo. E, a seguir, lista os vários aspectos da armadura espiritual que devemos usar na luta contra Satanás. Mas, quando estivermos completamente armados, como devemos lutar? Paulo sugere duas formas — com a espada do espírito, que é a Palavra de Deus, e com a oração.

A oração é a principal estratégia que Deus articula para a derrota de Satanás. *Façam tudo isso orando a Deus e pedindo a ajuda dele. Orem sempre, guiados pelo Espírito de Deus* (Ef 6.18, *Nova Tradução na Linguagem de Hoje*). Pela oração, o Espírito Santo nos capacita de modo que seja removido o domínio de Satanás sobre as vidas humanas, que sejam removidos os empecilhos de Satanás para o reino de Deus, e que seja destruído todo o trabalho do maligno. Cristo veio *destruir a obra do Diabo* (1Jo 3.8). Ele fez isso na força do Calvário e reforça a vitória do Calvário por intermédio das orações de sua noiva, a Igreja. É por isso que o povo de Deus é também o exército de Deus.

Se o povo de Deus apenas aceitasse seu papel sagrado como exército de Deus, se os cristãos convocassem uns aos outros à prioridade da oração, se nos uníssemos em intercessão militante, orientada e ungida pelo Espírito, poderíamos ver Satanás sendo derrotado e visitações de reavivamento descendo da parte de Deus. Poderíamos ver a maior colheita de almas de todos os tempos.

Somos chamados a deter, rechaçar e derrotar Satanás por meio da oração e do jejum. Mas permanecemos negligentes, passivos, satisfeitos com a mediocridade espiritual e a comparativa esterilidade espiritual. Parecemos satisfeitos em deixar que o Diabo obtenha a vitória. Senhor, acorda-nos! Ensina-nos a orar! Leva-nos a tal batalha de oração que possamos reivindicar pessoas importantes, famílias completas e até mesmo continentes inteiros para ti! Ajoelhe-se, e a evangelização do mundo sofrerá uma revolução! Ajoelhe-se, e as vitórias de Cristo se manifestarão!

O PODER PARA TRANSCENDER AS LEIS DA NATUREZA

A oração pode transcender "as leis da natureza". A oração pode produzir o milagre das respostas de Deus às cruciais necessidades humanas. Seria inútil orar por muitas situações problemáticas se isso não fosse verdade. Se existem limites ao que Deus pode fazer quando oramos, então orar é na verdade um jogo com Deus, um divertimento com a necessidade humana, um autoengano completo. Não! Nunca! A oração é tão real quanto Deus é real. Não existe absolutamente nada que Deus não possa fazer se isso for para o progresso de seu reino e estiver de acordo com sua vontade. A oração libera o poder de Deus.

Cristo é o criador e preservador do Universo (Jo 1.3; Cl 1.16,17). Ele é um Deus de planejamento, método e poder. Às suas maneiras normais de operar, chamamos "leis" da natureza. Deus planejou e criou o Universo de forma que as leis inferiores podem ser transcendidas por leis superiores. A lei da gravidade, por exemplo, pode ser temporariamente transcendida pela lei da força. Quando lançamos uma bola, a lei da força determina que a bola permaneça suspensa em voo até que a força se esgote, momento em que a lei da gravidade novamente assume o controle, e a bola cai no chão.

Leis menores servem regularmente ao propósito de leis maiores, harmonizam-se com elas e podem ser transcendidas por essas leis maiores. As leis que governam a matéria podem ser transcendidas pelas leis da biologia e da vida. Estas, por sua vez, podem servir às leis da psicologia. As leis morais transcendem as leis físicas, e as leis espirituais transcendem todas as outras. Deus é Espírito, e ele transcende toda a criação. Ele é totalmente livre, o criador, mantenedor e governador de tudo. Ele é livre para transcender qualquer de suas leis, porque elas nada são além da expressão de sua mente criativa — a maneira pela qual Deus normalmente escolhe trabalhar no mundo que ele mesmo criou. Transcender uma "lei" não significa "quebrar" ou destruir a lei, mas suplantá-la temporariamente por um propósito maior.

Quando Deus sobrepõe sua forma natural de agir ("a lei natural") por alguma expressão especial de sua vontade, chamamos isso de milagre. Para Deus, é apenas outra de suas obras. Assim, Jesus se referiu a seus milagres como *obras* (gr. *erga*; v. Jo 9.4; 10.25,32,38). A oração é possível porque Deus, Soberano Senhor de todas as suas obras, é onipotente. Ele tem propósitos e planos eternos. E sempre transcenderá qualquer de seus métodos normais de agir para realizar seus propósitos morais e espirituais e seus planos eternos. Por isso, sempre existe a possibilidade de a oração cooperar com os eternos propósitos de Deus e garantir seu poder milagroso. Deus não garante o milagre, mas está sempre aberto à nossa oração para que sua vontade prevaleça no intuito de sua glória. A oração é a maneira ordenada por Deus para que seu poder se manifeste na necessidade humana.

O poder para obter auxílio angelical

Vivemos numa época que é descrente do sobrenatural. Muitos cristãos raramente pensam no ensino bíblico referente aos anjos. Hebreus 1.14 nos assegura de que todos os anjos são *espíritos ministradores* aos filhos de Deus. Não conhecemos todas as formas pelas quais eles servem a nós, mas a Bíblia menciona especificamente algumas que elencamos a seguir.

Os anjos protegem do perigo. Eles protegeram Jacó após sua noite de oração (Gn 32.1) e protegeram Eliseu, o homem de oração (2Rs 6.17).

Os anjos livram os filhos de Deus. Os anjos libertaram Pedro da prisão (At 12.1-11). Um anjo garantiu a Paulo que ele e todos a bordo de um navio se salvariam (At 27.23), e *Deus, na sua graça, já lhe deu a vida de todos*, indicando a resposta à oração de Paulo.

Os anjos levam mensagens aos filhos de Deus. Existem muitos exemplos bíblicos relacionados a esse ponto. Os anjos levaram a mensagem aos pastores (Lc 2.9-13), às mulheres na ressurreição de Cristo (Mt 28.2-7) e a Cornélio (At 10.1-7), em resposta às suas orações. Eles podem fazer sugestões a você ou a outras pessoas por meio de pensamentos.

Os anjos renovam a força física. Eles fortaleceram Cristo após seu sofrimento no jardim de Getsêmani (Lc 22.43).

Não há dúvida de que a assistência dos anjos aos filhos de Deus é normalmente invisível. No entanto, é da mesma forma real. A biografia cristã lista muitos exemplos de ajuda angelical, tanto visível como invisível.

Quando trabalhei na Índia, tenho certeza de que anjos ministradores me ajudaram em muitas ocasiões, embora eu realmente não os visse. Num dos vários exemplos, tive a sensação de perigo e fui impelido a mudar de rumo, descobrindo depois que, por pouco, havia evitado um violento grupo anticristão. Em outra ocasião, atravessei, sem sentir medo, uma multidão que clamava contra mim. Nem mesmo fui tocado e tive a consciência incomum de que estava cercado pela presença de Deus. Em ambos os casos, descobri depois que um dos filhos de Deus do outro lado da terra estava alerta naquele exato momento e sentiu a responsabilidade de orar por mim, uma vez que eu corria perigo, embora essa pessoa não conhecesse nada de minhas circunstâncias na época.

Deus usará de bom grado quaisquer meios necessários para proteger os seus, se fizermos a nossa parte e orarmos como ele nos pede. Nós temos a promessa de Deus e todo o direito de reivindicar, pedindo-lhe a proteção angelical designada a seus servos que ministram em lugares especialmente perigosos — como em guetos nas cidades ou em postos missionários móveis. E não devemos hesitar em pedir a Deus proteção angelical para os nossos entes queridos.

O PODER PARA MOVER MONTANHAS

Na Bíblia, as montanhas às vezes são usadas num sentido simbólico, tipificando força e estabilidade. Por outro lado, as montanhas quase sempre simbolizam dificuldades, problemas e empecilhos. Assim, se temos de preparar o caminho do Senhor, o torto deve ser endireitado e as montanhas precisam ser aplanadas. Aí, sim, a glória do Senhor será revelada (Is 40.3-5; Lc 3.4-6). Quando o poderoso Espírito de Deus opera, montanhas antes imutáveis nada são perante o poder de Deus (Zc 4.6,7). O Espírito Santo, o único que pode fazer isso, é capaz de transformar as montanhas mais impossíveis em caminhos e avenidas expressas para o nosso rápido avanço (Is 49.11).

Jesus usou essa ilustração do Antigo Testamento em vários de seus ensinos. Quando os discípulos não conseguiram expulsar o demônio do menino atormentado, Jesus disse que, se eles tivessem fé mesmo do tamanho de um grão de mostarda, poderiam falar a *este monte* (símbolo de qualquer situação ou problema insuperável), e *ele passará* (Mt 17.20). E imediatamente acrescentou que esse tipo de demonstração seria o resultado de oração e jejum (v. 21).

Novamente, quando os discípulos ficaram impressionados diante do poder de Jesus de fazer secar a figueira sem frutos, o mestre repetiu que eles não somente poderiam fazer o mesmo, como também poderiam até ordenar às montanhas que se lançassem ao mar, porque *se [vocês] tiverem fé [...], receberão tudo o que pedirem em oração* (Mt 21.21,22, *Nova Tradução na*

Linguagem de Hoje). Marcos registra o mesmo incidente e cita Jesus: *Quando vocês orarem e pedirem alguma coisa, creiam que já a receberam, e assim tudo lhes será dado* (Mc 11.24).

Deus espera que seus filhos enfrentem e removam montanhas de dificuldades (v. Capítulo 15). Ele não pretende que sejamos barrados por elas, mas que as aceitemos como desafios — seja para transformá-las em estradas para a maior glória de Deus, seja para lançá-las no mar, completamente removidas da nossa visão, como se nunca tivessem existido. Jesus nos assegura que isso é plenamente possível quando seus filhos enfrentam pela fé as montanhas, mas ele também nos lembra de que a remoção dessas montanhas requer longas orações e jejuns. O Espírito Santo fará o milagre. O milagre não será feito por nossa força ou poder (Zc 4.6).

Centenas de montanhas estão obstruindo o avanço das missões e da Igreja de Cristo hoje, porque contamos quase completamente com a nossa sabedoria, habilidade e esforço. Seria melhor não fazer praticamente nada, a não ser nos entregarmos de fato à oração e ao jejum!

A oração tem grande poder para mover montanhas porque o Espírito Santo está pronto para encorajar a nossa oração e remover as montanhas que nos bloqueiam. A oração tem o poder de transformar montanhas em estradas de alta velocidade.

O PODER PARA ABENÇOAR

O Deus da Bíblia é o Deus que abençoa. Sua palavra está repleta de promessas de que ele fará exatamente isso. Podemos ter certeza de que, exceto nos casos em que Deus deve disciplinar ou punir, a vontade dele é sempre a de abençoar as pessoas, especialmente seus filhos obedientes.

[*Jesus*] *andou por toda parte, fazendo o bem* (At 10.38). Como ele, devemos passar a vida abençoando todos os que pudermos. Nós, seus discípulos, devemos ser conhecidos por nossas boas ações que abençoam os outros (Mt 5.16; Ef 2.10). Devemos ser ricos em boas obras (1Tm 6.18) e ter *pleno preparo para realizar toda boa obra* (2Tm 3.17).

A melhor forma pela qual o cristão pode mediar a bênção é pela oração. Temos a oportunidade de orar por aqueles a quem podemos alcançar. Desde os líderes da nossa nação e da nossa igreja até os pobres, necessitados e sofredores — nós podemos levar bênçãos a todos pela oração. Desde a nossa família e os nossos amigos mais chegados a quem vemos com frequência até aqueles que podemos encontrar ocasionalmente ou apenas ouvir a respeito — nós podemos ser agentes das bênçãos de Deus a todos. O pedido frequentemente repetido "Ore por mim" é realmente uma súplica por bênção e ajuda.

Como cristão, você deve passar pela vida abençoando os outros. Você pode levar rios de bênçãos, refrigério e encorajamento aonde quer que vá apenas pontuando os seus dias com mais orações pelos outros. Havendo tempo e oportunidade, você deve abençoar de toda forma possível, tanto quanto puder (Gl 6.10). A sua presença deve sempre produzir bênção. Mas isso será mais verdadeiro se você estiver fielmente pedindo a bênção de Deus em tudo. Você pode encontrar oportunidades para preencher o seu dia com orações de bênção se for um observador atento.

O general Stonewall Jackson disse certa vez: "Tenho assim fixado na minha mente o hábito de nunca levantar um copo de água aos lábios sem pedir a bênção de Deus, nunca selar uma carta sem colocar uma palavra de oração sob o selo, nunca tirar uma carta do correio sem um breve envio dos meus pensamentos para o céu, nunca mudar a minha aula sem a petição de um minuto tanto pelos alunos que saem quanto por aqueles que chegam".

Um amado médico inglês do século 17, *sir* Thomas Browne, foi um exemplo de constantes orações por bênção. Ele disse: "Já me decidi a orar mais e orar sempre, a orar em todos os lugares aos quais o silêncio convida, em casa, no caminho, na rua, e a não saber de nenhuma rua ou avenida nesta cidade que possa testificar de que me esqueci de Deus [...]. Propus-me a tomar ocasião de orar à vista de qualquer igreja por onde eu passe, para que Deus possa ser adorado em espírito, e as almas possam ser salvas lá; a orar diariamente pelos meus pacientes doentes e pelos pacientes de outros médicos; na minha entrada em qualquer casa, que eu possa dizer: 'Que a paz de Deus permaneça aqui'; que, depois de ouvir um sermão, eu possa orar por uma bênção sobre a verdade de Deus e sobre o mensageiro; e, ao ver uma pessoa bonita, eu possa bendizer Deus por suas criaturas; e, ao orar pela beleza da alma de alguém, que eu possa pedir que Deus a enriqueça com as graças internas e que o exterior e interior possam corresponder; e, à visão de uma pessoa deformada, que eu possa clamar a Deus para dar-lhes a integridade da alma, e aos poucos conferir-lhe a beleza da ressurreição".

Abraão recebeu a promessa de que Deus o abençoaria e faria dele uma bênção (Gn 12.2). Esta deveria ser a experiência de todo cristão — quanto mais Deus abençoa, mais cada um de nós deveria abençoar os outros. A oração é o caminho certo para a bênção e o melhor meio de ser uma bênção para os outros. A oração é o dom de Deus para abençoar os outros. Preencha cada dia com orações de bênçãos e aproprie-se do tremendo poder de Deus!

4

A sua incrível autoridade

Durante a última semana de vida de Jesus, antes de sua morte e ressurreição mediadora, ele deu aos discípulos algumas instruções especiais concernentes à oração. Essas orientações estão entre seus ensinos mais profundos. Uma de suas principais ênfases foi que, dali em diante, os discípulos de Jesus deveriam fazer petições *em seu nome*. Nenhum líder jamais dera essa incrível autoridade a seus seguidores. A fim de podermos usar tal autoridade para a glória de Jesus e o progresso de seu reino, precisamos conhecer a resposta a três perguntas: O que implica a palavra *nome* no pensamento judaico? O que significa orar em nome de Jesus? Como podemos usar o nome de Jesus mais eficazmente nas nossas orações?

O significado de *nome* no pensamento judaico

A palavra *nome*, como era usada no tempo de Cristo, tinha três implicações, que abordaremos a seguir.

O nome é a pessoa. Orar em nome de Jesus é louvar ao próprio Jesus. Amar o nome de Jesus é amar Jesus. Desonrar o nome de Jesus é insultar Jesus.

O nome representa tudo o que sabemos a respeito de uma pessoa. Quando Moisés desejou se aproximar mais de Javé, pediu para ver sua glória. Deus respondeu que um ser humano não sobreviveria a tal encontro divino, porque sua glória era maior do que o corpo físico poderia suportar. Mas Deus prometeu revelar-se parcialmente. Colocou Moisés na fenda de uma rocha, cobriu-o com sua mão e passou na frente de Moisés, retirando a mão durante um segundo para que Moisés pudesse ver a glória que perdurou após a passagem divina. Ao fazer isso, Deus proclamou seu nome — um nome revelador: Senhor, Senhor, *Deus misericordioso e compassivo, tardio em irar-se e cheio de bondade e de fidelidade; que usa de bondade com milhares; que perdoa a maldade, a transgressão e o pecado* (Êx 34.6,7). Conhecer Deus era conhecer tudo o que o seu nome representava. Compreender o nome era ver Deus.

O nome de Jesus representa tudo o que sabemos a respeito dele por meio das Escrituras e da nossa experiência pessoal. Isso inclui seu poder transformador, seu amor, sua misericórdia, sua intolerância à hipocrisia e seu desejo de que sejamos santos como ele é santo. Inclui o nosso conhecimento dele em eterna glória, da criação do Universo, de sua encarnação, sua morte expiatória, sua ressurreição e sua volta.

O nome é a pessoa ativamente presente. Para os cristãos primitivos, reunir-se "em nome de Jesus" (Mt 18.20) significava Jesus estar pessoalmente presente no meio deles, como ele verdadeiramente está hoje. Ser enviado "em nome de Jesus" ou fazer tudo "em nome" de Jesus (Cl 3.17) significava agir pela autoridade de Jesus, manifestando seu caráter. Quando agimos "em nome de Jesus" hoje, cremos da mesma forma que não estamos agindo sozinhos, mas tendo Jesus ao nosso lado, embora ele permaneça invisível aos nossos olhos.

O significado de orar em nome de Jesus

Devemos ter em mente vários conceitos importantes antes de podermos orar em nome de Jesus.

Orar em nome de Jesus só é possível se você estiver "em Jesus". Jesus disse: *E eu farei tudo o que pedirdes em meu nome, para que o Pai seja glorificado no Filho. Se me pedirdes alguma coisa em meu nome, eu a farei* (Jo 14.13,14). Nessa mesma conversa com seus discípulos um pouco antes de sua morte, Jesus os lembrou: *Se permanecerdes em mim, e as minhas palavras permanecerem em vós, pedi o que quiserdes, e vos será concedido.* [...] *Sem mim nada podeis fazer* (Jo 15.7,5). Jesus usou a expressão "em mim" catorze vezes nos capítulos 14 e 15 do evangelho de João. Estar "em Jesus" significa:

1. Estar espiritualmente unido com Jesus (15.4-7).
2. Estar na videira (15.4).
3. Estar no amor de Jesus (15.9,10). O amor é o assunto preponderante nos capítulos 13 a 16 de João. O amor deve ser mútuo; para ser recebido, deve ser correspondido. Seu novo mandamento é o amor (13.34; 15.17). Não podemos amar Jesus a menos que amemos seus outros filhos (13.34). Amar Jesus é obedecer-lhe (14.15,23). Se você ama, permanecerá em Jesus (15.10).
4-5. Ter Jesus vivendo em você (14.20; 15.4,5).
6. Ser habitado pelo Espírito Santo (14.15-18).
7. Ter as palavras de Cristo permanecendo em você (15.7).

A nossa capacidade de orar em nome de Jesus depende desse relacionamento "em Cristo".

Orar em nome de Jesus é conformar-se à sua natureza. O exemplo dado no capítulo 13 de João é o de Jesus em seu papel de servo, lavando os pés dos discípulos. Já que você conhece a verdade, deve praticar a verdade (13.17). Quando você cumpre alegremente a vontade de Deus, refletindo a semelhança de Cristo, pode orar em nome de Jesus.

Orar em nome de Jesus é orar por sua causa. Você deve desejar tanto o que Jesus deseja que todo o seu pedido deve ser feito no espírito da oração do Senhor: *Seja feita a tua vontade* (Mt 6.10). Essa foi a atitude de Jesus quando orou no Getsêmani. Você deve orar ativamente, agressivamente, para que a vontade de Jesus prevaleça. Orar em seu nome é insistir que a vitória completa de Cristo se manifeste no mundo.

Orar em nome de Jesus é usar seu nome como referência. Esse aspecto da verdade de Deus está claro na paráfrase de João 14.13,14, da *Nova Tradução na Linguagem de Hoje*: *E tudo o que vocês pedirem em meu nome eu farei, a fim de que o Filho revele a natureza gloriosa do Pai. Eu farei qualquer coisa que vocês me pedirem em meu nome.* Jesus é a sua referência quando você se aproxima de Deus, o Pai, em oração. Quando Satanás tenta bloquear sua oração e se opor a você, use o nome de Jesus para obter vitória total.

Orar em nome de Jesus é reivindicar a *vitória do Calvário para a sua necessidade.* Porque Jesus derrotou abertamente Satanás e todas as suas hostes de demônios (Cl 2.15), Satanás é um inimigo derrotado. É um usurpador que tenta amedrontar e enganar você, mas ele já perdeu a batalha final. Em nome de Jesus, você reivindica a realização da vitória que Cristo obteve na cruz.

Orar em nome de Jesus é reconhecer seu pleno papel como ungido de Deus — profeta, sacerdote e rei. Como profeta, Jesus é o seu conselheiro e orientador. Como sacerdote, é o seu intercessor. Quando você ora, ele diz *Amém* à sua oração (Ap 3.14). *Pois, tantas quantas forem as promessas de Deus, nele está o sim. Portanto, também é por meio dele que o amém é dado para a glória de Deus por nosso intermédio* (2Co 1.20). Como rei, ele é o seu soberano Senhor. Ao orar em nome de Cristo, você reivindica direção profética para a sua oração, e bondosas respostas à sua oração.

Orar em nome de Jesus é orar na plena autoridade de Cristo. Jesus delegou a você a autoridade de orar e pedir a Deus que realize grandes coisas em nome dele. Em nome de Jesus, você pode repreender Satanás em suas maquinações, em seus demônios e em toda a sua obra infernal. Essa é a sua proteção; essa é a sua força; essa é a sua vitória.

Como usar o nome de Jesus em oração

Ah, santo privilégio! Você não precisa de outra recomendação para se encontrar com Deus, nenhuma outra apresentação. Aproxime-se diretamente do trono de Deus. Eleve o seu coração e olhe para o Pai. Não se constranja em se aproximar. Deus está esperando você, aguardando que você o alcance em oração. Como filho de Deus, o seu pecado e a sua culpa foram perdoados. Você não é mais um servo; é amigo de Jesus, é seu parceiro oficial de oração. Aproxime-se do trono da graça não em seu próprio nome, mas em nome de Jesus, representando os interesses dele, pela autoridade dele. Você foi designado oficialmente para interceder. Como você usará esse nome maravilhoso, poderoso?

Lembre-se do que o nome de Jesus representa. O nome de Jesus representa a pessoa de Cristo, seus propósitos, sua honra, sua autoridade — tudo o que ele é.

Regozije-se na preciosidade do nome de Jesus. O nome de Jesus significa toda a sua beleza e amabilidade. Recorde-se de toda a sua graciosidade, especialmente sua longanimidade para com seus filhos. O nome de Jesus representa seu amor constante e pessoal por você e por aqueles em favor de quem você ora. Use seu precioso nome com louvor e cântico enquanto você orar (Sl 135.3).

Expresse o seu amor pelo uso do nome de Jesus. As pessoas que você ama ficam arrebatadas quando ouvem você pronunciar o nome delas. Jesus ama você mais do que qualquer outra pessoa; e, independentemente de quantos milhares chamem pelo nome de Jesus, ele se emociona quando você o pronuncia novamente. Não importa quantas vezes você tenha dito o nome de Cristo antes; ele se regozija constantemente ao ouvir você pronunciá--lo em amor. Confessar o nome de Jesus é um verdadeiro sacrifício de louvor: *Assim, por intermédio dele, ofereçamos sempre a Deus um sacrifício de louvor, que é fruto dos lábios que declaram publicamente o seu nome* (Hb 13.15).

Creia no nome de Jesus. Quando você ora, Jesus quer que você exercite a sua fé pela crença em seu nome (1Jo 3.23). O nome de Jesus cria expectativa, dá firmeza à sua confiança nele e enche a sua alma de alegria (Rm 15.13; 1Pe 1.8). A fé no nome de Cristo produz respostas milagrosas (At 3.16).

Faça os seus pedidos de oração em nome de Jesus (v. Jo 14.13-15; 15.6,7; 16.26,27). Certifique-se de estar em união com Jesus. Ore por aquilo que o agrada, por aquilo que o glorifica. Reivindique a sua herança em nome de Jesus. Peça, por amor do nome dele.

Use a autoridade do nome de Jesus. O nome de Jesus expressa sua autoridade soberana, remete à vitória que ele obteve no Calvário e sugere a disponibilidade do exército angelical a ele submisso. O nome de Jesus endossa seu plano e programa; garante o fracasso e a derrota de Satanás. O nome de Jesus foi dado a você para ser usado em oração. Seja firme em reivindicar sua autoridade para resistir a Satanás e para que a vontade de Cristo prevaleça.

Santifique a sua oração em nome de Jesus. Há uma influência santificadora ao usar o nome de Jesus em oração: (a) O nome de Jesus protege a natureza e o motivo do seu pedido. Você não pode orar de modo egoístico ou carnal em nome de Jesus. (b) O nome de Jesus exige que a glória seja dada a ele. (c) O nome de Jesus espera de você integridade e obediência. (d) O nome de Jesus requer a sua perseverança em oração. Ore apenas em nome de Jesus, porque isso é verdadeiramente importante.

Envolva a parceria com Deus por meio do nome de Jesus. Cristo é o seu grande sumo sacerdote, intercedendo à direita do Pai (1Pe 3.22; Rm 8.34; Ef 1.20-23). Você pode aderir à intercessão de Jesus e se envolver em sua parceria de oração ao orar em nome de Jesus. O que o Espírito Santo ora por meio de você na terra quando você ora no Espírito, isso também é orado por Cristo entronizado à direita do Pai no céu. Usar o nome de Jesus no pleno sentido bíblico faz de vocês parceiros de oração.

Dê honra ao nome de Jesus. Deus quer que você glorifique o nome de Jesus. A oração em nome de Jesus permite que a glória seja dada ao Pai (Jo 14.13,14). Deus exaltou Jesus ao mais alto lugar e deu a ele o nome que está acima de todo nome (Fp 2.9). Você dá glória ao nome de Jesus ao orar em seu nome.

Repreenda Satanás em nome de Jesus. Até mesmo os anjos repreendem Satanás e suas hostes demoníacas em nome de Jesus. Lembre a Satanás quem Jesus é, a vitória de Jesus na cruz e sua ressurreição, e o fato de que Satanás já está derrotado. Lembre a Satanás a sua identidade com Jesus e a autoridade que você recebeu em nome de Cristo.

Use o nome de Jesus como o seu refúgio. O nome do Senhor *é uma torre forte; o justo corre para ela e permanece seguro* (Pv 18.10). Regozije-se no privilégio de carregar e usar o nome de Jesus. Reivindique o ministério e a proteção dos santos anjos de Deus para você e para os outros em favor de quem você ora, especialmente os missionários que trabalham em lugares perigosos. Os anjos estão em constante missão para ajudar você e todos os filhos de Deus (Hb 1.14). Todos estão submissos a Jesus e seguem suas ordens. Você está seguro no refúgio desse nome.

Faça tudo em nome de Jesus. Colossenses 3.17 é todo-inclusivo: *E tudo quanto fizerdes, quer por palavras, quer por ações, fazei em nome do Senhor Jesus.* Viva para a glória do nome de Jesus. Ore em seu nome. Trabalhe em seu nome. Confie em seu nome. Glorie-se em seu nome. Leve o nome de Jesus com você e, assim, seja vitorioso aonde quer que você vá. Regozije-se em tudo o que o nome de Jesus acrescenta à sua oração.

Você tem um maravilhoso privilégio e autoridade em nome de Jesus. Usar o nome de Jesus dá a dimensão do sobrenatural à sua oração. Clareia o caminho à sua frente e deixa as trevas para trás. O nome de Jesus é a chave para os recursos celestiais. Regozije-se em seu nome! Revista-se com seu nome! Aprenda a orar na plena autoridade do nome de Jesus!

5

O SEU PARCEIRO DE ORAÇÃO ENTRONIZADO

A oração leva você a uma sagrada parceria com Jesus Cristo, o entronizado Filho de Deus. Se Deus não o tivesse revelado em sua Palavra, seria blasfêmia sugerir que você poderia compartilhar tal parceria. Dizer que *o Senhor cooperava com eles* resume a história da igreja primitiva (Mc 16.20). Além disso, as Escrituras chamam todos os cristãos de *cooperadores de Deus* (1Co 3.9; 2Co 6.1).

Existem muitas formas de "trabalhar" com Deus — pela obediência, pelo serviço aos outros e pelo compartilhamento de seu amor. Mas ele quer ter um contato ainda mais próximo com você. Ele quer conduzi-lo a seu círculo mais íntimo, onde você possa ouvir seu grande coração pulsando por um mundo perdido. Deus criou você com a capacidade de falar e ter comunhão com ele. Acima de tudo, como "companheiro de trabalho", você foi criado para orar — da mesma forma que Jesus ora.

POR QUE JESUS ORA?

Vemos repetidas vezes nas Escrituras que Jesus orou e continua orando hoje. Mas por que a oração é necessária para Jesus, que chamou o mundo à existência (Jo 1.3) e sustém todas as coisas (Hb 1.3)? Por que ele precisa orar? Por que ele não simplesmente ordena? Nenhum demônio do inferno ou combinação de forças demoníacas poderia se opor à sua poderosa palavra. Por que Jesus não apenas os repreende, os detém ou os elimina por sua palavra?

Um dia, ele fará isso (2Ts 2.8). Um dia, ele governará com cetro de ferro (Ap 12.5), e nós também (Ap 2.27). Mas hoje Cristo escolheu governar o mundo pela oração. Este é o dia de sua graça, não o dia de seu poder e glória. Cristo já está entronizado à direita do Pai. O que ele está fazendo? Está reinando. Mas como ele reina? Não por seu cetro, mas pela oração! Antes mesmo de sua morte e ressurreição, Jesus, ao prevenir Pedro que Satanás havia pedido permissão para peneirar o discípulo como trigo (Lc 22.31,32), o mestre não disse: "Eu vou impedir Satanás". Em vez disso, anunciou: *Mas eu roguei por ti.*

Jesus reina pela intercessão

Deus fez Jesus Cristo *sentar-se à sua direita nos céus, muito acima de todo principado, autoridade, poder, domínio, e de todo nome que possa ser pronunciado, não só nesta era, mas também na vindoura. Também sujeitou todas as coisas debaixo dos seus pés* (Ef 1.20-22). Cristo já está sentado em seu trono. E o que Cristo faz lá? Concede entrevistas aos anjos ou aos santos falecidos? O único quadro que as Escrituras dão é que ele está [...] *à direita de Deus e também intercede por nós* (Rm 8.34). Jesus vive eternamente, tem um sacerdócio eterno e intercede por nós continuamente (Hb 7.24,25).

Jesus não vive para reinar? Sim, mas vive também para interceder. Ele reina pela intercessão. É soberano sobre todas as coisas, mas é também o grande sumo sacerdote que ora por todos. A oração garante resultados; a oração transmite bênção. Jesus abençoa quando ele ora. Ele é o intercessor real e doador da bênção.

O seu papel sacerdotal de oração

E é exatamente esse o papel que Jesus escolheu para você. Ele o ama tanto que deseja que você interceda junto com ele enquanto ele intercede ao Pai, abençoando o mundo à medida que ora. Jesus atua como mediador da bênção pela oração. Você e eu devemos fazer o mesmo.

Assim, lemos em 1Pedro 2.9: *Mas vós sois geração eleita, sacerdócio real.* João escreve que Jesus *nos ama e nos libertou dos nossos pecados pelo seu sangue, e nos constituiu reino e sacerdotes para Deus, seu Pai* (Ap 1.5,6).

Jesus é o sumo sacerdote de Deus (Hb 2.17). Ele nos fez sacerdotes para Deus também (Ap 1.6). É assim que devemos servir a Deus (v. 6). O maior serviço que você pode prestar a Deus não é o seu ministério externo de testemunho ou pregação. Seu maior serviço, seja qual for a sua vocação, é a intercessão sacerdotal. Deus trabalha por intermédio das orações do seu povo. E ele convida você à intercessão. Você não foi apenas criado para orar; você foi redimido, justificado e santificado para orar.

A sua mútua incumbência com Cristo

Qual é a maior incumbência pessoal de Jesus quanto à oração nesta era? Talvez seja orar pela igreja. Entretanto, uma única ordem relativa à intercessão de Cristo pela igreja está registrada na Bíblia. Ela se encontra no Salmo 2.7,8: *Proclamarei o decreto do SENHOR; ele me disse: Tu és meu filho, hoje te gerei. Pede-me, e te darei as nações como herança, e as extremidades da terra como propriedade.* É por isso que Jesus intercede hoje?

Jesus recebe a ordem do Pai para pedir pelas nações. A grande incumbência para a igreja, o último pedido a seus seguidores, é ir às nações (Mt 28.19,20). A segunda volta de Cristo será postergada até que o adequado testemunho seja dado às nações (Mt 24.14). Se ele é um Deus de infinito amor, seu coração anseia pelas nações. Certamente uma das prioridades que ele coloca sobre cada cristão é a de interceder pela evangelização do mundo.

Uma vez que Jesus vive sempre para interceder, a qualquer momento em que você orar — dia ou noite —, Jesus já está intercedendo. A qualquer momento em que você orar, você poderá ser o parceiro de Jesus. Paulo deixa isso muito claro:

> *Estando nós ainda mortos em nossos pecados, deu-nos vida juntamente com Cristo (pela graça sois salvos), e nos ressuscitou juntamente com ele, e com ele nos fez assentar nas regiões celestiais em Cristo Jesus. [...] Pois fomos feitos por ele, criados em Cristo Jesus para as boas obras, previamente preparadas por Deus para que andássemos nelas.* (Ef 2.5,6,10)

Você já está sentado com Cristo nos lugares celestiais. Onde Cristo está sentado? No trono do Universo ao lado do Pai. Você já está compartilhando do trono de Cristo e está fazendo o que Cristo faz — intercedendo.

JESUS, O SEU DIVINO PARCEIRO DE ORAÇÃO

Observe a seguir como as importantes formas da sua parceria de oração com Cristo afetam a sua oração.

A parceria coloca sobre você um reverente cuidado ao orar! Se você é parceiro de Jesus na intercessão, precisa certificar-se de orar em harmonia, e não em contradição, com as orações de Jesus. Que tipo de parceiro de oração você seria se estivesse em desacordo com Jesus? Quão urgente é não apenas procurar conhecer a vontade de Deus, mas também orar constantemente as palavras que Jesus nos ensinou a orar: *Seja feita a tua vontade, assim na terra como no céu* (Mt 6.10). Assim como Jesus orou no Getsêmani, você deve orar: *Não seja como eu quero, mas como tu queres* (Mt 26.39).

A parceria confere forte confiança à sua oração! Se você está orando para que a vontade de Deus seja feita, se está unindo a sua oração à intercessão de Jesus, com total segurança de fé (Hb 10.22), você pode se aproximar de Deus, *no qual temos ousadia e acesso a Deus com confiança, pela fé que nele temos* (Ef 3.12).

Se Jesus e você estão orando juntos a respeito de um assunto, que dúvida pode haver de que Deus está ouvindo? Certa vez, ao orar, Jesus mencionou que ele sabia que Deus, o Pai, sempre o ouvia (Jo 11.42). A Palavra de Deus acumula promessa sobre promessa para encorajar a sua intercessão.

> *Esta é a confiança que temos nele: se pedirmos alguma coisa segundo sua vontade, ele nos ouve. Se sabemos que nos ouve em tudo o que pedimos, sabemos que já alcançamos o que lhe temos pedido.* (1Jo 5.14,15)

O versículo seguinte mostra que o Espírito Santo tinha em mente as suas orações pelos outros — em outras palavras, a sua intercessão.

A parceria dá a você forte incentivo para perseverar em oração! O próprio Jesus insiste em que você persevere em oração e não desista até receber a resposta (Lc 18.1-8; 11.5-10). Se você estiver orando de acordo com a vontade de Deus (v. o Capítulo 30), e a sua oração não for respondida, você pode ter certeza de que Jesus ainda está intercedendo pela necessidade, por isso você também deve perseverar.

Que história maravilhosa Jesus contou para ilustrar essa verdade! Você deve continuar orando com a mesma insistência da viúva que continuou pedindo a um juiz injusto que a ignorava e recusava responder aos pedidos dela. Deus Pai, disse Jesus, não é como esse juiz! Mas você deve ser como aquela viúva!

O Deus do Amém

Há uma linda descrição nas Escrituras a respeito do papel de Jesus como parceiro de oração. *Estas coisas diz o Amém* (Ap 3.14), significando que Jesus é o "Amém". O que isso quer dizer? A tradução hebraica de Isaías 65.16 chama Deus de "o Deus do Amém". O significado original de *amém*, como verbo, é considerar alguém fiel, confiável e verdadeiro. Consequentemente, o termo é usado no Antigo Testamento de duas formas: (a) Ele ecoa a oração ou o louvor de um líder. Isto é, significa "Sim, de fato" ou "Assim seja em verdade". (Por exemplo, v. Sl 41.13; 72.19; 106.48; 1Cr 16.36; Ne 8.6.) (b) Ele é usado como consentimento de um ouvinte obediente a um decreto ou propósito real (1Rs 1.36; Jr 11.5).

Quando as Escrituras declaram que Jesus é o Amém, isso significa que ele é o divino "sim" a toda vontade de Deus e a todas as orações do povo de Deus sempre que elas estiverem de acordo com a vontade de Deus. *Pois, tantas quantas forem as promessas de Deus, nele está o sim. Portanto, também é por meio dele que o amém é dado para a glória de Deus por nosso intermédio* (2Co 1.20).

Permita agora que a glória da cena no céu desponte em você! Em termos pictóricos, Jesus está sentado no trono, à direita do Pai. Você está sentado ao lado dele, compartilhando o trono de Jesus em espírito. Ao interceder de acordo com a vontade de Deus, auxiliado pelo Espírito Santo que habita em você (que intercede por e através de você), você se volta para Jesus e faz o seu pedido para a glória e a causa dele. Por meio da sua autoridade "em Cristo", você entrega o pedido a Jesus. Ele une a poderosa intercessão dele com a sua e se volta para o Pai a fim de apresentar a intercessão (a dele e a sua!) e então a sela proferindo seu real "Amém", ou seja, em essência o "Amém" entronizado. Pelo fato de ser quem é, em razão daquilo que ele realizou no Calvário e porque ele concorda com você em oração (Mt 18.19), Jesus é o soberano "Amém" da sua oração.

Não é este o tempo de cantar a doxologia? E não é este o tempo de cair de joelhos e unir-se aos seres celestiais exclamando em adoração: "Santo, Santo, Santo!"?

> *Que é o homem, para que te lembres dele? E o filho do homem, para que o visites?* (Sl 8.4). *Senhor, o que é o homem, para que tomes conhecimento dele, ou o filho do homem, para que o consideres?* (Sl 144.3). *Ó profundidade da riqueza, da sabedoria e do conhecimento de Deus! Quão insondáveis são os seus juízos, e quão inescrutáveis, os seus caminhos!* [...] *Porque todas as coisas são dele. A ele seja a glória eternamente! Amém* (Rm 11.33,36)

6

O PARCEIRO DE ORAÇÃO QUE HABITA EM VOCÊ

O Espírito Santo, a terceira pessoa da Trindade, não está apenas entronizado no céu; ele foi enviado por Jesus (Jo 16.7) e pelo Pai (Jo 14.26) para habitar no crente (Jo 14.17). Assim, a sua natureza interior como crente se torna um templo de Deus através do Espírito Santo que habita em você (1Co 3.16,17). O que o Espírito Santo faz ao habitar em você? Ele o santifica (2Ts 2.13), o capacita (At 1.8), o guia (Jo 16.13), testemunha através de você (1Jo 5.8; At 1.8) e o ajuda a orar (Rm 8.26).

O Espírito Santo é o Espírito de oração. Ele ora diretamente, falando com o Pai e com o Filho. Também ora indiretamente, por meio de você, crente. Orar faz parte da natureza de Deus, o Filho, e de Deus, o Espírito. Eles vivem para isso. Assim como Deus ordenou que você se unisse a Cristo em intercessão para que a vontade dele seja feita na terra, da mesma forma ele ordenou que o Espírito Santo possibilite, oriente e capacite a sua intercessão.

Dito de outra forma surpreendente: Deus, o Filho, é o seu parceiro entronizado de oração, e Deus, o Espírito, é o parceiro de oração que habita em você. Assim como Deus, o Pai, permanece invisível aos olhos humanos, Deus, o Espírito, também permanece invisível. Contudo, tão certo quanto se pode conhecer a paternidade de Deus e a obra expiatória de Cristo, pode-se também saber que o Espírito Santo está trabalhando em você. Estar cheio do Espírito Santo é estar cheio do Espírito de intercessão.

Quando alguém se enche da plenitude do Espírito Santo, a oração se torna sua respiração espiritual. O Espírito Santo ama estar em você a fim de realizar em você a vontade de Deus na terra. Deus ordenou que a oração do crente seja um dos mais importantes meios de realizar sua vontade, por isso o Espírito Santo deseja fazer da intercessão uma expressão importante da sua vida espiritual.

O Espírito Santo capacita
e transforma a sua oração

O Espírito Santo aumenta o seu desejo de orar. Assim como é natural para uma criança conversar com seu pai, é natural para o crente orar ao Pai celestial. Embora uma criança precise aprender a orar, um crente novato é capaz de orar assim que nasce do Espírito.

O Espírito Santo está presente desde o momento do nascimento espiritual para nos encorajar e aumentar o nosso desejo de orar. É sinal de enfermidade espiritual o cristão não sentir esse desejo. O crente carnal encontra muitas desculpas para negligenciar a oração, porque Satanás está sempre pronto a roubar de nós essa comunhão com Deus, a Fonte do poder. Mas o crente que está pleno do Espírito pode esperar que o Espírito Santo, o capacitador da oração que nele habita, o leve a orar.

O Espírito Santo traz as Escrituras à sua memória enquanto você ora. Um dos ministérios do Espírito, como seu parceiro de oração, é trazer à sua mente questões espiritualmente importantes.

Ele tem prazer em lembrá-lo de versículos bíblicos, porque a Palavra é a espada que lhe possibilita opor-se aos poderes malignos deste mundo (Ef 6.17). O Espírito o faz lembrar de versículos bíblicos cheios de louvor, para que você possa citá-los em suas orações. Ele o relembra das promessas das Escrituras para fortalecer a sua fé.

Memorizar as Escrituras — escondendo-as em seu coração — possibilitará que você incorpore a Palavra de Deus à sua vida espiritual (Sl 119.11). Memorize alguns salmos de louvor, as doxologias do Novo Testamento e alguns versículos de oração e promessa. Estes podem ser usados repetidamente, porque expressam os profundos desejos e as alegrias do seu coração. Oh, que bênção usar as próprias palavras de Deus como sua oração!

O Espírito Santo traz objetivos espirituais à sua atenção. O Espírito Santo gosta de colocar à sua frente a figura de Jesus e aprofundar em você o desejo de ser mais parecido com ele, à medida que você lê sobre ele na Palavra, dando-se conta de que você está aquém das expectativas de assemelhar-se a ele. O Espírito Santo também tem prazer em manter à sua frente personagens bíblicas, destacando pessoas piedosas na história da igreja, ou pessoas a quem você encontrou durante a sua vida. Usando esses exemplos, o Espírito ajuda você a fixar objetivos para o crescimento espiritual. Há muitas passagens bíblicas que o Espírito pode usar nesse aspecto de seu ministério. Assim, é importante gastar tempo adequado lendo a Palavra de Deus sistematicamente, dia após dia. O Espírito também trará metas à sua atenção enquanto você orar pela igreja, pela sua organização missionária, pela sua nação e pelo mundo inteiro.

O Espírito Santo traz necessidades à sua atenção. O Espírito Santo pode lhe dar olhos para ver o que os outros não enxergam. Ele pode ajudá-lo a discernir quando as pessoas estão desencorajadas, tristes ou derrotadas. Pode lhe mostrar a negligência espiritual, a necessidade de reavivamento, de uma nova visão e de maior obediência. E pode inspirá-lo a orar pelo crescimento da igreja, pelos jovens ao seu redor, por servos de Deus especialmente usados.

A apresentação de necessidades que o Espírito traz à sua atenção é um chamado à oração. Satanás não contesta o seu reconhecimento de necessidades, mas quer que você critique e ridicularize todas as coisas. O Espírito Santo, como parceiro de oração que habita em você, quer torná-lo devoto, não crítico. Satanás quer que você apenas fale sobre as pessoas e suas necessidades; o Espírito Santo quer que você interceda em oração por elas.

Às vezes, você deve compartilhar essas preocupações com outros para se unir em oração a respeito — as preocupações mais amplas da sua comunidade, da sua nação e do seu mundo. A tremenda necessidade de avançar e difundir o evangelho é um apelo a que você se una em oração pelo máximo poder da oração. O Espírito Santo está sempre pronto para assisti-lo nesses tempos, e Cristo promete estar presente com você (Jo 14.16).

O Espírito Santo coloca sobre você responsabilidades de oração. O coração de Deus se aflige com o pecado, a indiferença e a impiedade do nosso tempo. O nosso amado Salvador e o terno Espírito Santo suplicam em oração intercessora por vidas arruinadas, lares desfeitos e tragédias do pecado e da injustiça em todo o mundo. Ambos anseiam que você se una a eles em intercessão diária pelos feridos, pelos arruinados, pelos perdidos e por aqueles que estão destruídos pelo pecado.

Deus, o Pai, quer alguém que interceda por todos os que necessitam. Deus ouve o clamor do órfão, o soluço do coração partido, as palavras iradas do violento e os gemidos de suas vítimas. Deus sente a angústia dos prisioneiros e dos refugiados, o sofrimento da fome dos que estão privados de alimentos. Ele é tocado pela aflição dos que pranteiam, pelo desamparo e pela desesperança daqueles que estão acorrentados aos hábitos do pecado. Ele compreende as trevas espirituais e o incerto, porém nutre profunda tristeza pelos que nunca receberam o evangelho.

Certamente Jesus ainda chora sobre as nossas cidades como chorou sobre Jerusalém, porque seu coração é o mesmo ontem, hoje e será para sempre (Hb 13.8). Ele ama com profundo anseio cada ateu, comunista ou terrorista. Ele trata com carinho cada ser humano, independentemente de quão pecador seja.

É a função especial do Espírito Santo dar a você uma responsabilidade de oração por todas essas necessidades e por todos esses necessitados. Deus quer expressar seu profundo amor enquanto você ora. Tal amorosa intercessão deve fazer parte do seu tempo de oração todos os dias. Quanto mais fiel e sinceramente você orar por essas necessidades, mais profundamente o Espírito Santo poderá encarregá-lo desses temas que partem o coração de Deus. O Espírito Santo o chama a chorar com os que choram (Rm 12.15). O seu choro normalmente não é em público, mas no seu lugar secreto de intercessão (Jr 13.17).

O Espírito Santo chamará você para orar em momentos críticos. Há momentos de crise na vida de todas as pessoas — momentos de perigo, de decisão, de oportunidades especiais. Há tempos em que o Espírito Santo está convencendo alguém do pecado (Jo 16.8), e ele pode chamar você a orar durante essa crise espiritual. Há tempos de enfermidade ou desencorajamento em que o Espírito pode escolher você para suportar uma carga especial de oração por alguém. Aprenda a ser sensível à voz do Espírito. (Para uma discussão mais detalhada desse importante papel, v. Capítulo 11.)

O Espírito Santo acrescentará especial profundidade, poder e fé à sua oração. O Espírito não apenas o direcionará a orar por necessidades especiais, mas também o guiará em como orar por elas, fortalecerá a sua fé enquanto você ora e ungirá e capacitará a sua oração. Além disso, como parceiro de oração e intercessão, ele se unirá a você em numa profundidade que não lhe será possível alcançar sozinho (Rm 8.26,27).

Somos fracos por nós mesmos, e as nossas orações são fracas quando comparadas às do Espírito. Ele vê a urgência muito mais depressa do que nós. Sua infinita personalidade sente uma infinita profundidade de amor, sofrimento, compaixão e anseio. Ele vê o tremendo potencial e as possibilidades além de qualquer coisa que possamos compreender.

A oração do Espírito, diz Paulo, transcende qualquer oração da nossa parte. Não é tanto a intercessão dele por meio de você, mas, acima e além disso, é a intercessão dele por você (v. 27). O Espírito intercede por você e por aqueles em favor de quem você intercede. Ele o leva a compartilhar sua compaixão, sua carga, seu amor, mas não o deixa orar sozinho. Ele se une a você como amoroso parceiro de oração, acrescentando infinita compreensão, desejo e poder.

O Espírito Santo quer que você tenha um ministério mundial. O Espírito Santo, o parceiro de oração que habita em você, deseja que você compartilhe a campanha dele pelo mundo todo. Desde que ele é o Deus criador, ele ama toda a sua criação igualmente.

Cerca da metade da população do mundo nunca ouviu o nome de Jesus ou não ouviu o suficiente para poder tomar uma decisão inteligente de receber Cristo. Essas pessoas vivem um tipo de pobreza que não é frequentemente reconhecido ou publicado. É uma pobreza de oração intercessora, porque são poucos seus intercessores.

Quem irá orar pelas nações pagãs? Quem orará pelos excluídos, pelos ateus, pelos comunistas, pelos terroristas — se não forem os cristãos? O Espírito Santo, que ora por eles com ânsia profunda a cada dia, anseia que você compartilhe da intercessão pelo rápido avanço do evangelho. Como é trágico se a nossa relutância em orar e o nosso fracasso em alcançar esses perdidos forem fatores que contribuam para o adiamento da volta de Cristo (Mt 24.14).

Deus nos perdoe! Por que não parar agora mesmo e pedir perdão, prometendo que, pela capacitação do Espírito, você assumirá o seu pleno papel como parceiro de oração? Sem dúvida, existem cidades inteiras, nações e líderes mundiais aguardando pela sua oração. Por quanto tempo eles devem esperar?

O Espírito Santo pode convocá-lo para jejuar. Nós, como igreja, temos negligenciado o jejum como o método de oração mais poderoso e com maiores resultados de oração. Ocasionalmente, o Espírito Santo convocará você a acrescentar jejum à sua oração. (Uma discussão mais extensa sobre o jejum encontra-se no Capítulo 13).

O Espírito Santo quer multiplicar a sua recompensa eterna. Cristo recompensará grandemente todos os seus intercessores por causa de sua fidelidade. Isso depende muito mais do exercício fiel da oração do que a maioria dos cristãos reconhece. Batalhas de oração significativas estão sendo travadas repetidas vezes. Você corre o risco de perder as maiores oportunidades da vida cristã. Cristo e o Espírito Santo desejam que você seja um eficiente parceiro de oração. Eles precisam da sua ajuda intercessora.

Deus, o Pai, ordenou que muitas coisas dependem da sua oração. Não desaponte os seus parceiros de oração divinos. Não desaponte o mundo. O Espírito Santo deseja que a sua vida de oração se torne poderosa e eficiente. Ele quer que você receba plena e gloriosa recompensa. Não perca a coroa de intercessor que ele guarda para você!

7

Os seus catalisadores invisíveis de oração

Os santos anjos de Deus são seus catalisadores invisíveis de oração. As Escrituras ensinam que o número total dos anjos de Deus é além do que se pode contar (Hb 12.22). A principal responsabilidade deles como seres criados é adorar e servir a Cristo (Hb 1.4,6,7). De forma secundária, eles são designados por Deus *para servir em favor dos que herdarão a salvação* (Hb 1.14). Os anjos têm um entusiasmado interesse em tudo o que nos diz respeito, porque somos importantes para Cristo. Nós somos sua igreja, sua esposa.

Como os anjos ajudaram a responder às orações nos tempos bíblicos

A Bíblia ensina como Deus usou os anjos para ajudar a responder às orações de muitos heróis da Bíblia. Quando Abraão orou por seu sobrinho Ló no tempo em que este vivia na cidade pagã de Sodoma, Deus mandou anjos para livrá-lo antes de destruir a cidade (Gn 19). Não há dúvida de que Jacó estava orando intensamente quando fugiu de seu sogro Labão, porque Deus o instruiu a voltar a seus parentes (Gn 31.3,11,12) e enviou um grupo de anjos para protegê-lo (Gn 32.1,2). Quando Elias estava fugindo da ira de Jezabel, orando em desespero, Deus mandou seus anjos duas vezes para prover-lhe alimento (1Rs 19.5,7). Quando forças inimigas cercaram Eliseu, Deus enviou multidões de anjos para protegê-lo (2Rs 6.17).

Quando Ezequias e Isaías clamaram ao céu em oração, o Senhor mandou um anjo para livrar Jerusalém de seus inimigos (2Cr 32.20,21). Depois que Daniel, o guerreiro de oração, foi jogado na cova dos leões, ele declarou: *O meu Deus enviou o seu anjo e fechou a boca dos leões* (Dn 6.22). Quando Daniel procurou compreender sua visão, Deus mandou Gabriel para interpretá--la (Dn 8.15,16). Novamente, Daniel orou, com jejum, e novamente Gabriel foi enviado (Dn 9.3,20-23). Em outra ocasião, Daniel passou três semanas em oração e jejum parcial; dessa vez, Gabriel apareceu e relatou que Miguel o havia ajudado a trazer a resposta, apesar da oposição demoníaca (Dn 10.2,13). Durante a visão e oração do profeta Zacarias, um dos anjos de Deus deu-lhe a resposta (Zc 1.8,9).

Nos tempos do Novo Testamento, Deus mandou um anjo a Zacarias, o pai de João Batista, para dizer-lhe que sua oração por um filho havia sido ouvida (Lc 1.11-13). Foram anjos que levaram a notícia da ressurreição de Cristo às mulheres que visitaram seu túmulo (Mt 28.5). Foram dois anjos que falaram aos discípulos quando Jesus retornou ao céu (At 1.10,11). Quando os apóstolos foram presos pelo sumo sacerdote, Deus mandou um anjo para abrir as portas da prisão e instruí-los a proclamar as boas-novas (At 5.19,20). Durante o reavivamento samaritano, um anjo orientou Filipe a ir para o sul, pela estrada para Gaza, onde ele encontrou e falou a um eunuco etíope (At 8.26). Não há dúvida de que um anjo também se envolveu em transportá-lo milagrosamente daquele ponto para outros locais missionários (v. 39,40).

Quando a igreja orou por Pedro enquanto ele estava na prisão, Deus mandou um anjo para abrir as portas e deixá-lo ir (At 12.5-10). À medida que a igreja orava, Deus enviou um anjo para destruir o perseguidor de Pedro, o rei Herodes (At 12.17-24). Durante a longa e trágica tempestade no Mediterrâneo, quando Paulo e seus companheiros de viagem estavam prestes a perder a vida, um anjo mandado por Deus garantiu-lhe que, em resposta à oração, todos a bordo se salvariam (At 27.23,24). Não há dúvida de que a assistência angelical estava envolvida em levá-los todos vivos para a praia. Quando João orou durante seu exílio em Patmos, Deus mandou seu anjo para dar-lhe a visão que se encontra no livro de Apocalipse (Ap 1.1).

Indubitavelmente, os anjos de Deus estiveram muito mais ativos em toda a Bíblia do que reconhecemos. Jesus também recebeu assistência dos anjos. Sabemos que pelo menos duas vezes, quando Jesus orou, anjos vieram fortalecê-lo e ajudá-lo (Mt 4.11; Lc 22.43). A Bíblia sugere que os anjos são igualmente ativos hoje.

Nós somos importantes para os anjos

Você deve se regozijar no glorioso fato de que nunca está sozinho. Até mesmo as crianças parecem ter um anjo acompanhante (Mt 18.10). Os anjos de Deus estão sempre observando-o (1Co 11.10; 1Tm 5.21). Paulo disse: *Pois nos tornamos um espetáculo para o mundo, tanto para anjos como para homens* (1Co 4.9). Não existe um único momento de sua vida em que os olhos dos anjos não estejam sobre você. Não há dúvida de que eles são os que mantêm os livros de Deus nos quais todos os seus pensamentos, palavras e ações são registrados (Ap 20.12; Dn 7.10), possibilitando a Deus recompensar a sua oração e o seu serviço de amor por ele (1Co 3.11-15).

Deus usa sua múltipla bondade para conosco, sua providencial coordenação da nossa vida e o nosso serviço a ele para ilustrar aos anjos seu plano, sua vontade e seus métodos perfeitos. Assim, a nossa vida torna-se uma ferramenta educacional por meio da qual os anjos podem conhecer Deus melhor. *Para que agora a multiforme sabedoria de Deus seja manifestada, por meio da igreja, aos principados e poderios nas regiões celestiais* (Ef 3.10).

Normalmente os anjos são invisíveis

Na infinita sabedoria de Deus, ele aparentemente prefere negar a visão dos anjos aos olhos humanos. Quase sempre reconhecemos, entretanto, que Deus nos tem protegido maravilhosamente. Como Deus faz isso? Provavelmente ele apela para um ou mais de seus anjos. Lembro-me muito bem de uma ocasião em que eu estava de licença do campo missionário. A caminho do ministério cristão em Ohio, um veículo que vinha em sentido contrário perdeu o controle numa curva e deslizou na direção do meu carro. Um pouco antes de o outro carro bater no meu, ele se endireitou, passando muito perto. Assim que passou, o veículo novamente saiu de controle. Instantaneamente percebi que o anjo de Deus deve ter colocado uma proteção em torno do meu carro.

Em outra ocasião, um carro que se aproximava desviou da linha central e veio na minha direção. Pude ver a cabeça do motorista pender para o lado como se ele estivesse dormindo ou drogado. De repente, como se uma mão invisível tivesse sido colocada sobre o volante, o carro foi puxado para a faixa certa e passou por mim em segurança. Vi, horrorizado, que os olhos do motorista estavam fechados. Agradeci a Deus, sabendo novamente que ele havia usado seu anjo para me proteger.

Algumas vezes os anjos são visíveis

Ocasionalmente, entretanto, Deus permite que seus anjos sejam temporariamente visíveis. Quando o rev. Lawrence Schaper foi hospitalizado em Jefferson Barracks, um hospital do Exército em St. Louis, Missouri, na terceira noite após sua operação, ele se sentiu tão mal que orou: "Senhor Jesus, vem e fica comigo esta noite". O rev. Schaper relata que viu Jesus entrar no quarto com dois anjos. Jesus sentou-se em uma cadeira e um anjo em outra. Lawrence disse: "Jesus, estou muito doente, vem sentar-se na cama ao meu lado". Jesus sentou-se ao lado dele na cama. Quando Lawrence acordou na manhã seguinte, os seres celestiais ainda estavam lá. O rev. Schaper despediu-se deles. "Jesus foi o primeiro a entrar no quarto e o último a sair". A crise passou. Hoje, quarenta e oito anos depois, aos 92 anos de idade, o rev. Schaper ainda ama e serve ao Senhor.

A minha mãe se converteu quando era uma menininha numa igreja do interior durante reuniões especiais de reavivamento da igreja. Quando foi à frente e se ajoelhou, ela viu anjos a seu lado. Na meia-idade, ela ficou muito doente. Durante mais de quatro anos, sofreu ataques de pneumonia, pleurisia, paralisia parcial e problemas cardíacos, um depois do outro. Durante esse tempo, ela só conseguia deitar-se do lado direito, mal conseguia usar o lado esquerdo por causa de paralisia e não podia suportar nenhum som — mesmo de intensidade moderada — nem a luz natural. Durante quatro anos, conversávamos em sussurros em casa, parávamos o tique-taque do relógio, forrávamos as portas com pano grosso e mantínhamos tecidos escuros em torno de sua cama para evitar a luz.

Um dia mamãe sentiu-se levada a pedir à família de seu irmão e a outra família cristã que se reunissem em nossa casa para orar por ela. Repentinamente ela ouviu uma voz: "Olhe, as janelas do céu se abriram para você". Abrindo os olhos, ela viu anjos a seu lado. Instantaneamente ela se colocou em pé, completamente curada. Depois disso, viveu mais trinta anos.

Quando Sadhu Sundar Singh, o amado evangelista indiano de pés descalços, foi sacrificialmente proclamar o evangelho entre a neve e o frio do planalto do Tibete, varrido pelo vento, teve experiências maravilhosas da proteção e da ajuda de Deus. Uma de suas surpreendentes experiências foi uma visita à cidade de Rasar. O lama, líder budista, deteve Singh e o sentenciou à morte por pregar Cristo. Singh foi jogado num poço vazio e fundo — uma das duas principais formas de execução.

Sundar Singh afundou nessa cova mortuária de ossos e carne podre dos que ali tinham morrido antes. O mau cheiro parecia insuportável e, durante três dias e três noites, ele ficou às vezes apenas parcialmente consciente. Onde quer que tocasse, havia apenas carne putrefata. Na terceira noite, ao orar, ele ouviu o ruído da chave na fechadura da tampa no alto. Para sua surpresa, a tampa foi removida. Nesse momento, uma voz o chamou para que pegasse a corda que estava sendo baixada e, assim que o fez, ele foi suavemente levantado. A tampa foi reposta, fechada de novo, e instantaneamente o libertador de Singh desapareceu.

Sundar Singh louvou a Deus e no dia seguinte retomou sua pregação na cidade. O lama novamente o agarrou e furiosamente quis saber quem tinha roubado a única chave e o libertado. Depois de procurar, a chave foi encontrada no cinto do próprio lama. Com medo do Deus do evangelista, o lama pediu que Sundar Singh saísse da cidade antes que todos fossem mortos por aquele imenso poder!

Os anjos de Deus são importantes para você

Os anjos de Deus estão sempre de prontidão para Deus e para você quando você ora. Eles são enviados para ajudar a realizar o propósito de Deus na sua vida, particularmente para apressar as suas orações. É sempre correto dizer que Deus dá a resposta à oração, porque os anjos agem em nome de Deus. Eles são seus representantes pessoais. Não há limite para o que eles podem fazer por você se isso estiver de acordo com a vontade de Deus. Se for necessário, Deus pode mandar mais de um anjo para atender à sua necessidade.

Os anjos parecem poder viajar a velocidades incríveis no mundo espiritual. Eles não são limitados por um corpo material, mas, quando Deus assim o quer, eles podem usar a força física ou aumentar em força (Dn 10.18,19; Lc 22.43). Se Deus o quer, eles podem assumir instantaneamente uma forma corpórea e agir por meio desse corpo.

Lembre-se de alguns pontos importantes sobre os anjos:

1. Os anjos de Deus estão sempre com você.
2. Os anjos de Deus podem ir a qualquer lugar, a qualquer hora. Eles estão onde e quando você precisa deles.
3. Os anjos de Deus estão imediatamente disponíveis às ordens de Deus.
4. Os anjos de Deus têm força sobre-humana.
5. Os anjos de Deus são provavelmente os principais agentes de Deus para responder às suas orações.
6. Os anjos de Deus têm prazer em cumprir a vontade de Deus.
7. Os anjos de Deus têm a incumbência permanente de ajudar você.

8. Os anjos de Deus amam você porque você é amado por Deus.
9. Você pode pedir a Deus a ajuda de seus anjos a qualquer tempo.
10. Os anjos de Deus são apenas servos de Deus. Você não ora a eles; ora somente a Deus e lhe pede ajuda.
11. Os anjos de Deus se regozijarão com você no céu e provavelmente lhe explicarão como as suas orações foram respondidas em várias ocasiões.

Uma razão pela qual você deve ser tão grato pela ajuda angelical é a constante oposição de Satanás e de suas forças demoníacas à vontade de Deus, a seu ministério e a seu povo. O inimigo procura revidar contra Deus atacando o ser humano, o objeto do amor e dos planos de Deus. Satanás mobiliza forças que se opõem constantemente a você, atrapalhando-o muito mais do que você pode imaginar (Ef 6.12).

Contudo regozije-se! Coragem! Só Deus é onipotente, onisciente e onipresente. Satanás só consegue estar presente em um lugar de cada vez e depende de demônios auxiliares para trabalhar por ele.

Deus tem muito mais anjos santos do que Satanás tem demônios. A batalha espiritual está ganha pela oração, com a ajuda dos anjos de Deus (v. Capítulo 28.) *Se Deus é por nós, quem será contra nós?* (Rm 8.31). *Não temas, porque há mais conosco do que com eles* (2Rs 6.16). *Não temais, nem desanimeis, por causa do rei da Assíria, nem por causa de todo o exército que está com ele* (2Cr 32.7).

OS ANJOS E A SUA ORAÇÃO

Se os anjos ajudam na resposta às nossas orações como uma tarefa especial designada por Deus, ou simplesmente no curso normal de suas atribuições, você não precisa pedir a ajuda deles. De fato, não devemos orar aos anjos. Devemos orar a Deus, sabendo que ele pode designar anjos para ajudar a atender às necessidades pelas quais oramos. Sob certas circunstâncias, podemos legitimamente pedir a assistência de anjos no atendimento a necessidades:

1. *Necessidades relacionadas ao evangelismo, à igreja e à obra missionária.* Você pode querer orar para os anjos de Deus apressarem a concessão de permissões; coordenar o tempo; propiciar proteção em viagens; ajudar em planos complexos; garantir que equipamentos funcionem adequadamente; obter favor das autoridades locais ou do governo; atrair a atenção de pessoas importantes; motivar as pessoas a comparecerem a reuniões; distrair a oposição; silenciar ou remover os adversários; auxiliar em respostas a perguntas e objeções; ajudar a interromper hábitos pecaminosos.
2. *Necessidades relacionadas à derrota de Satanás.* Você pode precisar da assistência dos anjos de Deus para restringir a influência de Satanás; tumultuar seus planos e verificar o controle dele sobre certas pessoas; dissipar as trevas satânicas e repelir seus demônios; ajudar os cristãos em tempos de tentação, dando-lhes poder para resistir; unindo-os contra o inimigo e suas forças demoníacas.
3. *Necessidades relacionadas à proteção.* Às vezes, a proteção angelical é imperativa. Sob a proteção de Deus, os anjos podem proteger você de acidentes, tempestades e outras calamidades naturais; insetos, animais selvagens, germes e infecções; inimigos motivados por Satanás ou ataques demoníacos diretos; e tentações malignas. Os anjos podem ser

autorizados a distrair a atenção dos nossos inimigos, fazendo que a sua presença passe despercebida em momentos de perigo. Eles podem então coordenar circunstâncias providenciais para ajudá-lo a fugir dos inimigos.

4. *Necessidades pessoais.* Você pode sentir necessidade de ajuda angelical em assuntos muito pessoais: proteger seus entes queridos; ajudá-lo a contatar pessoas; encontrar soluções; exibir habilidades especiais; localizar itens; convencer pessoas a ajudá-lo; despertá-lo na hora certa; trazer certos temas à sua memória ou atenção; guiá-lo em decisões difíceis; receber força física além da sua força natural; lembrar outras pessoas de orarem por você; lembrá-lo de um versículo das Escrituras ou de onde encontrá-lo na Bíblia; ajudá-lo a compreender os outros; zelar por suas colheitas ou rebanhos (Ml 3.11); ajudar em assuntos profissionais.

Esta é uma lista sugerida de situações nas quais você pode precisar de assistência dos anjos. Lembre-se de que Deus, o Pai, Deus, o Filho, e Deus, o Espírito Santo, podem agir diretamente, mas provavelmente escolherão agir pelo ministério e cooperação dos anjos. Agradeça a Deus pela ajuda dos anjos sempre que suspeitar que eles estiveram envolvidos. Uma multidão desses embaixadores celestiais está sempre disponível para envio ao lugar ou à pessoa necessitada. Eles estão esperando para ajudar você.

8

Você pode tocar o trono de Deus pela oração

A oração tem um braço comprido. Ela pode alcançar o caminho todo para o céu. A Bíblia ensina esta verdade por meio de um lindo simbolismo — o levantar das mãos em oração. *Levantemos o coração e as mãos para Deus no céu* (Lm 3.41).

O nosso primeiro exemplo no Antigo Testamento encontra-se no relato de uma batalha estratégica contra os amalequitas, quando Moisés instruiu Josué a liderar o povo de Deus enquanto levantava suas mãos em súplica. Lemos:

> *E acontecia que, quando Moisés levantava as mãos, Israel vencia; mas quando ele abaixava as mãos, os amalequitas venciam. As mãos de Moisés, porém, ficaram cansadas. Por isso, pegaram uma pedra e puseram-na debaixo dele para que se sentasse. Arão e Hur sustentavam-lhe as mãos, cada um de um lado. Então as suas mãos ficaram firmes até o pôr do sol. E Josué derrotou ao fio da espada Amaleque e seu povo. Então o Senhor disse a Moisés: Escreve isto para memorial num livro* (Êx 17.11-14).

Qual é a explicação para esta grande vitória, e por que ela deve ser lembrada? Moisés responde no versículo 16: *Mão levantada contra o trono do Senhor!*[1]

---

[1] Cf. nota de rodapé da *Nova Versão Internacional*.

Visivelmente, as nossas mãos são levantadas; espiritualmente, elas tocam o trono de Deus. Você pode fazer orações que não chegam mais alto que a sua cabeça, que nunca vão além do quarto em que você está. Mas, quando você ora no Espírito, de acordo com a vontade de Deus e em nome de Jesus, a sua oração pode alcançar o céu inteiro!

Moisés escreveu a verdade. Suas mãos tocaram o trono de Deus. As suas, também, se você seguir os princípios de Deus para orar.

Paulo nos exorta em 1Timóteo 2.8: *Quero que os homens orem em todo lugar, levantando mãos santas.* Isso significa que devemos literalmente levantar as mãos sempre que orarmos? Certamente não. Deus está mais preocupado que elevemos o coração e a alma a ele. *Senhor, elevo a minha alma a ti* (Sl 25.1; v. tb. Sl 86.4; 143.8). Levantemos as mãos literalmente ou não, é do espírito e da essência da oração que levantemos os olhos espirituais e o coração a Deus. E, durante os tempos de fervorosa intercessão ou intensa batalha espiritual, podemos, na privacidade do nosso local de oração ou mesmo em público (quase sem se dar conta), levantar as mãos físicas a Deus. *Ouve minhas súplicas quando clamo a ti, quando levanto as mãos para teu santo templo* (Sl 28.2).

Você pode alcançar outra pessoa pela oração

A oração não somente pode alcançar o céu, como o braço de quem ora pode transpor quilômetros a qualquer parte do mundo, e você, no seu lugar de intercessão pode tocar alguém que precisa de você, mesmo a milhares de quilômetros de distância. Isso não é faz de conta. Isso é realidade espiritual.

Nunca me esquecerei do período de duas semanas na Índia muitos anos atrás, quando senti uma contínua responsabilidade de orar pelo nosso filho. Aquela sensação chegou ao ápice certa tarde de domingo quando eu estava sozinho em casa, tão absorto em oração por ele que, durante algum tempo, não notei o passar do tempo ou a existência do espaço. Ao orar ininterruptamente, de repente pareceu que eu estava ajoelhado ao lado de John com a minha mão em seu ombro, orando por ele. Não sei por quanto tempo orei, ou o que eu disse, mas sei que o meu braço de oração atravessara terras e oceanos por milhares de quilômetros e a minha mão repousava sobre o ombro de John. Foi tão real como se eu estivesse ao lado dele. Então veio a segurança, eu me levantei e depois entreguei a mensagem do domingo à noite.

Em razão das responsabilidades missionárias, não tive oportunidade de escrever a John até depois do almoço da tarde seguinte. Fui ao meu escritório e sentei-me à frente da minha máquina de escrever: "Querido John", escrevi, "não sei o que isso significa para você, mas tenho certeza de que significa algo. Durante dias, tenho orado especialmente por você, e ontem à tarde, quando eu estava ajoelhado no quarto, de repente pareceu que eu estava ajoelhado ao seu lado, com a minha mão no seu ombro". Eu estava pronto para escrever o segundo parágrafo quando a campainha tocou. Fui até a porta e dei de cara com um mensageiro do telégrafo. Ele me entregou um telegrama.

Entrei, fechei a porta e abri o telegrama, que dizia: "Deus é o meu Capitão. Decisão tranquila, porém segura. Obrigado pela herança, amor e oração. John". Dobrei os joelhos enquanto lágrimas corriam pela minha face. Deus me havia permitido tocar o trono celestial com uma mão e o ombro do nosso filho com a outra. Passados alguns dias, a carta de John chegou. No exato momento em que eu estava orando em Allahabad, Índia, John, nos Estados Unidos, ajoelhado sozinho na escuridão, havia entregado seu coração ao Senhor.

Você pode ser tocado pela oração de outra pessoa

Lembro-me de outra ocasião quando, em junho de 1962, fui convocado para uma reunião especial da diretoria da OMS, em Los Angeles. Durante o meu último dia em Landour, a 1.800 metros de altitude nos Himalaias, comecei a me sentir doente. A minha garganta começou a ficar irritada, o meu corpo doía e eu estava quente e febril. Enquanto trabalhava no meu escritório tentando limpar a mesa de correspondência, orei para que a minha família não notasse como eu estava doente, por temer que eles não quisessem que eu partisse naquela noite para Délhi em direção aos Estados Unidos. A família desceu comigo a encosta da montanha até o ponto do ônibus e não notou o meu estado.

Quando o ônibus deu a partida, acenei em despedida, mas, assim que o veículo virou a esquina, reclinei a cabeça na parte de trás do banco da frente, doente demais para mantê-la firme. Como eu me sentia febril demais, os quase 30 quilômetros de estrada cheia de curvas descendentes para Dehra Dun foram muito difíceis. Em Dehra Dun, tomei o trem para Délhi. Por alguma razão, naquela noite o fusível estava queimado e os ventiladores e as luzes não funcionavam. A minha febre subiu enquanto eu lutava contra a náusea e a dor de cabeça. Pensei: "Quem dera eu encontrasse um cristão que pudesse orar por mim!"

De repente, enquanto o trem acelerava na escuridão, senti como se uma mão humana tivesse passado um pano molhado frio sobre a minha testa. Instantaneamente a febre, a dor de cabeça, a náusea e a dor de garganta sumiram, e eu me senti completamente bem. Imediatamente pensei: "Quem orou por mim?"

Havia escalas em Hong Kong e Tóquio, para um dia de oração agendada com os colegas chineses e japoneses em ambas as cidades. Em ambas as ocasiões, antes de pronunciar a mensagem, contei a minha experiência recente. "Estou aqui hoje porque alguém orou por mim. Não sei quem foi, mas senti a mão de alguém".

As reuniões da diretoria da OMS duraram vários dias em Los Angeles. Certo dia quando o correio chegou, havia uma carta para mim. Abri-a e li que, por volta das 9h15 da noite do dia em que saí de Landour, a pessoa havia orado fervorosamente por mim. Sim, havia sido aquele dia e aquela hora. Se o que eu tinha sentido era de fato a mão da pessoa que orou, ou se era a mão de um anjo em resposta à oração, não faz diferença. A oração atravessou quilômetros e deixou seu toque curador num trem em alta velocidade naquela noite quente de junho.

Por que não experimentamos tal toque de oração com mais frequência? Talvez poucas pessoas tenham desenvolvido a capacidade de perceber a voz tranquila e suave do Espírito. Talvez muitas vezes não estejamos próximos o suficiente do Senhor para sermos sensíveis à sua orientação. A realidade, entretanto, permanece. A oração tem um longo braço. Ela pode tocar o céu e qualquer lugar na terra, a qualquer tempo. Em algum sentido maravilhoso, a oração faz de você um mediador das bênçãos de Deus.

A TRINDADE DE INTERCESSÃO DIVINA

Jesus é o único mediador entre Deus e os seres humanos na salvação. Qualquer mediação de bênção que o nosso Deus nos permite fazer agora é com base na mediação de Cristo no Calvário e na mediação de Cristo hoje no trono. Mas o mesmo Paulo que escreveu em 1Timóteo 2.5 que *há um só Deus e um só mediador entre Deus e os homens, Cristo Jesus, homem*, também escreveu três versículos depois: *Quero que os homens orem em todo lugar, levantando mãos santas.*

Deus quer que nos unamos à trindade de intercessão que ele ordenou. Deus, o Filho, vive sempre para interceder por nós (Hb 7.25). Ele está intercedendo por nós agora à direita de Deus (Rm 8.34). Deus, o Espírito, intercede por nós com gemidos inexprimíveis (Rm 8. 26). Embora Deus, o Filho, e Deus, o Espírito, estejam constantemente intercedendo, a trindade de intercessão divina estará incompleta até que você se junte a ela em oração.

O Cristo que ora está no trono do céu, face a face com o Pai. Mas nós, seres humanos fracos e finitos, salvos pela graça de Deus, recebemos o privilégio quase inacreditável de estender as mãos ao céu e também tocarmos o trono de Deus! Então a equipe de oração que Deus ordenou está completa. Em certo sentido sagrado, compartilhamos com Cristo a tarefa de mediar as bênçãos de Deus. Em certo sentido sagrado, Deus abençoa o mundo por meio das nossas orações. A oração nos possibilita tocar o trono de Deus com uma das mãos e a necessidade do mundo com a outra!

9

A ORAÇÃO PODE LHE DAR ACESSO A QUALQUER LUGAR

A oração pode lhe dar acesso instantâneo a qualquer casa, hospital, gabinete de governo ou sala de tribunal, em qualquer parte do mundo. Da mesma forma que a distância não pode impedi-lo de alcançar ou tocar em oração, tampouco as paredes ou os sinais de "entrada proibida" podem impedir a sua presença ou deter a sua mão em oração.

Pela oração, você pode firmar a mão de um cirurgião durante momentos de crise ao operar um amigo ou um ente querido. Pela oração, a presença invisível de quem ora pode estar junto com o ente querido durante uma operação.

Quando o rev. Bud Robinson foi ferido quase fatalmente, oscilando por vários dias entre a vida e a morte num hospital em San Francisco, ele sentiu uma dor excruciante na perna. A conferência de pastores de sua denominação foi chamada para orar; interrompendo a sessão, eles se ajoelharam em grupo e se uniram em insistente oração pelo reverendo. Nesse exato momento, a dor o deixou. Um ou dois dias depois, ele perdeu a consciência durante certo tempo e teve uma surpreendente visão do céu. Curiosamente, enquanto conversava com Jesus na visão, viu dois pastores — em pé, um de cada lado seu. Eram dois de seus melhores amigos, que estavam em Los Angeles intercedendo por ele naquele exato momento! Embora distantes fisicamente por vários quilômetros, estavam a seu lado pela oração!

Presente em espírito

Paulo, o apóstolo da oração, orou constantemente por seus convertidos e pelas igrejas que ele fundou em muitos lugares no mundo do Novo Testamento. Suas orações eram tão reais e fervorosas que ele realmente acreditava que, embora fisicamente distante, seu espírito estava com eles enquanto orava. Na realidade, não é exatamente sobre isso que Paulo falava quando escreveu à igreja de Corinto: *Quando vos reunirdes em nome de nosso Senhor Jesus, e eu estando convosco em espírito, junto com o poder de nosso Senhor Jesus* (1Co 5.4)? E Paulo não hesitou em dizer que seu espírito, pela oração, se reuniria com eles quando tratassem de um caso de disciplina na igreja (v. 5). Paulo estava mantendo contato espiritual por meio da oração.

Paulo escreveu em termos semelhantes à igreja de Colossos: *Pois ainda que meu corpo esteja ausente, estou convosco em espírito, alegrando-me, ao ver a vossa ordem e a firmeza da vossa fé em Cristo* (Cl 2.5). Esta igreja viveu tão incisivamente na oração de Paulo que foi como se ele estivesse ali mesmo com eles.

Há muitas piadas baratas feitas por algumas pessoas que não vão ao culto e depois dizem ao pastor que estavam "presentes em espírito". Essa conversa pode ser quase sacrílega. Outros podem dizer com sinceridade a amigos ou parentes ausentes: "Estarei presente com você em espírito", mas significa pouco mais do que pensamentos ocasionais em favor deles. Paulo queria dizer muito mais. Ele amava muito os cristãos colossenses, por isso se identificou com eles, orou tanto em incessante intercessão que sabia ser um fato espiritual estar com eles por meio da oração. Isso foi verdadeiro, embora Paulo nunca tivesse visitado Colossos! Essa profundidade de identificação em oração não é comum hoje. Mas é gloriosamente possível se andarmos intimamente com Deus.

Desenvolvendo a presença em oração

É plenamente possível a qualquer cristão que ora conseguir tal união de amor e santo desejo pela persistente intercessão a ponto de Deus conceder uma união especial e identidade de espírito e uma realidade de "presença em oração".

Durante cerca de vinte anos, sempre que eu retornava para casa vindo da faculdade, de uma delegação missionária ou em licença da Índia, parecia que, cada vez que orávamos em família, a minha mãe começava a derramar lágrimas de intenso amor ao orar pelos campos missionários, especialmente na China e na Índia. Essa era também a forma de ela interceder por mim, e creio que seu espírito de oração estava sempre comigo.

Foi por isso que Deus pôde chamá-la para interceder nos exatos momentos em que eu enfrentava perigo durante o meu serviço na Índia, embora ela não soubesse que eu estava em dificuldade. A minha mãe era uma verdadeira guerreira de oração que passava várias horas por dia em verdadeira intercessão e sempre experimentava o incentivo do Espírito Santo. Por sua identidade de oração comigo, ela estava alcançando a Índia para Cristo!

Tal fidelidade resulta em grandes oportunidades de servir a Deus. Pela oração, você pode entrar nos tribunais e colocar a sua mão ratificadora no ombro do juiz. Pela oração, você pode colocar a sua mão restritora sobre o braço de um criminoso ou terrorista do mundo. Pela oração, você pode colocar a sua mão orientadora sobre o volante de um carro.

Contudo, você não pode sussurrar uma oração de meio minuto uma vez por mês por alguém e achar que vai conseguir esse resultado. O seu coração deve estar batendo com o coração de Jesus enquanto ele intercede. O seu amor precisa estar fluindo dia após dia com o amor do Espírito Santo. Se você tem ardor suficiente, se o seu ministério de oração é suficientemente constante, se você está vivendo e orando no Espírito, você atua como mediador da bênção de Deus de forma tão real como se estivesse lá pessoalmente.

Provavelmente você não poderá alcançar essa união de espírito, amor e emoção para compartilhar profundamente o ministério de um grande número de pessoas. Mas você pode vir a compartilhar com pelo menos um, ou talvez vários. Logo depois de termos chegado à Índia, a minha esposa, Betty, recebeu a carta de uma professora da África do Sul. "Eu sempre quis ser missionária", ela escreveu, "mas Deus não permitiu. Ao ler a sua revista missionária e ver a sua foto, Deus disse que eu devia fazer o meu trabalho missionário por meio de vocês". Esse foi o chamado de Deus para ela. Com relação a quem Deus orienta você a ser um parceiro de oração por meio da intercessão?

Quem falhou em orar?

Havia pouco tempo que a minha esposa e eu havíamos nos casado e vivíamos temporariamente na casa dos meus pais antes de iniciarmos o nosso pastorado em outro estado. Uma noite por semana, os meus pais viajavam vários quilômetros de carro até um prédio escolar do interior, onde o meu pai dirigia um estudo bíblico e uma reunião de oração. Certa noite, quando os meus pais estavam fora, a minha esposa e eu estávamos sozinhos em casa, ajoelhados em oração, quando uma súbita premonição de perigo terrível veio sobre mim. Eu não sabia qual era o perigo e pensei que talvez um ladrão estivesse do lado de fora da nossa janela. Durante dez minutos ou mais, consegui apenas suplicar pelo sangue de Jesus e clamar por seu nome.

Em seguida, a aflição foi aliviada. A minha esposa não conseguiu entender o ocorrido, e disse que a minha face estava branca como papel. Ela me perguntou o que eu achava que tinha acontecido. Respondi que não sabia, mas que eu tinha certeza de que Deus havia providenciado livramento de um grande perigo.

Cerca de vinte minutos depois, bateram r a porta do nosso quarto. Era a minha mãe. Suas primeiras palavras confirmaram a minha apreensão anterior:

— Oh, Wesley, Deus foi muito misericordioso conosco hoje à noite! Quando papai e eu estávamos voltando para casa na estrada, a luz de um carro no sentido contrário cegou os nossos olhos. O carro vinha em alta velocidade direto contra nós. No último momento, desviou de nós! Depois que o carro passou, percebemos que estávamos no lado errado da estrada!

Explique como quiser. Talvez a mão da oração tenha guiado o volante do carro em velocidade e o desviado para evitar a colisão. Talvez eu tivesse tocado o trono de Deus, que mandou um anjo para lidar com a situação. Eu não sei. Mas de uma coisa tenho certeza: Deus nos alertou para intercedermos e, no exato momento do acidente, poupou a vida dos meus pais para que servissem em muitos anos mais de ministério. Desde então, quando ouço que um precioso servo de Deus foi morto num acidente, eu me pergunto: "Quem falhou em orar?"

O MARAVILHOSO PRIVILÉGIO

Há uma indescritível realidade sagrada na oração. Nós apenas começamos a aprender o abecê da intercessão. Mal começamos a compreender o que significa ser um sacerdote real de Deus (1Pe 2.9; Ap 1.6), um cointercessor com Cristo. Deus nos deu o maravilhoso privilégio de projetar o nosso amor, o nosso toque e a nossa presença por meio da oração. Isso não é fanatismo místico. As pessoas mencionadas neste capítulo não são supersantas irreais, dadas a visões. São pessoas comuns e realistas, porém grandes intercessoras.

Não devemos fazer do transcendental um passatempo. Nem devemos deixar de aproveitar o maravilhoso privilégio que Deus nos concede. O poder da oração permanece desconhecido e pouco compreendido por muitos de seus filhos. Vivemos muito abaixo da nossa capacidade espiritual, dos nossos privilégios e dos nossos direitos como filhos de Deus!

> *Conheçamos e prossigamos em conhecer o SENHOR; como o sol nascente, a sua vinda é certa* (Os 6.3). [...] *considero tudo como perda, por causa da sublimidade do conhecimento de Cristo Jesus, meu Senhor* [...] *para o conhecer Cristo, e o poder da sua ressurreição.* (Fp 3.8,10)

Qual é o seu desejo mais profundo? Qual é a intensidade dos seus anseios espirituais? A sua intensa ânsia é conhecer Cristo melhor, conhecer o segredo sagrado de sua presença e de seu poder, como ter comunhão com ele e como prevalecer com ele ao compartilhar sua intercessão? Então você de fato começará a realizar o seu papel como noiva, sacerdote real e cointercessor de Cristo.

10

O REI LHE ENTREGA AS CHAVES DO REINO

Jesus Cristo é o Soberano do Universo. Ele é o criador de tudo, visível e invisível — o mundo físico, o ser humano e o mundo dos anjos (Jo 1.3; Cl 1.16). Todos os seres celestiais, com exceção dos membros da Trindade, foram criados por Jesus. Todos os seres espirituais que caíram em pecado e seguiram Satanás foram uma vez criados por Jesus, e ele ainda é o supremo Soberano deles. Eles não se curvam a Jesus, mas um dia se curvarão — não em submissão, porque será tarde demais para isso — mas em reconhecimento de que somente ele é Senhor. Satanás e todos os seus seguidores não podem passar dos limites que Jesus permite (Jó 1.10,12; 2.6; 1Rs 13.4). Aproxima-se o dia em que Satanás e todos os seres malignos serão lançados no lago de fogo e não mais farão oposição a Deus ou à humanidade.

Com os mais novos instrumentos tecnológicos a seu dispor, os cientistas não conseguem descobrir o segredo do poder que preserva o Universo. Qual é a fonte de poder que mantêm os elétrons em cada único átomo orbitando em torno do núcleo a uma velocidade comparável à da luz? Qual é o poder que conduz miríades de estrelas em seu curso celestial, século após século? A Bíblia dá a resposta. Seu nome é Jesus (Hb 1.3).

Jesus Cristo é soberano hoje. Em suas palavras: *Toda autoridade me foi concedida no céu e na terra* (Mt 28.18).

Jesus tem as chaves da história

Javé (Jesus em sua forma pré-encarnada) disse duas vezes no Antigo Testamento: *Eu sou o primeiro, e sou o último* (Is 44.6; 48.12). Jesus reafirma esta verdade em Apocalipse 1.17; 22.13. Ele é o primeiro porque é o criador de todas as coisas. Ele é o último porque tem a palavra final em tudo. Ele realizará seu plano eterno, apesar de tudo o que os homens e demônios tentem fazer para destruí-lo. Jesus é o Senhor da história. Ele nunca renunciará seu senhorio a ninguém. Você jamais corre o risco de errar ao entregar a sua vida nas mãos do Senhor da história.

Jesus tem as chaves da morte e do inferno

Jesus é Soberano sobre a morte e o inferno. Ele diz: *Eu sou o que vive; fui morto, mas agora estou aqui, vivo para todo o sempre e tenho as chaves da morte e do inferno* (Ap 1.18). Nenhum germe de doença, nenhum criminoso, nenhum terrorista tem poder sobre você, a menos que Jesus o permita. Nenhuma tempestade ou inundação, nenhum animal selvagem, nenhuma força ou poder pode lhe fazer mal sem a permissão dele.

Isso não garante que a sua vida ficará isenta de sofrimento ou que você atingirá uma idade avançada. Se você desconsiderar as leis de Deus quanto à saúde e viver descuidadamente, colherá o que tiver plantado. Você será passível de acidentes e estará mais suscetível a doenças. Isso não significa, contudo, que Jesus permita que alguma coisa prejudique o seu verdadeiro "eu".

John Wesley disse: "Sou imortal até que a minha obra seja feita". Isso significa que, enquanto você estiver dentro da vontade de Deus, enquanto permanecer sensível e obediente à orientação do Espírito, enquanto procurar cuidar do seu corpo, o controle decisivo da sua vida e da sua morte não estará nas mãos do acaso, de eventos naturais, de outros seres humanos ou de Satanás. Jesus não permitirá que nada toque em você, a não ser o que ele pode fazer para o seu bem eterno. Ele planeja usá-lo agora e eternamente. Graças a Deus, Jesus tem as chaves da morte e do inferno. E não as entregará a ninguém.

Jesus tem a chave de Davi

Assim diz aquele que é santo, verdadeiro, o que tem a chave de Davi; o que abre e ninguém pode fechar, e o que fecha e ninguém pode abrir (Ap 3.7). Cristo é o Senhor de todas as portas. As portas que ele abre não podem ser fechadas pelos seres humanos ou pelos demônios. As portas que ele fecha não podem ser arrombadas, embora o inferno inteiro conspire para tentar fazê-lo. Paulo reconheceu que foi Jesus quem abriu as portas para ele em seu ministério apostólico (2Co 2.12; Cl 4.3).

Se você procura *uma porta grande e promissora,* como Paulo encontrou (1Co 16.9), lembre-se de que Jesus é aquele que abre as portas. Se você precisa de uma porta fechada na cara de Satanás, lembre-se de que Jesus tem essas chaves. As pessoas podem arrombar portas que você ou eu fechamos, ou fechar portas que você e eu abrimos, mas, quando Jesus entra em cena, ninguém pode alterar os fatos. Jesus jamais abrirá mão da suprema soberania sobre as portas na sua vida. Ele tem a chave de Davi.

Jesus lhe dará as chaves do reino

Embora existam algumas chaves que Jesus nunca entregará a alguém, ele está à espera para dar a você as chaves do reino.

> *Edificarei a minha igreja, e as portas do inferno não prevalecerão contra ela. Eu te darei as chaves do reino do céu; o que ligares na*

terra terá sido ligado no céu, e o que desligares na terra terá sido desligado no céu (Mt 16.18,19).

Jesus confiou as chaves do reino aos primeiros discípulos. A mensagem de Jesus foi originariamente entregue a Pedro, que havia acabado de responder à pergunta de Jesus: *Mas vós, quem dizeis que eu sou?* (v. 15). Diante da afirmação de Pedro a respeito de seu senhorio, Jesus deu-lhe (e aos outros que viriam depois) incrível autoridade com o propósito de difundir a obra de seu reino na terra.

Como Pedro usou as chaves? Como ele ligou e desligou? Jesus prometeu que edificaria sua igreja. Desde que ele não estaria mais na terra na forma humana para fazer a edificação, passou esta responsabilidade a Pedro e aos outros discípulos. A preocupação de Cristo em ligar e desligar não era tanto com a disciplina de sua igreja, e sim com sua edificação e progresso.

No relato do crescimento da igreja no Novo Testamento, no livro de Atos, oração e testemunho andavam de mãos dadas enquanto o Espírito Santo agia por intermédio dos discípulos.

Cristo deu uma chave a Pedro no dia de Pentecostes, e Pedro deu um passo à frente em obediência, abrindo a porta da igreja para 3 mil novos crentes. Cristo deu uma chave a Estêvão. Estêvão obedeceu, e caminhou direto para o céu. Mas sua morte de mártir influenciou Saulo, que se tornou o maior ganhador de almas da igreja primitiva. Cristo deu a chave a Filipe, que abriu a porta da igreja aos samaritanos. Ele deu outra chave a Filipe e o mandou para o deserto. Filipe obedeceu e, na estrada de Gaza, abriu a porta ao eunuco etíope e, assim, ao povo da África.

Cristo deu outra chave a Pedro, Pedro abriu a porta da igreja para Cornélio e, subsequentemente, a porta da salvação foi aberta aos gentios romanos. Cristo continuou dando chaves a Paulo ao estender seu reino e edificar a igreja cidade após cidade — Filipos, Tessalônica, Atenas, Corinto, Éfeso, Colossos e continuamente a localidades e vilarejos não citados. Paulo continuou obedecendo, pregando e edificando a igreja.

Jesus precisa de cristãos para continuar sua obra em todas as épocas. Esta verdade é tão importante que Jesus repetiu sua incumbência um pouco depois no livro de Mateus, usando a segunda pessoa do plural para incluir todos os crentes que viriam depois de Pedro:

> *Em verdade vos digo: Tudo quanto ligardes na terra terá sido ligado no céu, e tudo quando desligardes na terra terá sido desligado no céu. Ainda vos digo mais: Se dois de vós na terra concordarem em pedir acerca de qualquer questão, isso lhes será feito por meu Pai, que está no céu. Pois onde dois ou três se reunirem em meu nome, ali estou no meio deles* (Mt 18.18-20).

Assim, Cristo continua a construir sua igreja hoje quando seus seguidores usam as chaves a eles confiadas — abrindo portas para a salvação de outros, desfazendo os laços de Satanás e amarrando o poder do maligno que procura destruir os crentes e a igreja. Na verdade, os líderes da igreja são instruídos por Deus a discipliná-la no intuito de ajudar a preservar sua pureza. Embora essas passagens se refiram a questões disciplinares da igreja, podem certamente significar muito mais do que isso. O uso das chaves e o ligar e o desligar estão intimamente relacionados à oração e à concordância dos crentes em se reunirem para orar.

O termo grego para o verbo *concordar* é *sumphoneo*, de onde vem a palavra *sinfonia*. Significa "soar junto em harmonia", principalmente em referência a instrumentos musicais.

Quando dois crentes se "harmonizam" a respeito de um assunto na unidade do Espírito, em comunhão de desejo e oração, isso soa como a música de uma linda sinfonia aos olhos de Deus. Deus, o Pai, certamente ratificará e responderá a tal pedido. Por quê? Porque onde ao menos dois ou três orarem juntos em nome de Jesus, o próprio Jesus estará lá orando com eles, concordando e dizendo o amém para suas orações.

Cristo está sempre pronto e esperando para dar as chaves a todo crente. Alguns a pegam e trabalham; outros ficam inativos e perdem a oportunidade. Passo a passo, Cristo está estendendo seu reino ainda hoje. Ele quer nos usar mais plenamente do que jamais fomos usados antes. Você e eu podemos alcançar algumas pessoas por intermédio da nossa obediência. Podemos alcançar muito mais pela oração.

Cristo, o Senhor da história, está edificando sua igreja hoje tão rapidamente quanto ele pode encontrar auxiliares devotos e obedientes. Se você e eu não formos fiéis no uso das chaves da obediência e da oração, ele cessará de nos dar as chaves.

Céu ou inferno?

A iniciativa agora é sua. Mas você precisa estar consciente de que o destino eterno de outros — para o céu ou para o inferno — depende de você usar as chaves que Cristo lhe deu.

Quando Jesus se encontrou com seus discípulos pela primeira vez após a ressurreição, ele os abençoou, mostrou-lhes suas mãos e seu lado e disse: *Assim como o Pai me enviou, também eu vos envio* (Jo 20.21). Depois, soprou sobre eles e declarou: *Recebei o Espírito Santo* (v. 22). Imediatamente Jesus deu a esses discípulos, e a todos que viriam depois, a mais impressionante responsabilidade: *Se perdoardes os pecados de alguém, serão perdoados; se os retiverdes, serão retidos* (v. 23).

"Mas como pode ser isso?", você pergunta. "Não é somente Deus que pode perdoar pecados?" Sim, claro. "Não pagou Cristo o preço para que qualquer um que apelar para ele possa ser perdoado?" Sim, graças a Deus! "Então, como o perdão de outras pessoas pode estar nas suas mãos, e não nas mãos de Deus?"

Simples: Cristo nos escolheu para transmitir sua mensagem ao mundo. Ele já pagou o preço por tudo; mas a única voz que ele usará para falar ao mundo agora é a sua e a minha. Se você alcançar o seu amigo, ele pode ser perdoado. Se você não alcançá-lo, ele estará perdido para sempre. O céu ou o inferno estão agora nas suas mãos. A parte de Cristo está feita; a nossa, ainda não.

Isso tem relevância direta para a oração. No presente, muitas pessoas não têm chance de que algum cristão as alcance antes de morrer. Foi por isso que Jesus ordenou que você e eu orássemos para que o Senhor da seara mandasse obreiros. Muitos outros terão apenas *uma* chance em toda a vida para ouvir, crer e receber a salvação. Eles irão perdê-la? Deixarão de compreender? O preconceito os fará indiferentes à mensagem? A sua e a minha oração podem preencher a lacuna. Deus nos fez a única esperança da salvação deles.

Certas terras muçulmanas e comunistas estão fechadas para missões. Nessas sociedades fechadas e repressivas, o testemunho do evangelho é quase inexiste. A única forma de ouvir as boas--novas de Cristo ali é pelo rádio. Mas, sem o testemunho alegre de cristãos professos, os ouvintes podem não compreender o significado da mensagem. Desde que não existe voz cristã em sua estação de rádio local, eles podem nunca descobrir uma transmissão cristã. Será que não? A sua oração pode ser a única esperança deles. A sua oração pode ajudá-los quando sintonizarem o rádio. A sua oração pode ajudar a remover o preconceito deles. A sua oração pode ajudá-los a compreender. A sua oração pode ajudar a afastar as sugestões de dúvida de Satanás. A sua oração pode ser a única chave para abrir a porta da salvação deles.

Cristo dá a você, por meio da oração, as chaves para a salvação de mais pessoas em seu círculo de relações e ao redor do mundo do que você imagina. Um dia Cristo perguntará o que você fez com as chaves que ele lhe entregou. A quantas pessoas você terá aberto a porta do céu? A quantas terá fechado a porta dos enganos de Satanás? O único plano de Cristo para edificar sua igreja e estender seu reino é nos dar as chaves para o céu. Você as usará fielmente?

11

Você pode participar da rede divina de oração emergencial

Deus está constantemente recebendo e distribuindo chamados de emergência. Alguns eventos que você pode não ter previsto apelam para a imediata intervenção de Deus. Outras situações chegam ao ponto de crise. Embora Deus nunca seja surpreendido, porque ele prevê tudo, você e eu interpretamos essas situações como necessidades emergenciais.

Cristo está entronizado à direita de Deus hoje, governando o mundo por sua intercessão e pela intercessão de seus parceiros terrenos. Quando surgem tais necessidades, Deus às vezes chama seus filhos para orar em antecipação. Em outras ocasiões, ele manda um chamado de emergência na hora exata da necessidade.

Os filhos de Deus formam sua rede de oração emergencial

Essa rede de oração emergencial está constantemente disponível a você e a mim. E ela depende de você e de mim. Normalmente Deus alerta alguém que já conhece você para orar em seu favor, fortalecendo, assim, tanto a fé da pessoa que faz a oração quanto a sua.

Deixe-me dar um exemplo. Durante os meus dias de faculdade, eu estava aconselhando e orando por outro estudante com relação a uma situação urgente conhecida somente por nós dois. Uma opressiva escuridão espiritual pesava fortemente sobre o meu amigo. Durante vários dias, passei muitos momentos em oração e aconselhamento, mas, por alguma razão, foi uma verdadeira batalha espiritual para a qual não parecia haver vitória.

Durante esse tempo, recebi um breve cartão-postal de um evangelista que me conhecia muito bem. Ele escreveu:

> Querido irmão Wesley,
>
> Enquanto eu estava orando por você, repentinamente pareceu que o vi de joelhos, orando. Pude ver Jesus em pé à sua frente, com os braços estendidos na sua direção, mas você não parecia vê-lo. Pensei comigo mesmo quanto Deus está perto de nós, ansioso por responder à nossa oração, e nós não o percebemos.

Deus o havia alertado para orar exatamente quando necessitei de ajuda.

Às vezes, não sabemos por que estamos sobrecarregados, só sabemos que recebemos um mandado especial de oração do Senhor, um senso de chamado e responsabilidade para orar em determinado momento.

Em agosto de 1962, concluí o ministério na Austrália com quatro dias de reuniões na Igreja Batista Scarborough, em Perth. Deus começou a me constranger a passar o sábado inteiro em oração e jejum. No domingo logo cedo, encontrei um local isolado na *Scarborough Beach* e iniciei o meu momento a sós com Deus. Com o passar do dia, entrei numa tremenda batalha de oração com os poderes das trevas. Eu não sabia por que, mas o Espírito Santo me conduziu a uma real militância de oração contra Satanás, e no culto daquela noite fui levado a falar sobre "o poder de Satanás e o poder de Deus".

A caminho do culto, perdi repentinamente a voz. Eu havia orado silenciosamente o dia todo, e assim não havia abusado da minha voz; além disso, eu não estava resfriado. Ao me levantar para falar, movi os lábios, mas não consegui emitir um som. A congregação engasgou. Agarrei ambos os lados do púlpito com as mãos e me esforcei. Após alguns momentos, a minha voz começou a voltar, mas parecia que eu estava empurrando cada palavra sobre o púlpito, de onde ela caía para o chão. Não houve liberdade ou bênção e, ao final do culto, as pessoas saíram silenciosamente da igreja.

Uma mulher, estranha para mim, ficou para trás. Ela havia nascido de novo seis meses antes. Tendo praticado magia negra, entretanto, sabia que os demônios não a tinham deixado sozinha. Eles visivelmente se reuniam em torno de sua cama todas as noites e a vaiavam. Com justa indignação, orei com ela e reivindiquei vitória. Ela foi libertada completamente da opressão satânica.

No culto da manhã seguinte, parecia que o céu inteiro se abrira para nós. As necessidades de muitos foram atendidas, e alguns foram chamados para o campo missionário. No final, um homem possesso, tremendo da cabeça aos pés, foi libertado quando o pastor, os diáconos e eu oramos. Era o marido da mulher que fora libertada na noite anterior. Eu não sabia que, nos últimos seis meses, os diáconos haviam feito um pacto de oração por aquele homem. O Espírito Santo convocou um alerta de oração no momento de crise. Satanás tentou interferir, mas Jesus obteve a vitória. A ele seja toda a glória!

Como unir-se à rede de oração de socorro divino

1. Certifique-se de estar cheio do Espírito. Essa segurança é fundamental para tudo o que diz respeito à vida espiritual. Embora qualquer cristão possa ser dirigido e usado pelo Espírito Santo, é muito mais fácil ouvir sua voz quando ele está no completo controle da sua vida. Todo cristão nascido de novo é habitado pelo Espírito Santo (Rm 8.9), mas nem todo cristão tem uma vida cheia e controlada pelo Espírito.

Não é possível viver tal vida sem entrar nela. O crente deve fazer uma "entrega total" (termo preferido de Andrew Murray) — a total consagração a Deus de si mesmo e de tudo o que possuiu (Rm 12.1,2) — e deve pedir a plenitude do Espírito (Lc 11.13), confiando em sua purificação, capacitação e enchimento (At 15.8,9). Qualquer cristão que vive hoje pode ser cheio do Espírito Santo como foram os apóstolos primitivos, se o mesmo compromisso for feito (At 2.38,39). Não se trata de uma manifestação especial do Espírito, mas de submissão à sua vontade.

Sempre que você vir um crente lutando com a vontade de Deus, derrotado pelos desejos e pelas ambições carnais, tolhido por um egoísmo teimoso, reagindo carnalmente contra sua família ou outras pessoas, você sabe que ele não está vivendo a vida cheia do Espírito. Ou ele nunca foi cheio do Espírito ou, por desobediência e afastamento da consagração, não está agora vivendo na plenitude do Espírito. Normalmente, uma vez que você tenha sido cheio pelo Espírito Santo, o Espírito o encherá repetidas vezes quando você tiver necessidade.

2. Desenvolva uma profunda vida de oração. Quanto mais você experimentar a vida de oração, mais Deus poderá usá-lo em momentos especiais de necessidade. Deus está constantemente precisando de verdadeiros guerreiros de oração. Aprende-se a orar orando. Embora o conhecimento enciclopédico sobre a oração seja interessante, você só ganha confiança e força na oração ao orar. Coloque em prática os princípios da oração, e o Espírito dará a você cada vez mais liberdade e intrepidez na intercessão.

3. Desenvolva um relacionamento coloquial com o Senhor. Repetidamente diga ao Senhor quanto você o ama e o adora. Pontilhe o seu dia com louvor. Compartilhe a sua alegria com ele. No silêncio da sua alma, agradeça a Deus pelas bênçãos do dia — pela luz do sol, pela beleza, pelos sorrisos, pelos amigos, pela música, pela ajuda divina no seu trabalho. Peça para Deus abençoar as pessoas que você observa, pelas quais você passa ou as quais conhece pela primeira vez. Ao fazer o seu trabalho, passear ou dirigir o carro, sussurre ao Senhor no seu coração, sem que os outros saibam qualquer coisa sobre sua frequente comunicação com o seu maravilhoso Deus. Viva na presença dele.

4. Desenvolva um ouvido atento. É privilégio seu como filho de Deus ser dirigido pelo Espírito Santo (Rm 8.14). Você desenvolveu o hábito de ouvir Deus? Nenhum cristão domina essa lição, mas Deus pode ajudá-lo a desenvolver um ouvido atento. Que Deus faça destas sugestões uma bênção para você:

a. Certifique-se de manter o seu compromisso com o Senhor e viver na plenitude do Espírito a cada dia.
b. Peça a Deus que ensine você a ouvi-lo. A oração não é comunhão verdadeira se você falar o tempo todo.
c. Ao começar o dia, peça para Deus falar com você sempre que ele desejar. Peça-lhe que o ajude a reconhecer sua voz.
d. Leia a Bíblia, esperando que Deus lhe fale e abençoe sua Palavra ao seu coração. Leia-a procurando bênçãos pessoais e sugestões de como agradar a Deus e fazer a vontade dele mais plenamente.

e. Peça para Deus guiá-lo e ajudá-lo mesmo nas pequenas coisas. Qualquer coisa importante para você é importante para Deus. Peça-lhe para ajudá-lo a ser uma bênção para os outros ao encontrá-los, ao falar com eles por telefone ou ao escrever cartas. Peça para Deus lhe mostrar pequenas coisas a fazer por ele e por outras pessoas. Você pode pedir que ele o guie nas suas compras, atitudes, contatos e tarefas, bem como na sua vida de oração.

f. Relaxe e confie nele para guiá-lo constantemente (Is 58.11). Não fique temeroso ou receoso de não cumprir a vontade de Deus. Você é filho dele; descanse em sua fidelidade. Não se precipite a tirar conclusões. Não espere ouvir uma voz ou um sinal do céu. A orientação de Deus faz parte do relacionamento dele com você, de maneira tal que ele está trabalhando quando você menos percebe.

g. Observe como Deus coordena a providência a você. Não se aborreça se ele permitir atrasos ou impedimentos nos seus planos. A direção divina é sempre melhor. Deus quer operar todas as coisas em conjunto para o seu bem e para glória dele. Ele sempre sabe o que é superior e mais adequado. Não lute contra a providência de Deus; apenas descanse em seu amoroso cuidado. Deus pode abrir um caminho onde antes não havia nada, mas você jamais terá de arrombar uma porta.

5. *Peça a Deus que mantenha você alerta a cada dia.* Peça a Deus, todas as manhãs, para chamar a sua atenção a qualquer pessoa ou situação para a qual você deva orar. Mantenha listas de oração para que Deus possa comovê-lo a acrescentar outros nomes

com necessidades especiais. A lista servirá também como um registro de orações respondidas! Seja sensível diariamente a qualquer nova incumbência de oração que Deus possa lhe mostrar. Durante o dia, ore imediatamente por alguém ou algo que Deus trouxer à sua mente.

6. *Aceite a responsabilidade por qualquer incumbência especial de oração que Deus der.* Assegure ao Senhor a cada dia que você tentará ser fiel no desempenho de qualquer incumbência de oração que ele lhe der. Trate isso como responsabilidade especial dada pelo Senhor.

Como reconhecer a incumbência de oração atribuída por Deus

Deus pode impressionar indelevelmente alguém que surja na sua mente. Isso pode acontecer no seu momento de oração ou em algum outro momento durante o dia. Se você falou a Deus e uma pessoa continua vindo à sua mente, essa pessoa provavelmente precisa de oração. Isso pode acontecer ocasionalmente apenas; porém, quanto mais intimamente você andar com Deus e estiver sintonizado com sua voz, com mais frequência Deus usará você dessa forma.

Você pode sentir um pressentimento ou uma apreensão especial de perigo ou necessidade. Busque imediatamente o Senhor. Se possível, faça uma pausa no meio do que estiver realizando. Enquanto você ora, Deus pode trazer alguma pessoa ou situação à sua mente. Se isso não acontecer, apenas ore pela ajuda e misericórdia de Deus em relação àquela necessidade, seja ela qual for. Como mencionei no Capítulo 9, certa ocasião Deus me chamou para orar quando os meus pais estavam em perigo, embora eu não tivesse ideia do que estava acontecendo.

Em 12 de dezembro de 1939, enquanto eu pregava sobre as consequências da Segunda Guerra Mundial, senti-me particularmente responsabilizado por uma situação em particular. O *Graf Spee*, um navio mercante alemão que havia sido convertido num "pequeno navio de guerra", estava afundando muitos navios mercantes, com muitas perdas de vidas. Naquela noite, senti a autoridade especial de Deus quando lhe pedi para intervir. No dia seguinte, o rádio anunciou que o *Graf Spee* havia sido caçado no porto de Montevidéu, Uruguai. Após vários dias, o navio fora levado para fora do porto e afundado. Nenhuma vida se perdeu, com exceção do comandante, que decidiu afundar juntamente com o navio. Provavelmente, Deus colocou o mesmo encargo no coração de muitos outros ao mesmo tempo que me deu aquela responsabilidade. Mas tive a alegria de saber que Deus me havia chamado a orar e respondera especificamente àquele pedido.

A sra. Hulda Andrus, mãe do cabo Jacob DeShazer, um dos homens derrubados nos ataques aéreos de Doolittle sobre Tóquio durante a Segunda Guerra Mundial, relata como Deus a incumbiu de orar. Ela não sabia onde o filho estava baseado.

— Acordei subitamente certa noite com uma estranha sensação, como se estivesse sendo jogada caindo, caindo, caindo no ar. Ah, que terrível carga pesava sobre minha alma! Orei e clamei a Deus na minha angústia. De repente, a aflição desapareceu.

Posteriormente, a senhora foi informada de que seu filho havia sido atingido e estava nas mãos dos japoneses. Comparando os horários, ela descobriu que Deus a havia alertado no exato momento em que seu filho pulava de paraquedas do avião em queda.

Em outra ocasião, Deus lhe deu um grande encargo pela salvação do filho. Novamente, enquanto ela orava, Deus a lembrou da promessa de Isaías 55.9. Nesse exato momento, Deus falou ao filho Jacob em sua cela de prisão, e ele entregou a vida a Cristo.

Certo dia, foi noticiado que aqueles prisioneiros seriam executados. Quando a mãe clamou a Deus, o Senhor pareceu dizer: "Seus anjos o protegem", e novamente a aflição desapareceu. Dos quatro homens capturados, três foram executados por um pelotão de fuzilamento, mas DeShazer foi poupado por milagre de Deus. Deus não somente salvou o filho daquela senhora, como também o chamou a pregar. Depois da guerra, DeShazer voltou ao Japão, onde foi grandemente usado por Deus como missionário.

Deus pode lhe dar um senso de urgência por uma necessidade que você conhece bem. Você pode ter orado repetidas vezes por uma necessidade específica, mas agora você tem a impressão de que Deus deve responder à oração sem mais demora. O encargo de orar pode ser por uma cura física, pela salvação de uma pessoa não salva, pela restauração da unidade a um grupo de pessoas divididas, ou pelo reavivamento em algum lugar específico. Deus pode manter um encargo geral no seu coração durante dias e então, em algum momento, orientar você a separar um tempo especial para fazer uma oração urgente.

Um dos membros da diretoria da OMS International tinha um filho afastado da igreja que fora no passado missionário da OMS. O filho havia deixado o campo e ido para o trabalho secular, onde permaneceu impenitente e afastado do Senhor. O nosso líder carregou um grande fardo de oração por seu filho durante alguns meses. Um dia ele participava de reuniões como representante da OMS num estado distante. O encargo de orar se tornou tão forte que ele pediu à anfitriã que não o incomodasse durante o dia, nem o chamasse para as refeições. Ele se fechou no quarto e orou por horas seguidas. À tarde, alguém bateu na porta. Pedindo desculpas por interrompê-lo, a mulher disse:

— Há um telefonema interurbano para o senhor.

O pai se dirigiu ao aparelho telefônico, e as primeiras palavras que ouviu foram:

— Pai! Voltei para o Senhor!

Deus pode aprofundar progressivamente algum encargo de oração até ele se tornar a sua missão permanente. Deus precisa de intercessores permanentes para as igrejas, as missões, as cidades, as nações e os ministérios.

> *Ó Jerusalém, coloquei vigias sobre os teus muros, que não se calarão de dia nem de noite; ó vós que invocais o* SENHOR, *não descanseis, e não lhe deis descanso até que ele estabeleça Jerusalém e a ponha por objeto de louvor na terra.* (Is 62.6,7)

Deus diz que colocou vigias de oração. Sem dúvida, Isaías mesmo foi um desses vigias, já que ele declara no versículo 1: *Por amor de Sião não me calarei, e por amor de Jerusalém não descansarei, até que a sua justiça resplandeça como o nascer do sol, e a sua salvação, como uma tocha acesa.* Você pode ser um vigia de oração de Deus.

Todo obreiro cristão em tempo integral precisa de uma equipe de oração permanente que o fortaleça e o cubra de intercessão. Todo ministro cristão precisa de uma equipe de guerreiros de oração que sustente o peso. A eficácia de qualquer desses ministérios dependerá da dedicação da equipe organizada e do poder da oração em sua retaguarda. Deus abençoará qualquer pessoa ou ministério enquanto o apoio de oração for deliberadamente mantido e os parceiros de oração forem cuidadosamente informados e orientados em oração. Abençoadas são as pessoas e também os ministérios que não apenas recrutaram a assistência de auxiliadores de oração, como têm vigias intercessores que assumem responsabilidade ministerial continuada.

Esse foi o segredo do ministério de Charles G. Finney. Seu trabalho resultou em centenas de milhares voltando-se para o Senhor e cujas reuniões em 1858-1859 foram identificadas como a causa direta de um dos maiores reavivamentos do mundo. O próprio Finney foi um grande homem de oração e contou com muitas pessoas orando por seu ministério. De suas 22 famosas palestras intituladas "Avivamento da Religião", quatro falam sobre o papel da oração.

Quando Finney viajava de lugar em lugar, era acompanhado por dois homens idosos conhecidos como Pai Clery e Pai Nash. Quando Finney foi à Inglaterra durante várias semanas de reuniões especiais, esses dois homens simples o acompanharam, alugaram um porão escuro e úmido por 25 centavos a semana, e lá permaneceram de joelhos, perseverando em oração. Suas lágrimas e seus gemidos em oração venceram. Eles foram os vigias de oração de Finney.

Quando Evan Roberts foi poderosamente usado por Deus no grande reavivamento de Gales em 1904-1905, ele tinha atrás de si um pequeno grupo de jovens que serviam como vigias intercessores. Um dos meus tesouros é um cartão-postal de Evan a um dos jovens da equipe de apoio.

Como tornar eficaz o seu fardo de oração

Quando Deus incumbir você de uma responsabilidade especial de oração, aceite-a com alegria e seja fiel a ela. É uma incumbência especial do Senhor.

1. *Dê à responsabilidade de oração prioridade sobre todas as outras tarefas.* Se for possível, coloque de lado o que estiver fazendo e entregue-se por inteiro à oração por essa necessidade. Quase sempre o tempo é da mais alta importância; não adie. Se você não puder se isolar imediatamente para esta tarefa, continue orando a cada momento vago até estar livre para se dedicar exclusivamente à oração.

2. *Esteja preparado para orar durante horas.* Isso nem sempre é necessário, mas esforce-se em oração para interceder o tempo que for necessário para receber a certeza da resposta de Deus.

Na década de 1930, um querido amigo meu, barbeiro em Oklahoma, foi uma testemunha zelosa do Senhor. Uma tarde ele se sentiu fortemente pressionado a orar pela salvação do xerife de sua comarca. Fechou a barbearia no meio da tarde, desceu as cortinas para que as pessoas não enxergassem seu negócio por dentro, e foi até uma sala interna para orar.

Pelo restante da tarde, passando a hora da ceia e noite adentro, George Sherrick continuou orando. Por volta das 2 horas da manhã, alguém bateu na porta. Ninguém sabia que George estava na barbearia àquela hora da madrugada. Quando ele foi até a porta, lá estava o xerife por quem ele havia orado, sob profundo convencimento do Espírito Santo. Naquela noite, George Sherrick o levou ao Senhor.

3. *Ore até que Deus suspenda a carga ou lhe dê a segurança de que ouviu a sua oração.* Por volta de 1949, um grupo de missionários aposentados da China, com alguns amigos fiéis de oração, se reuniu para sua oração missionária regular em Adelaide, sul da Austrália. Um forte senso de responsabilidade e urgência veio sobre eles ao se reunirem. Todos se sentiram especialmente responsáveis por Hayden Melsap, então designado para a China

Inland Mission. Eles decidiram por unanimidade deixar de lado todas as preliminares e mergulharem "direto em oração". Oraram até sentirem paz e alívio.

Alguns anos depois, quando Hayden Melsap estava na delegação na Austrália, os missionários perguntaram se ele se lembrava de uma ocasião incomum daquele tempo. Para espanto de todos, descobriram que, naquele dia e hora, Hayden e pelo menos outros dois missionários foram colocados contra uma parede num pátio na China, com armas comunistas apontadas diretamente para eles. Exatamente quando o oficial estava prestes a dar ordem para atirar, a porta do pátio se abriu e o oficial superior entrou. Chocado ao ver o que estava prestes a acontecer, gritou:

— Parem!

Em seguida, o oficial se aproximou, colocou os braços em torno de Melsap e levou o grupo em segurança. Ouvi esse testemunho do próprio Hayden Melsap e tenho-o também registrado por escrito de um amigo australiano.

4. *Deus pode levá-lo a entrar no grupo de oração de várias outras pessoas.* Muitos milagres foram feitos pelo Espírito Santo em resposta a uma cadeia de oração ou às orações de um grupo especialmente convocado. Muitas igrejas locais organizaram correntes de socorro de oração. Quando chega um pedido de oração emergencial, cinco ou seis pessoas são imediatamente chamadas. Cada uma, por sua vez, chama a pessoa seguinte de sua lista. Em questão de minutos, muitos estão em oração. Nós temos um arranjo desse tipo entre o nosso pessoal da OMS.

Durante a revolta Mau Mau no Quênia em 1960, os missionários Matt e Lora Higgens estavam voltando certa noite para Nairóbi pelo centro do território, quando tanto quenianos como missionários estavam sendo mortos e esquartejados. A 27 quilômetros de Nairóbi, o Land Rover em que Matt e Lora viajavam enguiçou. Higgens tentou consertar o carro na escuridão, mas não conseguiu fazê-lo funcionar. Eles passaram a noite na estrada, mas reivindicaram a promessa do Salmo 4.8: *Em paz me deito e durmo, porque só tu, Senhor, fazes com que eu viva em segurança.* Pela manhã, conseguiram consertar o carro.

Algumas semanas depois, os Higgens retornaram de licença à América. Eles relataram que, na noite anterior à saída de Nairóbi, um pastor local os tinha visitado. E contou como um integrante dos Mau Mau havia confessado que ele e três outros haviam rastejado até o carro para matar os Higgins, mas, quando viram dezesseis homens cercando o carro, os Mau Mau fugiram com medo.

— Dezesseis homens? — Higgens respondeu. — Não sei do que você está falando!

Apesar de estarem de licença, um amigo, Clay Brent, perguntou aos Higgens se eles haviam estado em algum perigo recentemente. Higgens retrucou:

— Por quê?

Então Clay lhes disse que, no dia 23 de março, Deus havia colocado um forte compromisso de oração em seu coração. Ele chamou os homens da igreja, e dezesseis deles se reuniram e oraram até sentirem o compromisso cessar. Teria Deus mandado dezesseis anjos para representarem aqueles homens e reforçar as orações deles?

O céu revelará inúmeros relatos maravilhosos de como Deus tem usado compromissos especiais de oração para promover sua causa e proteger seu povo.

12

Você pode semear com lágrimas

Os que semeiam em lágrimas colherão com cânticos de júbilo. Aquele que sai chorando a plantar a semente voltará com cânticos de júbilo, trazendo consigo seus feixes (Sl 126.5,6).

Lágrimas são preciosas à vista de Deus quando são lágrimas de anseio vertidas em intercessão, ou lágrimas de alegria ao louvar a Deus por orações respondidas. O Filho de Deus sabe o que significa chorar em oração. O versículo mais curto da Bíblia, *Jesus chorou* (Jo 11.35), não somente fala muito sobre o amor e a compaixão de Jesus, mas também explica a relação entre s lágrimas e a intercessão de Jesus. Aquele que chora *conosco* chorou *por* nós quando lutou com os poderes das trevas no Getsêmani (Hb 5.7).

Vamos deixar claro que não estamos falando sobre lágrimas de autocomiseração. Essas lágrimas podem ser basicamente carnais. Podem aliviar a tensão, porque "um bom choro" quase sempre levanta o humor da pessoa desencorajada ou deprimida. Mas lágrimas intermitentes de autocomiseração não testemunham profundidade ou poder espiritual. Estamos discutindo aqui o poder das lágrimas resultantes de um profundo ardor espiritual.

Você nunca deve se envergonhar de lágrimas vertidas em carinhosa intercessão. Na verdade, elas comunicam a Deus quão intensa é a sua identidade com aqueles por quem você intercede e servem como testemunho do Espírito Santo orando por intermédio da sua oração. As lágrimas acrescentam uma dimensão pessoal e particular de pungência e poder.

É muito mais provável que a intercessão com choro ocorra quando você está a sós com Deus. Normalmente, a nossa oração particular pode ser mais profunda e intensa do que a oração pública. As lágrimas são tão intensamente pessoais, pois a alma que ora pode chorar com mais naturalidade e livremente quando Deus é a única testemunha. É possível, entretanto, ter um espírito que chora mesmo quando nenhuma lágrima de fato escorre pela face. Deus olha o seu coração acima de tudo (1Sm 16.7).

As suas lágrimas, como as suas palavras, são muito importantes. Entretanto, Deus vê e sabe como você realmente é (2Sm 7.20; Jo 21.17). Deus conhece melhor os profundos segredos da sua ansiedade do que você é capaz de expressar. Ao se identificar profundamente com aqueles por quem você ora, procure aprofundar seu clamor a Deus. Mas não tente produzir lágrimas quando é o Espírito Santo quem as concede; procure apenas sentir no mais íntimo do seu coração a mesma profundidade de anseio que o Espírito sente.

Quando é tempo de chorar

Às vezes, Deus nos convoca a chorar (Ec 3.4). Este é seu chamado à empatia, à identificação vicária e intercessora pelos outros. Às vezes, devemos ter certeza de fazer a oração "por nós", e não "por eles". Devemos nos identificar com os que precisam, em lugar de condená-los e acusá-los. Em vez de orar: "Senhor, perdoa-os por serem tão frios", devemos orar: "Senhor, perdoa-nos, como igreja, por sermos tão frios. Ajuda-nos a sermos mais amorosos, a orar mais, a ser mais eficazes para ti".

Por diversas razões, creio que o mundo atual apela pelo nosso choro. Veja por quê.

Devemos chorar porque a humanidade abandonou Deus! As nações se esqueceram de Deus (Sl 9.17). Elas não querem reter o conhecimento de Deus (Rm 1.28). Mostram desprezo pela constante bondade de Deus, por sua tolerância e paciência (Rm 2.4). Muitas vezes são endurecidas pelos julgamentos de Deus e colhem o que semeiam (Rm 2.5; Ap 16.21). Devemos chorar pelo nosso mundo: "Senhor, perdoa a nossa raça impertinente!"

Devemos chorar porque o pecado está se multiplicando! As pessoas perversas estão indo de mal a pior, enganando e sendo enganadas (2Tm 3.13). Os pecados listados em 2Timóteo 3.1-5 são demasiado evidentes: mais amantes de si mesmos do que amigos de Deus, arrogantes, orgulhosos, blasfemos, desobedientes aos pais, ingratos, ímpios, sem amor, não perdoam, difamadores, sem autocontrole, rudes, desdenham o bem, traidores, precipitados, prepotentes, amantes do prazer mais do que ao amor a Deus. Todos esses, combinados com os rudes pecados de perversão sexual, estupro e pornografia, endureceram a consciência nacional. O crime aumentou. O terrorismo, o sadismo e a crueldade premeditada atingiram proporções inimagináveis. A guerra é cada vez mais terrível, e a paz parece cada vez mais precária. A humanidade parece estar à beira da autodestruição. O que podemos fazer a não ser chorar: "Senhor, tem misericórdia da nossa raça pecadora!"

Devemos chorar porque, como igreja, estamos sem vida e sem poder! Podemos agradecer a Deus pelos crentes dedicados em muitas partes do mundo e pelo que o Senhor está fazendo por meio deles. Mas o mundo perdeu o respeito pela igreja cristã em geral, porque não damos glória a Deus como deveríamos.

Temos a "fama de estar vivos", mas muitas vezes estamos espiritualmente mortos (Ap 3.1). Falta-nos o poder que daria testemunho de espiritualidade e piedade ao mundo (2Tm 3.5). Há um movimento à deriva ou um afastamento da sã doutrina, e os falsos cultos se multiplicam (2Tm 4.3,4). Com frequência, a nossa condição espiritual é caracterizada pela igreja de Laodiceia; não nos damos conta de quão espiritualmente mornos, deploráveis, pobres, cegos e nus parecemos a Deus (Ap 3.17). Que pequena porcentagem de boas igrejas evangélicas são realmente caracterizadas pelo reavivamento, pela constante conquista de almas e pelo envolvimento sacrificial na iniciativa missionária! Precisamos chorar por nós mesmos: "Senhor, reaviva-nos!"

Devemos chorar porque nós, como povo de Deus, estamos dormindo. Fazei isto, compreendendo o tempo, que já é hora de despertardes do sono [...]. A noite já está avançada, e o dia se aproxima (Rm 13.11,12). É uma vergonha estarmos dormindo na colheita (Pv 10.5). Perdemos em grande medida o testemunho, a paixão pela conquista de almas da igreja primitiva. Estamos preocupados com pecados grosseiros, mas não nos incomodamos com crentes que nunca ganharam uma alma para Cristo, nem com cristãos cuja oração é egoísta e que raramente choram pelo mundo. A maior e mais madura colheita do mundo desde o Pentecostes está aqui, e levamos uma vida "comum"; a nossa tendência é nos divertirmos na igreja e tratarmos missões como mero passatempo, em vez de a principal tarefa da igreja. Que Deus nos leve às lágrimas: "Senhor, desperta-me e toca-me, assim com à minha igreja repetidamente!"

Devemos chorar porque a vinda de Cristo está muito próxima e a nossa tarefa permanece incompleta! Entre as condições declaradas nas Escrituras como necessárias antes do retorno do Senhor, somente uma parece estar faltando: *E este evangelho do reino será pregado pelo mundo inteiro, para testemunho a todas as nações, e então virá o fim* (Mt 24.14). A grande comissão dada por Cristo aos discípulos reunidos como representantes da igreja de todos os tempos foi alcançar o mundo todo. Provavelmente um quarto de toda a população mundial nunca ouviu falar no nome de Jesus Cristo. Pelo menos metade não conseguiria tomar uma decisão inteligente para recebê-lo como Salvador pessoal. Estatísticas frias não devem nos comover, mas devemos atentar para o fato de que cada número representa um indivíduo real que passará a eternidade no céu ou no inferno.

Há alguns anos, quando servi como diretor de um seminário na Índia, os meus alunos e eu passamos um tempo em campo de vilarejo em vilarejo anunciando a mensagem do evangelho e disseminando literatura cristã. Fizemos disso uma prática de campo para testemunhar e ministrar às pessoas.

Certa noite, na reunião em um vilarejo, li a história do Natal em Lucas 2. Quando comecei a falar, um aldeão idoso, sentado no chão, me interrompeu:

— Quanto tempo se passou desde o grande dia em que o Filho de Deus nasceu?

Eu lhe disse que se haviam passado cerca de 2 mil anos. Ele apontou um dedo acusador para mim.

— Por volta de 2 mil anos?! Quem esteve escondendo esse livro o tempo todo?

O que você teria respondido a esse aldeão? Se ele fosse seu irmão de sangue, que tipo de desculpa você aceitaria por ninguém ter dado a ele uma única oportunidade de salvação? O que Deus aceitará como desculpa adequada por não termos feito disso uma séria incumbência diária de oração? A condição do nosso mundo deveria sempre nos levar às lágrimas. Uma das recordações mais preciosas é a de minha mãe chorando dia após dia ao orar pela salvação de nações praticamente não alcançadas. "Senhor, dá-nos lágrimas quando orarmos!"

Aqueles que choraram

Jó disse: *Não chorava eu por causa daquele que estava aflito?* (Jó 30.25). Moisés e outros entre os filhos de Israel choraram pelo pecado do povo (Nm 25.6). Davi declarou como ele chorou e jejuou pelo povo de Deus (Sl 69.10). Isaías chorou pela pobreza de seu povo (Is 16.9). Deus disse ao rei Josias: *Porque teu coração se moveu e te humilhaste diante do* Senhor [...] *e rasgaste as vestes e choraste diante de mim, também eu te ouvi, diz o* Senhor (2Rs 22.19). Quando Esdras chorou por seu povo, eles também começaram a chorar e a orar (Ed 10.1). Neemias disse: *Depois de ouvir essas palavras, sentei-me e chorei* [por Jerusalém]. *Lamentei por alguns dias; e continuei a jejuar e orar perante o Deus do céu* (Ne 1.4).

Jeremias ficou conhecido como o profeta chorão por causa do grande encargo de oração que carregou por seu povo.

> *Estou aflito por causa da aflição por causa da filha do meu povo* [...]. *Ah, se a minha cabeça se tornasse em águas, e os meus olhos, numa fonte de lágrimas, para que eu chorasse de dia e de noite* (Jr 8.21; 9.1). *Mas, se não ouvirdes, chorarei secretamente, por causa do vosso orgulho; e os meus olhos chorarão amargamente e se desfarão em lágrimas* (13.17). *Que os meus olhos não parem de derramar*

lágrimas noite e dia; porque a virgem filha do meu povo está gravemente ferida, com um ferimento mortal (14.17). *Os meus olhos já se consumiram com lágrimas; estou perturbado; meu coração se derrama de tristeza por causa da destruição do meu povo* (Lm 2.11). *Torrentes de água correm dos meus olhos por causa da destruição do meu povo. Os meus olhos derramam lágrimas sem cessar, sem interrupção, até que o SENHOR atente e veja lá do céu. Os meus olhos se afligem por causa dos moradores da minha cidade.* (3.48-51)

Paulo, o grande apóstolo missionário, também ficou conhecido por seu ministério de lágrimas.

Porque vos escrevi em meio a muita tribulação e angústia de coração, com muitas lágrimas (2Co 2.4). *Bem sabeis de que modo tenho vivido entre vós* [...] *servindo ao Senhor com toda a humildade, e com lágrimas e provações* (At 20.18,19). *Lembrando-vos de que durante três anos não cessei, dia e noite e com lágrimas* (20.31).

DEUS NOS CHAMA A ORAR COM LÁGRIMAS

Deus fez um chamamento por intermédio do profeta Joel: *Convertei-vos a mim de todo o coração, com jejuns, com choro e com pranto* (Jl 2.12). Ele convoca os líderes cristãos a orarem com lágrimas por seu povo: *Chorem os sacerdotes, ministros do SENHOR, entre o pórtico e o altar, e digam: Ó SENHOR, poupa teu povo* [...]. *Por que diriam entre os povos: Onde está o seu Deus?* (2.17). Deus conhece e registra as nossas lágrimas: *Tu contas as minhas aflições; põe minhas lágrimas no teu odre; não estão elas registradas no teu livro?* (Sl 56.8). O nosso dia é semelhante ao enfrentado por Isaías: *Naquele dia, o Senhor, o SENHOR dos Exércitos, vos convidou a chorar e a prantear* (Is 22.12).

É necessário produzir mais do que lágrimas para tornar a oração efetiva; no entanto, um coração quebrantado e uma alma que clama a Deus são a essência exata da intercessão. É um crime espiritual ficar endurecido enquanto o mundo caminha para o inferno. É espiritualmente criminoso orar casualmente, com os olhos secos e sem compromisso, enquanto o mundo permanece em pecado e sofrimento. O seu coração é como o de Cristo quanto chora pelos que choram (Rm 12.15). Ser semelhante a Cristo é ser cheio de amorosa compaixão, orando com lágrimas pelos arruinados, acorrentados e destruídos pelo pecado.

A oração não é recreativa ou arbitrária para o cristão. É o principal assunto do reino de Cristo. Orar é unir-se com Deus, o Pai compassivo; com Cristo, o Sumo Sacerdote que chora; e com o sensível Espírito Santo, que compartilha dessa emoção e carrega com ele os mesmos fardos que o Pai e o Filho carregam amorosamente.

Orar com lágrimas é fazer um investimento eterno. Orar com lágrimas é semeá-las para uma colheita eterna. Nenhuma lágrima vertida em intercessão por outros jamais é ignorada ou esquecida por Deus. A intercessão regada com lágrimas é uma das formas mais poderosas de oração conhecida. Tão certo quanto Deus está no céu, *os que semeiam com lágrimas colherão com cânticos de júbilo [...] trazendo consigo seus feixes* (Sl 126.5,6). Que este poema escrito por mim na Índia fale ao seu coração.

DÁ-ME LÁGRIMAS

Dá-me lágrimas nos olhos, amado Senhor, eu oro;

Dá-me lágrimas quando intercedo.

Dá-me lágrimas quando me ajoelho diante do teu trono cada dia;

Dá-me lágrimas até eu aprender a suplicar.

Senhor crucificado, quebra este meu frio coração de pedra;
derrete o meu coração com o teu fogo santo.

Inunda a minha alma com a paixão do amor divino;
que eu tenha fome com o teu desejo.

Tira a dureza toda novamente do meu coração
até eu ter fome, sede e anelo,
até ansiar pela alma dos homens arruinados pelo pecado.

Queima tudo dentro de mim.

Enche o meu coração com as tuas lágrimas; lá revelam a tua cruz
até que tudo mais deste mundo tenha morrido.

Até que tudo mais deste mundo eu considere como escória.

Salva a cruz do crucificado.

Que o meu coração seja sempre crucificado,
que sangre pela alma dos homens.

Que a responsabilidade pelas almas derreta a minha alma cada dia.

Até eu compartilhar do teu esforço novamente.

Dá-me lágrimas quando eu prego o teu amor sacrificial;

Dá-me lágrimas quando eu imploro pelos homens.

Dá-me lágrimas quando eu olho para o teu sublime trono.

Deus de amor, derrete o meu coração novamente.

13

Você pode aprofundar a sua oração pelo jejum

Por que a boca da igreja tem permanecido quase sempre fechada sobre o assunto do jejum? Como Satanás tem conseguido silenciar tantos líderes cristãos hoje a respeito desse assunto? Embora jejuar seja claramente ensinado e praticado tanto no Antigo quanto no Novo Testamentos, não me lembro de ter ouvido alguma vez qualquer outra pessoa pregar uma mensagem completa sobre o tema.

Moisés jejuou duas vezes durante quarenta dias (Dt 9.9,18) até sua face brilhar com a glória de Deus. Josué jejuou após a derrota perante Ai (Js 7.6). No tempo dos juízes (Jz 20.26) e também no tempo de Samuel (1Sm 7.6,12), todo o Israel jejuou. Davi jejuou antes de ser coroado, quando seu filho esteve doente, quando seus inimigos estiveram doentes (Sl 35.13) e por causa dos pecados do seu povo (69.9,10). Josafá e seu povo jejuaram até Deus dizer: *Não tereis que lutar nesta batalha* (2Cr 20.17). Eles venceram pelo jejum e louvor, sem enfrentarem uma única hora de combate ou derramamento de sangue. Elias, Esdras, Neemias, Ester, Daniel — todos ficaram conhecidos por seu jejum.

O jejum foi uma poderosa estratégia abençoada por Deus e aplicada pela igreja primitiva, por meio de muitos líderes que Deus levantou. Paulo orou e jejuou em cada igreja em que esteve (At 14.23).

Epifânio, bispo de Salamina (n. 315 A.D.), escreveu: "Quem não sabe que o jejum do quarto e do sexto dias da semana é observado pelos cristãos no mundo todo?" No século 13, Francisco de Assis passou pelas ruas da Itália cantando, pregando, testemunhando e jejuando até que milhares de jovens foram salvos. Martinho Lutero foi criticado por jejuar demais. João Calvino jejuou e orou até a maioria dos moradores de Genebra se converter, e não havia nenhuma casa sem que pelo menos uma pessoa estivesse orando. John Knox jejuou e orou até a rainha Maria dizer que temia mais suas orações do que os exércitos da Escócia. Latimer, Ridley, Crammer e, de fato, a maioria dos reformadores, todos eles ficaram conhecidos por seus jejuns e suas orações.

John Wesley jejuava duas vezes por semana até a hora do chá, seguindo o exemplo da igreja primitiva. Recomendava que seus seguidores fizessem o mesmo. E declarou: "O homem que nunca jejua está tão distante do caminho para o céu quanto aquele que nunca ora". Jonathan Edwards era eficaz em jejum e oração. Alguns dizem que ele jejuava ao extremo de quase sentir-se fraco para ficar em pé no púlpito, mas ele conseguiu mover toda a Nova Inglaterra para Deus. Charles G. Finney, poderosamente usado por Deus em reavivamento nos anos 1800, jejuava regularmente toda semana. Sempre que detectava alguma diminuição da presença do Espírito em suas reuniões, passava três dias e três noites em oração e jejum. Ele relatou que, posteriormente, o Espírito Santo agia invariavelmente em poder novamente, e o reavivamento prosseguia. Dwight L. Moody, sentindo às vezes uma carência especial em suas campanhas, mandava um recado ao Instituto Bíblico Moody para convocar professores e alunos para um dia de oração e jejum. Quase sempre eles oravam até as 2, 3, 4 ou até 5 horas da manhã.

— Se você disser que jejuará quando Deus colocar isso no seu coração, nunca jejuará — Moody dizia. — Você é frio e indiferente demais. Tome o seu jugo sobre si.

O jejum é bastante praticado nos campos missionários hoje. Como outras práticas religiosas ordenadas por Deus, o jejum pode ser mal usado ou abusado. Isso será discutido nos parágrafos seguintes. Mas jejuar ainda é o meio escolhido por Deus para aprofundar e fortalecer a oração. Você será mais pobre espiritualmente, e a sua vida de oração nunca será o que Deus quer que seja até que você pratique o privilégio de jejuar.

Este é um tempo de batalha espiritual para povos e nações, mas os cristãos carnais preferem a ostentação. É um tempo de união, mas a carnalidade arrasta as pessoas para as preferências do ego. Precisamos de ação energizada pelo Espírito, mas o ego carnal aprecia discursos. É tempo de jejuar, mas o povo prefere se banquetear (Is 22.12,13).

A era cristã começou com as pessoas considerando nada unicamente seu (At 4.32), mas grande poder e grande graça caíram sobre a igreja. Hoje ansiamos por mais e mais para nós mesmos; queremos ter as últimas comodidades e posses materiais. Não compreendemos a força espiritual de jejuar e suportar a cruz de Cristo. Pela alegria da colheita, Paulo labutou, orou, jejuou e sacudiu o Império Romano para Cristo. Pela alegria que lhe fora proposta, Jesus suportou a cruz (Hb 12.2) e proveu eterna salvação a todos os que cressem em seu nome.

A FUNÇÃO ESPIRITUAL DO JEJUM

O jejum bíblico é uma forma de autonegação pela causa de Jesus e seu reino. É uma abstinência deliberada de algum ou de todo alimento com um propósito espiritual. Exige profundo nível de compromisso e sacrifício. Embora o jejum por motivo de saúde possa, às vezes, ser fisicamente benéfico, não é isso que queremos dizer por jejum cristão. No sentido bíblico, jejuar é não participar de alimentos em razão do fato de a fome espiritual ser tão profunda, a determinação em interceder ser tão intensa, ou a batalha espiritual exigir tanto, que você precisa se separar temporariamente até mesmo das necessidades corporais para orar e meditar.

O jejum pode também se aplicar ao sono. Cristo muitas vezes deixou de dormir para passar mais tempo sozinho com o Pai. Você pode deixar de dormir pela mesma razão que deixa de ingerir alimentos. Muitas das 105 equipes da OMS de implantação de igrejas jejuam com relação a alimentos mensalmente ou mesmo semanalmente, mas muitos também jejuam com relação ao sono em noites inteiras de oração pelo menos uma vez por mês. Às vezes, eles se juntam aos novos convertidos. A mesma fome espiritual, a mesma responsabilidade e a mesma preocupação que inspira o jejum de alimento forma a base do jejum de sono.

Um afastamento intencional da comunhão dos amigos e da família por um tempo para se dedicar mais plena e exclusivamente à comunhão com Deus e à intercessão também são um tipo de jejum verdadeiro. Quando os nossos irmãos na Coreia do Sul jejuam por um período de quarenta dias, muitas vezes vão a uma "casa de oração" ou "centro de retiro de oração" especial. Lá eles juntam o jejum de comida, o jejum de relações sociais rotineiras e, quase sempre, o jejum de sono, pelo menos parte do tempo.

O retiro para oração do dia todo pode ser o jejum tanto da companhia de outras pessoas quanto de alimentos, isto é, um tempo principalmente investido em oração. Infelizmente, o único tipo de retiro de oração que muitas pessoas conhecem é caracterizado por cantar, ouvir mensagens e comer, com apenas um momento simbólico de intensa intercessão. Cristo por vezes mandou os discípulos embora para dedicar-se exclusivamente à oração (Mt 14.23). Outras vezes ele excluiu todos, com exceção de três (Pedro, Tiago e João), ou todos menos os Doze (Mt 17.1; Lc 8.18).

Num sentido ainda mais amplo, jejuar é fazer qualquer renúncia e abstinência deliberada com o propósito de se tornar espiritualmente mais forte e promover a obra do reino de Deus. Uma pessoa pode jejuar pelas próprias ambições, desejos, planos, por prazeres legítimos, direitos, alegrias e por confortos e deleites. John Wesley, ao conhecer a casa de um nobre, admirou as ricas obras de arte e outros símbolos de riqueza e cultura, porém declarou: — Eu poderia também gostar destas coisas. Mas existe outro mundo.

No centro do evangelho está uma cruz. O espírito de Cristo é um espírito de autossacrifício. A cruz, o sacrifício próprio, a abnegação e o jejum estão inter-relacionados. É o espírito de colocar Deus em primeiro lugar, de buscar primeiro o reino, de dar prioridade à vontade de Deus e aos objetivos eternos, de tomar a cruz diariamente e seguir Cristo. No centro da vida santificada está a crise da crucificação, da autoentrega e do compromisso total, acompanhado de uma vida crucificada. O crente cheio do Espírito deve encontrar alegria em jejuar pelos objetivos do reino.

O JEJUM PODE SER USADO DE FORMA ABUSIVA

Houve, na história da igreja, falsas ênfases ascéticas, e devemos continuar a nos guardar contra motivação errônea ou até mesmo os excessos. As igrejas evangélicas, entretanto, correm maior risco de negligenciar a vontade de Deus e as bênçãos de jejuar como meio de graça do que de cometerem excesso. Quaisquer meios de graça podem se tornar um perigo caso se tornem um fim em si mesmos.

Não jejue para ganhar a bênção de Deus. Pode haver um perigo sutil em pensar que, se você orar o suficiente, Deus responderá com certeza, ou, se jejuar o bastante, Deus prestará mais atenção à sua oração. Os ouvidos de Deus estão sempre abertos a você; o coração de Deus é sempre gracioso. Você jamais pode ganhar a salvação de outra pessoa, as bênçãos de Deus sobre o seu trabalho, ou o reavivamento da sua igreja. Essas coisas não podem ser conseguidas por atos rituais ou atividades frenéticas; são dádivas da graça e da misericórdia de Deus.

Não jejue como um substituto para a obediência. Isaías 58.1-11 apresenta claramente a exortação de Deus ao povo que jejuava como meio de suborná-lo. Em vez disso, eles foram encorajados a parar de discutir, a corrigir a injustiça, a ajudar o pobre e o necessitado e a aliviar a carga dos outros, caso esperassem que Deus respondesse a suas orações e jejuns. *Se quiserdes que a vossa voz se faça ouvir no alto, não jejueis como fazeis hoje* (v. 4).

Se Deus condena você de algum pecado de omissão ou comissão, esse pecado bloqueará a sua oração até que você o corrija. O seu jejum não consegue subornar Deus para que a desobediência passe despercebida. Deus prefere a obediência ao sacrifício, mas a obediência somada ao sacrifício o agrada mais ainda.

Não jejue para impressionar os outros. A mensagem de Zacarias a Israel ecoa a fala de Isaías: jejuar não traz automaticamente a bênção de Deus, e a injustiça e a falta de misericórdia e compaixão podem invalidar o jejum. Os filhos de Israel observavam esta prática mais para impressionar os homens e a Deus do que como meio de buscar o Senhor.

Cristo ensinou que, quando você jejuar (por favor, observe que não digo "se" você jejuar, mas "quando" você jejuar), deve fazê-lo secretamente, e não como os fariseus hipócritas que não lavavam o rosto nem aplicavam óleo na face para impressionar os outros com sua piedade. O jejum deve ser feito para o Senhor. Outras pessoas podem ou não saber que você está jejuando.

Não deixe que o jejum se torne mera formalidade. Assim como o batismo, a observância da ceia do Senhor, a leitura da Bíblia ou a prática do dízimo podem se tornar rituais vazios para muitos cristãos, da mesma forma a oração e o jejum podem se tornar meras formalidades. Qualquer meio de graça pode se degenerar em um fim em si mesmo. O remédio não é parar de praticar, mas fazer tudo por profundo amor e devoção ao Senhor.

Não jejue como forma de legalismo. Qualquer prática ensinada pela Bíblia pode se tornar uma obrigação legalista. Pode-se ficar preso ao tempo gasto em oração, à quantidade de dinheiro doado à causa de Deus, ou até mesmo à frequência aos cultos na igreja. A resposta não está em descontinuar a prática, mas em amar tanto o Senhor a ponto de usar todos os meios possíveis para se aproximar dele.

Autodisciplina não é legalismo. Ela pode ajudá-lo a estabelecer momentos específicos para oração, uma quantidade mínima aproximada de tempo gasto em oração, o uso de listas de oração, e períodos em que o jejum se soma à oração. Prepare-se, também, para momentos dirigidos pelo Espírito de oração e jejum não programados e inesperados. Esses podem revelar-se suas mais ricas experiências. Se você orar ou jejuar apenas quando sentir vontade, crescerá espiritualmente fraco e perderá grandes bênçãos que Deus deseja lhe dar.

Como jejuar para o Senhor

1. Jejue para agradar ao Senhor. Jejue porque você quer se aproximar do Senhor. Jejue porque ele é tão precioso que você quer lhe dar um presente valioso. Jejue porque ele sofreu tanto no seu lugar que você alegremente escolheu entrar no espírito da sua cruz. Jejue porque você o ama e quer amá-lo cada vez mais. Em Zacarias 7.5, Deus perguntou: *Foi para mim que jejuastes?* Deus aprecia o seu jejum quando você jejua para agradá-lo.

2. Jejue em resposta ao chamado de Deus. Tanto no Antigo quanto no Novo Testamentos, o jejum é uma marca distintiva de piedade entre homens e mulheres, leigos e servos especiais de Deus. No Antigo Testamento, o profeta Joel exortou: *Decretai um jejum* (Jl 1.14; 2.15). No Novo Testamento, o próprio Jesus deixou claro que ele espera que seu povo jejue (Lc 5.33-35).

Somos chamados a cultuar Deus, e jejuar é especificamente chamado de "cultuar" em Lucas 2.37 e Atos 13.2. Se você nunca jejua, pode estar faltando alguma coisa no seu culto.

3. Jejue para se humilhar perante Deus. Na Bíblia, jejuar está frequentemente associado a arrepender-se (1Rs 21.27; Sl 35.13). No entanto, há mais em jejuar do que seu uso no estágio inicial do arrependimento; você precisará se humilhar perante o Senhor repetidas vezes, como Davi fez (Sl 35.13). Jejuar pode capacitá-lo a sentir o vazio do seu coração, a sua insuficiência, a sua necessidade de Deus. *Deus [...] dá graça aos humildes* (Tg 4.6). Jejuar é uma forma de humilhar-se *sob a poderosa mão de Deus* (1Pe 5.6).

4. Jejue para buscar a face de Deus mais plenamente. Você deve amar a Deus com todo o seu ser — de todo o coração, de toda a alma, de todo o entendimento e de todas as forças (Mc 12.30,33). *Vós me buscareis e me encontrareis, quando me buscardes de todo o coração* (Jr 29.13). Jejuar é uma forma sagrada de buscar Deus de todo o coração.

Cristo nos ensinou que, para recebermos as respostas do céu, precisamos pedir, buscar e bater (Mt 7.7). Cada palavra indica um nível mais profundo de intensidade. Jejuar também indica um desejo intenso de buscar Deus. O desejo de ver Deus e sua obra poderosa pode ser tão grande que perdemos o desejo por comida. É também possível pelo jejum intencional intensificarmos o desejo do nosso coração, embora possamos experimentar a fome física.

5. Jejue como uma santa disciplina da sua alma. John Wesley também acreditava e ensinava que devemos buscar a face de Deus pela oração e pelo jejum. Ele deu tanta ênfase em colocar método na caminhada de alguém com Deus que os primeiros seguidores de Wesley foram chamados de "metodistas".

O discípulo de Jesus é um seguidor disciplinado. Hábitos regulares de oração e jejum são parte natural da vida espiritual dos que o seguem. Eles propiciam um método regular para que os cristãos se aproximem de Deus, se examinem perante o Senhor e entrem mais plenamente na vida de intercessão. A oração é um meio precioso de tomar a cruz e seguir Jesus (Mt 16.24).

Lembre-se de que os métodos apostólicos continuam válidos hoje. Satanás odeia o jejum, mas Deus honra essa prática. Nesta era missionária em que uma igreja militante deve vencer batalhas estratégicas para o Senhor, aceite novamente a estratégia de Deus de acrescentar o jejum à oração.

14

VOCÊ TEM AUTORIDADE DE ORAÇÃO POR MEIO DA CRUZ

Os cristãos deveriam se regozijar várias e várias vezes no glorioso triunfo de Cristo na cruz. No entanto, só quando chegarmos ao céu é que vamos perceber o eterno significado da cruz para nós e para o mundo como um todo. No plano de Deus, a cruz de Cristo deixou de ser um instrumento de tortura e vergonha e se tornou sua maior glória.

Você se lembra de como Jesus mostrou aos discípulos as cicatrizes em suas mãos e pés e a marca da lança em seu lado (Jo 20.20,27)? Ele tem em seu corpo ressurreto as marcas do preço que pagou pela nossa salvação. Creio que você, algum dia, sentirá a alegria de ter comunhão pessoal com Jesus e ele lhe mostrará, como fez aos primeiros discípulos, as mãos perfuradas pelos cravos. Apocalipse 5.6 nos assegura que, por toda a eternidade, Jesus continuará carregando a evidência de seus sofrimentos na cruz como singular insígnia de honra.

Permita-me compartilhar com você a glória do triunfo de Cristo. É essencial que você a compreenda para que possa amarrar mais efetivamente Satanás em suas batalhas de oração e obter novas vitórias sobre ele.

O reino de Satanás

Satanás, o arqui-inimigo de Deus e da igreja, tem seu reino maligno. Ele governa sobre anjos caídos, demônios e pecadores que, do ponto de vista de Deus, são filhos do Diabo (Jo 8.44). Os anjos caídos não têm permissão para agir hoje. Estão aprisionados nas trevas do *tártaro* (palavra grega para "inferno" em 2Pedro 2.4), confinados em algemas eternas (Jd 6), aguardando o dia de julgamento.

Os demônios, no entanto, são muito ativos hoje. A palavra grega para demônio, *daimon*, é completamente diferente do termo usado para anjos caídos, *angelos*. Os demônios são também chamados de espíritos impuros, *pneumaton akatharton* (At 5.16), e espíritos malignos, *pneumata ta ponera* (19.12-16). Não conhecemos a origem deles, mas Deus não cria seres malignos; por isso, a exemplo dos anjos caídos, eles obviamente foram santos em algum tempo, tornando-se pecadores pela própria escolha.

Em sua inveterada oposição a Deus e ao homem, Satanás depende em grande medida dos demônios. Deus é onipresente, enquanto Satanás só pode estar em um lugar de cada vez. Deus é onisciente, enquanto Satanás depende das informações que recebe de seus demônios. Mas Satanás é o enganador do mundo todo (Ap 12.9), o pai de todas as mentiras (Jo 8.44). Assim como ele ensina seus demônios a mentir, não há dúvida de que os demônios mentem para ele, porque Satanás com frequência parece agir com base em informação inexata. Deus é onipotente, enquanto Satanás tem poder limitado e normalmente atua por meio de um ou muitos demônios.

Satanás é contrário a Deus, a Cristo, à Igreja, aos cristãos e à humanidade. Não ama os seus; pelo contrário, ele os despreza e os odeia. Sua única forma de revidar contra Deus é prejudicar alguém amado por Deus, por isso ele tenta constantemente atrapalhar, prejudicar e destruir as pessoas. Quando falamos sobre amarrar Satanás, queremos dizer deter o poder de Satanás, que normalmente é exercido por meio dos demônios.

Não sabemos como Satanás organizou os demônios em seu reino do mal. As Escrituras empregam várias palavras para designar os seres espirituais, sempre indicando que eles estão sob o domínio de Satanás. Seguem alguns dos termos usados no grego, juntamente com referências onde eles podem ser encontrados:

- *Archai:* principados (1Co 15.24; Ef 1.21; 3.10; 6.12; Cl 1.16; 2.10,15).
- *Exousiai:* autoridades (1Co 15.24; Ef 1.21; 3.10; 6.12; Cl 1.16; 2.10,15).
- *Dunameis:* poder (Rm 8.38; 1Co 15.24; Ef 1.21).
- *Kuriotes:* domínios, senhorios (Ef 1.21; Cl 1.16).
- *Thronoi:* tronos (Cl 1.16).
- *Archontes:* líderes, príncipes (1Co 2.6).
- *Kosmokratores:* governantes mundiais (Ef 6.12).

Esses termos podem se referir a diferentes níveis de autoridade, origens ou tarefas sob Satanás. O importante é que todos esses seres são limitados em poder, conhecimento e esfera de ação. Todos foram derrotados por Cristo na cruz. Todos sabem que estão aguardando seu julgamento, vindo em seguida a punição eterna (Mt 8.29).

Satanás e todos os espíritos
malignos foram derrotados na cruz

Você já se deu conta da total vitória de Cristo no Calvário? Foi uma vitória por nós, porque Jesus tomou nosso lugar, suportando nosso pecado na cruz. Ele pagou o preço pela nossa redenção. Ele cumpriu todas as profecias e tipos do Antigo Testamento. Cada sacrifício pelo pecado de Adão em diante foi aceito por Deus sob a condição do sacrifício final, perfeito e santo de Cristo na cruz. Assim, cada sacrifício aceito por Deus de um pecador arrependido era semelhante a uma nota promissória que Jesus garantiu pagar. Deus seja louvado! Na cruz, ele pagou tudo! O Calvário foi uma vitória eterna para aqueles que quiserem recebê-la (Ap 22.17).

Foi também uma vitória para o plano de Deus. Seu plano original para eterna comunhão com o homem será um dia restabelecido numa terra nova e justa (Ap 21.1). Tudo o que o ser humano perdeu na queda será restaurado por causa do Calvário. O pecado, o sofrimento, as lágrimas, a morte, a maldição — tudo o que entrou no mundo pela queda — será removido para sempre (21.4,5,25; 22.3,5).

O plano eterno de Deus foi interrompido por Satanás. Essa interrupção persiste há milhares de anos. Parece um longo tempo para nós do ponto de vista humano, mas do ponto de vista de Deus não passa de um breve momento. Essa satânica interrupção terminará com o retorno triunfante de Cristo. A segunda vinda será possível por causa do Calvário. Os vastos séculos sem fim da eternidade ficarão tão distantes e ofuscarão a tal ponto a interrupção de Satanás e do pecado durante esses poucos milhares de anos que, quando chegarmos ao céu, o reino do pecado parecerá um sonho ruim.

Para Satanás, contudo, a vitória de Cristo no Calvário foi uma derrota devastadora, completa e eterna. No começo, Satanás pensou que tinha vencido, o que mostra quão limitados são seu conhecimento e sua compreensão. Na realidade, a cruz destruiu Satanás, o pecado, a morte e todo o seu reino. Não aniquilou Satanás ou seus espíritos caídos, a multidão de demônios, mas eles serão atormentados para sempre no lago de fogo (Ap 20.10). O inferno foi preparado para Satanás e seus seres malignos. O homem vai para o inferno somente porque se alia a Satanás e recusa arrepender-se e ser libertado do pecado pela expiação que Cristo proveu no Calvário (v. 14,15). Observemos a seguir a linguagem pictórica que a Bíblia usa para ilustrar a vergonhosa derrota de Satanás no Calvário.

Na cruz, Jesus expulsou Satanás, o príncipe deste mundo (Jo 12.31-33). Hoje, Satanás é um usurpador. A cruz possibilitou o julgamento inicial sobre ele. Suas reivindicações foram destruídas; sua alegada autoridade foi invalidada. A derrota foi tão completa que ele perdeu seu lugar e autoridade. A palavra grega *ekballo* significa "empurrar para fora, expulsar". A cruz condenou Satanás à expulsão final do nosso mundo, embora ele ainda esteja ativo e desesperado em sua ira e futilidade. Ele é o *archon*, o governador desta era até que Deus aplique o julgamento da cruz após o retorno de Cristo.

Na cruz, Jesus despojou os "principados e poderes" (Cl 2.15). A palavra *despojou* vem do grego *apekoyo*, composto de duplo significado, "despir completamente e, assim, tornar impotente". Na cruz, Cristo despiu todas as autoridades demoníacas. É um retrato do antigo costume oriental de despir o manto de um oficial deposto. Na cruz, os líderes e as autoridades das forças e do reino de Satanás foram despidos de sua autoridade e honra. Eles não têm agora autoridade para se opor, intimidar ou maltratar você.

Isso, porém, não é tudo; há mais neste quadro. Paulo diz que Cristo *os expôs em público e na mesma cruz triunfou sobre eles* (Cl 2.15). Novamente, trata-se de uma ilustração tirada da história antiga. Quando um imperador vencedor voltava de uma grande vitória, com frequência recebia uma procissão triunfal. O vitorioso e seu exército marchavam pelas ruas repletas de milhares que aplaudiam. Enquanto os músicos tocavam, carruagens e soldados carregavam os tesouros saqueados do rei derrotado que, ao ser conduzido acorrentado junto com seu general e outros prisioneiros escolhidos, tinham sua vergonha publicamente exposta.

A palavra grega *edeigmatisen* significa "fazer uma pública exibição". Durante o intervalo entre a morte e a ressurreição de Cristo, quando ele anunciou (*ekarussen*) a derrota de Satanás na cruz aos espíritos malignos em prisão (1Pe 3.19), Cristo simbolicamente marchou em triunfo pela prisão espiritual, com Satanás e seus governantes demoníacos acorrentados em gloriosa derrota atrás dele. Cristo fez da derrota deles um espetáculo público, diz Paulo, e agora todo ser demoníaco sabe que sua causa está derrotada para sempre, que a autoridade satânica de seu senhor foi despojada dele e que sua maldição espera pelo tempo designado (Mt 8.29).

Na cruz, Satanás e seus espíritos impuros foram destruídos (Hb 2.14). A palavra grega para *destruir* vem do grego *katargeo*, que significa "colocar fora de ação, tornar inútil". Ela é usada repetidas vezes para mostrar de que maneira, pela morte e pelo retorno de Cristo (*parousia*), os poderes de destruição que ameaçam o ser humano espiritualmente são colocados fora de ação. Em 1Coríntios 15.24, isso inclui toda área de atuação dos principados e poderes demoníacos. No versículo 26, a própria morte será o último inimigo a ser feito inútil. Todos eles são reduzidos a nada, incluindo o próprio Satanás (Hb 2.14) e seus líderes demoníacos (1Co 2.6).

Como resultado do Calvário, da ressurreição e da ascensão, Cristo está entronizado. Muito acima de todo principado, autoridade, poder, domínio [...]. *Também sujeitou todas as coisas debaixo dos seus pés* (Ef 1.21,22). Esses termos usados para indicar seres celestiais podem incluir tanto os santos seres angelicais como os caídos, agora demônios. A expressão *estrado para os teus pés* (At 2.35, NVI) enfatiza que os espíritos impuros também estão incluídos, pois se trata de uma citação do Salmo 110.1, em que eles são chamados de inimigos de Cristo. Cristo está sentado à direita de Deus, acima de todos os seres celestiais de quaisquer categorias e, certamente, acima de todos os seres espirituais caídos de quaisquer posições. Potencialmente, esses seres caídos estão sob seus pés, porque já foram derrotados. Mas eles continuam blefando, como se ainda não tivessem sido derrotados, e tentam impor seu domínio sobre nós.

A metáfora do estrado é ilustrada por Josué 10.24, uma cena na qual os comandantes de Josué colocaram os pés sobre o pescoço dos reis inimigos derrotados antes de serem mortos. Um dia, Jesus colocará todos esses espíritos derrotados sob seus pés, e sob os nossos também, já que somos seus guerreiros vitoriosos. Então ele os lançará no inferno.

Esses seres demoníacos sabem que estão derrotados e têm ciência de qual será seu fim; por isso, temem tanto a nós e às nossas orações. Eles sabem que temos a autoridade de Jesus. Quando você lhes resiste em nome e no poder de Jesus, eles não somente retrocedem, como na verdade fogem de você (Tg 4.7).

Resumindo, Satanás pode rugir como um leão enraivecido, tentando amedrontá-lo, mas é um usurpador derrotado. Ele não tem direito, posição, autoridade ou lugar legal em sua vida.

1. Ele está sendo expulso, excluído por Jesus (Jo 12.31).
2. Despido e desarmado, ele se tornou um espetáculo público como inimigo derrotado na procissão triunfal de Cristo. Cristo mostrou o execrado Satanás como seu principal troféu, revelando a todos os seres no céu e no inferno que Satanás perdeu (Cl 2.15). O falso leão que ruge foi derrotado pelo verdadeiro Leão da tribo de Judá, Jesus Cristo, Filho do homem, o amado Filho de Deus (Ap 5.5).
3. O poder do maligno está destruído, e ele e todos os seus exércitos foram postos fora de ação tanto quanto qualquer verdadeiro poder (Hb 2.14; 1Co 2.6; 15.24).
4. Ele e todas as legiões demoníacas estão potencialmente sob os pés de Jesus e logo serão subjugados definitivamente (Ef 1.21,22). De fato, Satanás será realmente esmagado (*syntribo*) sob seus pés também (Rm 16.20). *Syntribo* significa "quebrar em pedaços exterminando" — uma derrota total e esmagadora.

Assim, Jesus diz a nós, da mesma maneira que disse aos discípulos: *Eu vos dei autoridade [...] sobre todo o poder do inimigo; nada vos fará mal algum* (Lc 10.19). Apesar de indignos, deveríamos aceitar de modo humilde, mas também confiante, esta autoridade, agindo na gloriosa vitória de Cristo no Calvário à medida que derrotarmos e determos o poder de Satanás em nome de Jesus.

15

VOCÊ PRECISA USAR O COMANDO DE FÉ

As montanhas são usadas nas Escrituras para simbolizar força e estabilidade. São também usadas para representar grandes dificuldades e aparentes impossibilidades. Embora Deus prometa mover ou superar algumas montanhas para seus filhos, ele ordena que você mesmo mova outras delas. Ele não as moverá até que você dê o comando. Assim, existem dois tipos de "montanhas" nas Escrituras.

Algumas montanhas de dificuldade são colocadas por Deus para o abençoar. Transformei todos os meus montes em um caminho (Is 49.11). Essas são as montanhas de Deus. Ele permite que elas existam. Ele dirige você ao longo da trilha que leva até elas. O propósito dessas montanhas é o seu bem espiritual. Elas podem retardar o seu progresso, mas construirão a sua musculatura espiritual, fortalecerão a sua fé e desenvolverão a sua habilidade de orar à medida que você insiste até a resposta de Deus chegar. Algumas delas são muito grandes e difíceis, de modo que só podem ser movidas quando vários crentes se unirem a você concordando em oração.

Essas são as montanhas de Deus, embora talvez não pareçam assim para você. Deus as permitiu temporariamente para bloquear o seu caminho. Ele lhe ensinará profundos segredos espirituais à medida que você as enfrentar, perseverando em oração. Às vezes, você pode se cansar enquanto ora, mas no tempo certo — no tempo perfeito de Deus — você colherá, se não desistir (Gl 6.9).

Um dos meus amados professores da Bíblia repetia sempre um ditado: "Os relógios de Deus mantêm o tempo perfeito". Deus nunca está adiantado, nunca atrasado. Sua agenda é sempre perfeita. Depois que a montanha de Deus se transformar na estrada de Deus, você poderá descobrir por que o Senhor adiou a resposta à sua oração. Em alguns casos, você precisará esperar até chegar ao céu para ter suas perguntas respondidas. Confie em Deus; ele sabe o que está fazendo. Mas você precisa ter certeza de uma coisa: Quando Deus permite que uma montanha o impeça de alcançar o seu destino, ele está preparando um milagre. Deus transforma todas as montanhas em estradas.

Satanás frequentemente levanta barreiras que se tornam montanhas bloqueando o seu caminho. Esse tipo de montanha é bem diferente daquela descrita anteriormente. Quanto mais você ora a respeito dessas montanhas, mais convencido você fica de que a demora não é de Deus. Quanto mais você ora, mais certeza você tem de que está envolvido num conflito espiritual com os poderes demoníacos das trevas. É Satanás e suas forças que bloqueiam o seu caminho na tentativa de atrapalhar a obra de Deus e desonrar o nome de Jesus.

Você pode quase ouvir Satanás zombar de você; pode quase vê-lo se opondo a você. Mas Satanás é capaz de deter um filho de Deus? Sim, ele pode retardá-lo por um tempo. Repetidas vezes, impediu Paulo de chegar a Tessalônica (1Ts 2.18), mas o apóstolo acabou retornando para ministrar lá (At 20.1,2).

Deus pode permitir que Satanás atrase o desenvolvimento de algum propósito maior, mas não quer que Satanás detenha você completamente. Deus quer que você mova a montanha. Ele não quer que você abandone o lugar que lhe foi dado ou os passos de progresso que lhe foram designados. Essas são montanhas demoníacas, não de Deus. Essas devem ser movidas.

Como, porém, você deve movê-las? Naturalmente, você deve esperar que Jesus lhe mostre como; ao enfrentar tais montanhas, deve orar até que Deus as remova, pois existem alguns problemas que só podem ser resolvidos pela oração (Mc 9.29). No entanto, Jesus nos deu outra ferramenta que, quando combinada com a oração, removerá obstáculos. Ele disse: *Pois em verdade vos digo que, se tiverdes fé do tamanho de um grão de mostarda, direis a este monte: Passa daqui para lá, e ele passará; e nada vos será impossível* (Mt 17.20).

Essa verdade foi tão estratégica para o progresso do reino que Jesus repetiu em palavras ainda mais fortes:

> *Em verdade vos digo que, se tiverdes fé e não duvidardes, não só fareis o que foi feito à figueira, mas até se disserdes a este monte: Ergue-te e lança-te no mar, isso será feito; e tudo o que pedirdes em oração, crendo, recebereis* (Mt 21.21,22).

Na primeira situação (Mt 17.20), enquanto Jesus estava no monte da Transfiguração um pai levou aos discípulos um menino endemoninhado. Pelo fato de estarem espiritualmente despreparados, os discípulos não conseguiram expulsar o demônio, e o fracasso deles envergonhou o nome de Jesus. No segundo caso (Mt 21.21), Jesus amaldiçoou a figueira estéril, e ela secou imediatamente. A figueira era uma enganadora. Jesus estava ensinando que as obras de Satanás — independentemente de serem grandes ou pequenas — precisam ser secadas.

O comando de fé é bíblico

O exercício da autoridade de Cristo é por vezes citado como "o comando de fé". Essa verdade é ensinada por símbolos e exemplos na Palavra de Deus. Deus quer que seus filhos usem a autoridade que ele lhes deu. A vara de Moisés foi um símbolo de sua autoridade como representante de Deus ao faraó. Durante o conflito de Moisés com os poderes demoníacos que atuavam por trás dos magos e dos deuses do Egito, Moisés por vezes orou a Deus. Em outras ocasiões, ele recebeu instrução para apenas usar sua vara.

Deus disse para Moisés estender a vara e tocar a água do Nilo, e a água se tornou em sangue; para estender a vara, e as rãs vieram sobre o Egito; para estender a mão e tocar o pó com a vara, e o pó se transformou em piolhos; para estender a mão aos céus, e caíram enormes pedras de granizo; para estender a mão, e vieram gafanhotos e devastaram a terra; para estender a mão, e durante três dias e noites não houve luz do sol, da lua ou das estrelas (Êx 7.10). Quando Israel chegou ao mar Vermelho, Moisés começou a orar. *Por que clamas a mim?* (14.15), Deus lhe perguntou. Deus disse a Moisés que estendesse a mão com a vara sobre o mar, e as águas se dividiram, e o povo atravessou em terra seca. Às vezes, a oração continuada indica falta de fé. Deus quer que demos o comando de fé e prossigamos.

Elias foi um poderoso homem de oração, mas houve momentos em que ele teve de usar o comando de fé. Ele pediu à viúva de Sarepta que lhe preparasse uma refeição primeiro, e ela teria um milagroso suprimento de alimento que duraria até que a escassez terminasse (1Rs 17.8-16). Ele disse ao arrogante capitão de Acazias: *Se sou homem de Deus, desça fogo do céu para destruir a ti e aos teus cinquenta soldados* (2Rs 1.10). Apareceu fogo do céu que consumiu o capitão e cinquenta homens. Quando Elias e Eliseu chegaram ao rio Jordão, Elias não orou. Em vez disso, feriu a água, e o Jordão se retraiu como o mar Vermelho havia feito para Moisés. Quando Eliseu voltou após a ascensão de Elias, também feriu as águas do Jordão, e elas se dividiram também para Eliseu (2.14).

Jesus demonstrou e usou várias vezes o comando de fé. Em Caná da Galileia, cena de seu primeiro milagre, ele simplesmente ordenou aos servos que enchessem de água as vasilhas. Ele também ordenou aos leprosos: "Fiquem purificados". Ele tocou olhos cegos e ordenou a ouvidos surdos: "Abram-se". Ao paralítico, ele determinou: *Levanta-te*. Ele tocou corpos febris, leprosos e até mortos, e o milagre aconteceu. Junto ao túmulo, ele convocou: *Lázaro, vem para fora!* Ele repreendeu espíritos malignos, e eles saíram. Ele repreendeu o vento e exigiu ao mar revolto: *Cala-te! Aquieta-te!*

Os apóstolos também praticaram o comando de fé. À porta do templo, Pedro ordenou ao aleijado: *Em nome de Jesus Cristo, o Nazareno, anda!* Ao paralítico Eneias, Pedro disse: *Levanta-te*. A Dorcas, que estava morta, ordenou: *Levanta-te*. Ao mago Elimas, Paulo disse: "Ficarás cego!" Em Listra, Paulo disse ao aleijado desde o nascimento: *Levanta-te e fica em pé*. Ao demônio que escravizava a jovem em Filipos, Paulo ordenou: *Eu te ordeno em nome de Jesus Cristo que saias dela.* O espírito a deixou instantaneamente (At 16.18).

Quando você deve usar o comando de fé?

O comando de fé não é um poder opcional que você pode usar à vontade para tornar a vida mais fácil, para remover as provações ou para descarregar toda a sua irritação sobre o Diabo. É um exercício deliberado da autoridade e do nome de Cristo numa situação em que a glória dele está em jogo, em que seu reino está sendo impedido, ou em que Cristo chama você para demonstrar o poder dele para provar que ele é o Deus vivo. Como representante de Jesus Cristo, você pode sempre usá-lo, embora implementar esse comando possa requerer a ajuda de seus santos anjos.

Contudo, o comando de fé pode ser usado em casos de autoproteção? Sim, há emergências legítimas em que os filhos de Deus repreendem uma intenção de assaltar, estuprar ou atacar fisicamente. Pelo fato de ser filho de Deus, você está sob a proteção dele. Da mesma forma, você pode ser dirigido por Deus para comandar os elementos em nome de Jesus, como fez John Wesley ante a aproximação de uma tempestade que ameaçava interromper sua pregação a uma multidão em céu aberto. Observe, entretanto, que John Wesley não se apropriou desse poder para conforto ou conveniência pessoal; o propósito era promover o evangelho.

O comando de fé não é uma alternativa à oração. É um passo adicional de obediência que normalmente se desenvolve mediante oração perseverante e a batalha de oração. Numa emergência, você pode não ter tempo para uma oração demorada, mas deve clamar instantaneamente em nome de Jesus. No entanto, o comando de fé normalmente é um elemento de guerra de oração ofensiva ao invadir o território de Satanás, atacar suas barreiras ou confrontar sua resistência. Seguem exemplos de ocasiões em que Deus pode conduzir você a usar o comando de fé:

- Ordenar que Satanás saia de uma área.
- Ordenar que Satanás pare de fazer oposição ao evangelho.

- Ordenar que Satanás retire as trevas demoníacas com as quais ele está cegando uma pessoa, família ou cidade.
- Ordenar que Satanás pare de cegar a vontade de uma pessoa que está hesitando em seguir Cristo.
- Ordenar que Satanás retire a depressão e deixe uma pessoa em paz.
- Ordenar que Satanás afaste sua mão de uma pessoa ou família.
- Ordenar que Satanás pare de confundir um crente neófito.
- Ordenar que Satanás para de oprimir um filho de Deus.
- Ordenar que Satanás pare de afligir uma pessoa com enfermidade.
- Ordenar que Satanás se afaste quando ele se aproxima de você com tentações infames.
- Ordenar que Satanás pare de incitar divisão entre o povo de Deus.
- Ordenar que Satanás cesse de operar seus enganosos sinais, maravilhas e milagres.
- Ordenar que Satanás pare de assustar os crentes com rugidos como de leão.
- Ordenar que Satanás imobilize seus demônios.
- Ordenar que demônios saiam de uma pessoa.
- Ordenar que uma enfermidade se afaste.
- Ordenar que elementos naturais cessem por um período de tempo.
- Ordenar que um criminoso pare ou se vá.

Você pode dar o comando de fé

Você não precisa ser um supersanto para dar o comando de fé. Até mesmo os crentes novos podem ser capacitados a realizar milagres em nome de Jesus.

Conheci crentes novos na Índia que nunca tinham visto uma demonstração do poder de Jesus, sendo subitamente capazes de expulsar demônios. Numa reunião de oração realizada em uma pequena casa por um dos nossos novos grupos da igreja, um vizinho hindu os ouviu cantar e veio até a porta.

— Temos visitantes de fora no distrito — ele disse —, e eles trouxeram uma mulher possessa por demônio. Vocês podem fazer alguma coisa para nos ajudar?

— Tragam-na aqui — respondeu o cristão instantaneamente. — O nosso Jesus expulsa demônios.

A mulher possessa foi trazida, os novos crentes expulsaram o demônio em nome de Jesus, e o grupo hindu se foi.

Um mês depois chegou um mensageiro do vilarejo hindu a cerca de 100 quilômetros distante, pedindo que os cristãos mandassem alguém para ensiná-los.

— Nunca ouvimos falar de um Deus com poder como esse — disseram.

Os nossos evangelistas foram até lá, e muitos foram ganhos para Cristo por causa da evidência que tinham visto com os próprios olhos. Num só dia mais de oitenta novos crentes foram batizados. Tive a alegria de dedicar pessoalmente à adoração o templo de paredes de barro que eles construíram.

F. J. Huegel, em seu esplêndido livro *The Enthroned Christian* [O cristão entronizado], conta a história de um menino cristão, filho de um pastor que, na ausência do pai, expulsou um demônio de uma pessoa que lhe fora trazida em busca de ajuda. Ele explicou que tinha visto seu pai atuar, por isso sabia como fazê-lo. Os demônios tiveram de obedecer ao comando mesmo de um cristão ainda criança, em nome da autoridade de Jesus.

Não permita que o Diabo o convença de que você não tem poder ou direito de usar o comando de fé ordenado por Deus. Huegel vai além ao sugerir que o ensino sobre o comando de fé é tão claro que deveria ocupar o mesmo lugar que a oração na vida do crente comum!

Pré-requisitos para o uso do comando de fé

Existem pré-requisitos essenciais antes que alguém possa executar o comando de fé com segurança e sucesso. Os filhos de Ceva, não regenerados e descrentes, tentaram usá-lo e foram fisicamente atacados e feridos por uma pessoa possuída pelo demônio (At 19). Os pré-requisitos são bem simples; vejamos a seguir.

É preciso ser um verdadeiro filho de Deus. Qualquer crente nascido de novo tem autoridade para usar o nome de Cristo em oração, louvor e comando. Deus dá essa autoridade apenas a seus filhos.

É preciso que nada na sua vida esteja entristecendo o Espírito de Deus. Essa autoridade é executada sob a supervisão do Espírito Santo. Os seus lábios pronunciam as palavras, mas o Espírito Santo e os anjos de Deus as aplicam sobre Satanás, seus demônios e tudo mais que deva se render a Deus. Se for necessária a ajuda dos anjos, Deus cuidará disso. Mas, se você esconde falta de perdão ou algum outro pecado no seu coração (Sl 66.18; Mt 6.15), não espere a ajuda do Espírito.

É preciso que o seu comando esteja em harmonia com a vontade de Deus. Você não deve tentar usar esse poder para fins egoístas. Como membro do reino de Cristo, você pode colher os benefícios, mas o objetivo deve ser glorificar Deus e promover seu reino. A única exceção é uma emergência em que a sua segurança é ameaçada. Você e o seu corpo pertencem a Deus, por isso você é livre para usar o nome de Cristo para se proteger de perigos iminentes.

Como saber qual é a vontade de Deus? Algumas situações da vida, como provações, doenças ou perseguições, podem ou não ser a vontade de Deus claramente revelada, embora Deus possa permiti-las para a sua suprema glória. Você pode ter certeza, no entanto, de que outras coisas estão sempre de acordo com a vontade de Deus — a salvação de um pecador, o crescimento da sua igreja, a vitória da luz do evangelho sobre as trevas de Satanás. Nas situações em que não temos certeza, porém, devemos prevalecer em oração, lutando com os poderes das trevas, a fim de chegarmos à clara convicção dada pelo Espírito a respeito da vontade de Deus. Se então percebemos que Satanás está atrapalhando, somos autorizados a repreendê-lo usando o comando de fé.

Como preparar o seu coração para dar comandos mais eficientes

1. Encha-se do Espírito. Você só pode compreender todo o seu potencial espiritual quando é cheio do Espírito. Como foi explicado no Capítulo 11, essa experiência requer total compromisso com Deus, confiando nele para cumprir suas promessas. À medida que você vive no Espírito, pode ser cheio repetidamente.

Muitos cristãos vivem na carne e não têm poder para viver de forma consistente e vitoriosa. Deus pode ajudar tais crentes derrotados em emergências, mas viver a vida entronizada e estar instantaneamente pronto para dar o comando de fé requer um viver diário na plenitude do Espírito. Se você renegou o seu compromisso com Cristo, precisa renovar a sua consagração e encher-se novamente do Espírito Santo.

2. Enfrente a sua montanha. Não tente fingir que ela não existe. Aceite a realidade da montanha e concentre a sua atenção na natureza da obstrução. Identifique a mão de Satanás por trás dela. Talvez o Diabo esteja usando pessoas boas a quem ele enganou. O seu inimigo não é a carne e o sangue, mas as forças demoníacas por trás do problema. Talvez você veja uma falsa montanha de Satanás, ou um falso crescimento como o da figueira sem frutos que Jesus repreendeu. O Espírito pode secar todo crescimento falso que disfarça a situação real. Não tenha medo do blefe de Satanás. Enfrente a sua necessidade e espere pela resposta de Deus.

3. Viva no espírito de fé. Não tenha medo. Quantas vezes Cristo disse: *Não temais!* A dúvida concede uma base de apoio ao Diabo; não dê a ele essa vantagem (Ef 4.27). A promessa de Deus é para você. Deus conhece a situação melhor do que nós. Viva uma atitude de expectativa, esperando apenas para ver como Deus lidará com o problema. A montanha pode tomar você de surpresa, mas Deus nunca é surpreendido nem está despreparado.

Lembre-se de que Satanás já foi derrotado no Calvário. Você não apenas morreu e foi ressuscitado com Cristo, mas também subiu espiritualmente e está agora entronizado com ele. *E nos ressuscitou juntamente com ele, e com ele nos fez assentar nas regiões celestiais em Cristo Jesus* (Ef 2.6).

Não tema erguer o olhar para a sua montanha. Olhe para ela de cima, do seu lugar ao lado de Jesus! Olhe de cima do trono, sobre Satanás, o inimigo derrotado. *E o Deus de paz em breve esmagará Satanás debaixo dos vossos pés* (Rm 16.20). Regozije-se na sua vitória em Cristo; viva no triunfo da fé. Espere Deus se encarregar da situação e guiá-lo na retirada da montanha.

4. Compreenda a vontade do Senhor. Você precisa de sabedoria e orientação de Deus para lidar com as forças estabelecidas de Satanás. Não se apresse a entrar na batalha até que Deus lhe mostre seu plano. Antes de cada batalha, Davi procurava em Deus novas instruções. Raramente Deus opera da mesma forma duas vezes. Em 2Samuel 5.18-20, *Davi tornou a consultar o* Senhor. E, a cada nova ocasião, Deus o dirigia (2Sm 5.22-25).

Como crente cheio do Espírito, você tem o direito à orientação de Deus (Rm 8.14). O Senhor pode guiá-lo constantemente (Is 58.11). Ele quer que você compreenda sua vontade (Ef 5.17). É mais importante para ele do que para você dar cada passo corretamente.

5. Dê um passo especial de fé. Você já está vivendo na fé, sentado com Jesus sobre todas as forças de Satanás. Deus lhe deu as instruções. Agora é o momento de você tomar a iniciativa; é o tempo de agir em sua fé. Não trema diante do seu "mar Vermelho". Atravesse-o na terra seca que o Senhor providenciará para você (Êx 14.15).

Não vacile diante da sua "Jericó". Marche em torno dela pela fé, esperando que Deus lhe diga quando soltar o grito de fé, e os muros de sua "Jericó" ruirão (Js 6.20).

Jesus disse: *Sobre esta pedra edificarei a minha igreja, e as portas do inferno não prevalecerão contra ela* (Mt 16.18). Na verdade, esta declaração pode ser interpretada de duas formas. É verdade que, em Cristo, você está tão seguro que Satanás jamais pode pisoteá-lo, espezinhá-lo, agarrá-lo ou destruí-lo. Todas as forças demoníacas que podem ser mandadas das portas do inferno não poderão vencê-lo.

Contudo também é verdade que Deus quer que você faça mais do que ficar sentado na sua fortaleza ou manter a sua linha de defesa contra Satanás. Ele quer que você ataque. Esse versículo também pode significar que as portas do inferno jamais poderão oferecer resistência diante de você. Deus não tem a intenção que você seja passivamente confiante; ele quer que você seja militantemente crente! Ele quer que você ataque as portas do inferno e derrote o Diabo. Ele quer que você expulse as forças de Satanás das posições nas quais elas estão entrincheiradas.

Satanás tentará intimidá-lo enquanto você o permitir. Estabeleça a sua cortina de fogo de oração incessante e então tome a iniciativa e expulse Satanás da sua fortaleza — esteja ela na vida de uma pessoa, uma família ou em qualquer outro tipo de situação. Não fique na defensiva; tome a ofensiva por Jesus. Avance, louvando ao Senhor!

6. *Dê o comando de fé*. Jesus nos instruiu claramente quanto às palavras que devemos usar ao emitirmos esse comando: *Se alguém disser a este monte: Ergue-te [...] assim lhe será feito* (Mc 11.23). Fale à montanha em nome de Jesus. Aproprie-se da autoridade que Jesus lhe deu como representante oficial. Fale com base em sua posição com Jesus no trono. Você orou e determinou que Deus quer a montanha removida. Você tem certeza de ser o tempo dele. Deus deu a você os passos de fé. Vá em frente e fale corajosamente à montanha; ordene que Satanás reúna suas tropas e vá embora.

Diga a Satanás que ele é culpado pelo derramamento do sangue de Jesus. Ele cometeu o pecado imperdoável. Pecou contra o Filho de Deus. Pecou contra os exércitos do céu. Milhões de anjos estão prontos para atacá-lo. Ele foi derrotado na cruz; foi derrotado para todo o sempre. Diga-lhe isso. Exatamente como

Jesus disse: *Para trás de mim, Satanás!* (Mt 16.23; Mc 8.33), você deve dizer-lhe para ir embora.

Os demônios têm medo do nome de Jesus. Use-o. Louve seu nome até que os demônios entrem em tal confusão que se atrapalhem uns aos outros como os inimigos diante do exército de Josafá (2Cr 20.22,23). Use o nome de Jesus como poderosa arma. Atreva-se a penetrar nas trevas e a expulsar Satanás pelo nome de Jesus e no comando de fé.

Seja o Zorobabel de Deus. *Quem pensas que és, ó monte majestoso? Diante de Zorobabel te tornarás uma campina* (Zc 4.7). Seja o Davi de Deus. Davi disse ao gigante Golias: *Eu vou te atacar em nome do S*ENHOR *dos Exércitos* [...] *a quem tens afrontado* (1Sm 17.45). Outros podem fugir de Golias; você o enfrenta em nome do Senhor. Deus diz de sua montanha: *Aqui estou contra ti, ó monte destruidor* [...] *estenderei a minha mão contra ti* (Jr 51.25). Você tem a promessa de Deus. Diga agora ao Diabo que você vem em nome de Jesus Cristo, o Filho de Deus, que o derrotou no Calvário. Nesse nome poderoso, ordene que ele saia.

16

A SUA ORAÇÃO PODE AJUDAR A PROVAR QUE CRISTO É DEUS

Nas nações em que outras religiões dominam há séculos, Cristo precisa provar que é o verdadeiro Deus vivo. Um indivíduo, ou uma família, que ouve o evangelho pela primeira vez pode muito bem ficar confuso. Como eles saberão a verdade? De alguma forma, esse drama pode ser comparado ao das pessoas que viveram nos dias do Antigo Testamento, na época em que Israel se desviou para a idolatria. Quando Deus levantava um profeta, como eles podiam saber que o profeta havia sido levantado por Deus?

Os falsos profetas contradiziam os verdadeiros profetas; os falsos deuses competiam pela submissão do coração do povo. Com frequência Javé validava o verdadeiro profeta ou a verdade ensinada por meio de milagres, que eram basicamente de dois tipos — milagres de conhecimento (profecia) e milagres de poder.

Hoje, pastores cristãos, evangelistas, missionários e até crentes novos enfrentam novamente esse dilema. Quando o evangelho alcança uma nova área não cristã, como fazer o povo se dispor a ouvir a mensagem? Como ajudá-lo a deixar a religião de seus pais e voltar-se para o que os outros podem considerar "o Deus dos estrangeiros"? Tal decisão frequentemente resulta em perseguição aberta ao novo crente — ostracismo social, perda do lar e do emprego, negação de mais educação e até maus-tratos físicos e ameaça de morte.

Nessas circunstâncias, Cristo de alguma forma deve provar ser o Deus vivo. Como nos tempos bíblicos, quando as religiões pagãs eram a maior influência, demonstrações da presença e do supremo poder de Cristo eram necessárias antes que os convertidos fossem ganhos. A sua oração tem um papel vital em ajudar os obreiros cristãos nesses lugares difíceis. A sua oração pode se unir à deles para abrir os olhos dos não crentes para a realidade de Cristo. A sua oração pode ajudar a trazer as respostas à oração que será feita em favor de não cristãos dispostos a ouvir o evangelho e crer.

A competição nos tempos bíblicos

No Egito, quando o povo de Deus vivia sob escravidão ao faraó, o encontro de poder se deu entre os mágicos e os deuses do Egito de um lado e Moisés e Arão como representantes de Javé no outro. Usando Moisés e Arão como porta-vozes, Deus enviou dez esmagadoras demonstrações de seu poder, as dez pragas, para provar que ele era o único e verdadeiro Deus vivo. Os magos do Egito reagiram com truques próprios. Aquelas demonstrações aparentemente paranormais eram meras trapaças ou verdadeiras demonstrações do poder demoníaco? Pelo que conhecemos dos campos missionários hoje, essas demonstrações podem muito bem ter sido demoníacas.

Deus sabia que os israelitas precisavam de evidências tangíveis do poder divino para tirá-los da idolatria na qual estavam envolvidos. As pragas foram acompanhadas de manifestações sobrenaturais do poder de Deus até Israel ser estabelecido em Canaã. Houve a milagrosa divisão do mar Vermelho, a provisão diária do maná durante quarenta anos de peregrinação no deserto, o milagroso suprimento de água saída da rocha, a surpreendente revelação do poder de Deus no Sinai, a lembrança visível da presença de Deus com eles na coluna de nuvem que os guiava de dia e na coluna de fogo que surgia todas as noites. Deus atendia às necessidades dos filhos de Israel no nível que eles entendiam. Deus sabia que eles precisavam de milagres, por isso lhes deu muitos milagres.

Samuel, Elias e Eliseu foram confirmados como verdadeiros profetas de Deus por meio de demonstrações sobrenaturais de poder. Até mesmo no tempo dos reis do Antigo Testamento, Deus não hesitou em se provar o Deus vivo.

No tempo de Cristo, Deus validou seu Filho pela voz do céu e, depois, pelos milagres realizados por Jesus. Jesus disse a seus ouvintes que, se eles não cressem em suas palavras, deveriam pelo menos crer em seus milagres (Jo 14.11). Na igreja do Novo Testamento, Jesus continuou a confirmar sua realidade por meio de seus milagres quando os apóstolos e Paulo enfrentaram religiões pagãs e o poder demoníaco.

Você e eu podemos não precisar de sinais milagrosos e maravilhas para crer no evangelho. Na nossa nação tem havido uma longa história de luz do evangelho. Mas os seguidores de outras religiões estão em situação completamente diferente. Cristo está preparado para ir até eles e validar seu evangelho. Ele não hesita em provar às pessoas necessitadas que ele é o único e verdadeiro Deus vivo.

A prevalência do poder demoníaco
nas religiões não cristãs

A Bíblia ensina que a origem das falsas doutrinas (1Tm 4.1) e da falsa religião é demoníaca (1Co 10.19,20). Isso explica a frequência de possessão demoníaca entre pessoas de falsas religiões e a forte oposição demoníaca à obra missionária em tantos lugares pelo mundo.

Em certo sentido, todos os pecadores são filhos do Diabo (Jo 8.44); daí são muito mais suscetíveis às sugestões de Satanás, quase sempre sem se dar conta disso. Não é surpresa, portanto, que Satanás aproveite as emoções humanas "naturais". Ele atiça a raiva da família e dos amigos contra um novo convertido, a respeito do qual eles acreditam ter sido enganado por uma religião falsa ou estrangeira. O inimigo levanta suspeita, inveja, ódio e todas as formas de oposição contra os obreiros do evangelho que alcançam uma sociedade não cristã com o evangelho. Ele precipita perseguições, ameaças e até assassinato.

Some-se a isso a demonstração do poder demoníaco por palavras e obras de curandeiros, magia negra e líderes de religiões não cristãs. Esse poder às vezes está presente em alguns cultos no nosso país, mas usualmente não na mesma medida como em antigas religiões não cristãs.

Essas pessoas, por meio de suas ciências ocultas e seus poderes demoníacos, tentam amaldiçoar os crentes e os obreiros cristãos para impedir, prejudicar ou destruir sua atuação. A oração é necessária para reivindicar a proteção de Cristo por esses cristãos que se tornam alvos especiais de Satanás.

Um convertido iletrado da OMS na Indonésia, entusiasmado pelo Senhor, gravou seu testemunho com uma breve exortação bíblica. Depois voltou à sua ilha natal e tocou a fita cassete de porta em porta como uma forma de evangelismo. Isso levantou intensa oposição e ameaças contra sua vida.

Certo dia, quando o novo cristão estava sentado numa loja com seu toca-fitas, viu uma bola de metal fundido voando pelo ar. O objeto entrou na loja e caiu a seus pés. (Esse fenômeno, conhecido entre os praticantes da magia negra, é normalmente fatal para a pessoa contra quem é usado.) Ele esperou até o metal esfriar, pegou-o e levou-o à casa de um praticante de magia negra, que ele sabia era um grande opositor a seu testemunho cristão. O novo cristão enfrentou aquele homem, abrindo a mão e mostrando-lhe a massa de metal ainda quente. O feiticeiro se colocou de pé num pulo e gritou:

— Diga-me o segredo do seu poder!

O convertido imediatamente testemunhou que Jesus tinha todo o poder sobre todas as forças demoníacas.

Durante o nosso primeiro período na Índia, parecia que, toda vez que eu saía de casa para uma prolongada viagem ou ministério evangelístico, Satanás atacava a minha família com acidentes ou enfermidades. Esses incidentes se tornaram tão frequentes que a minha esposa dizia quando eu saía:

— Bem, gostaria de saber o que vai acontecer desta vez.

Eu lhe garantia que Deus protegeria a nossa família, que o sangue de Cristo nos cobriria, e que não deveríamos temer ou nos preocupar. Mas, invariavelmente, toda vez que eu estava longe, algo acontecia. Isso continuou por algum tempo até que, certa noite, uma igreja em Londres orou. A partir daí, a cadeia de incidentes foi interrompida pelos próximos quinze anos. Outros missionários relataram testemunhos semelhantes.

As respostas à oração podem provar que Cristo é Deus

Quando um missionário, um colaborador nativo ou um crente dá testemunho a seguidores de outras religiões, como essas pessoas podem ser convencidas de que Cristo é realmente o único Deus vivo?

Um dos meus antigos colaboradores indianos nunca usou o nome de Deus isoladamente para falar ou testemunhar. Ele sempre dizia "o Deus vivo" — "o Deus vivo diz...", "o Deus vivo mandou seu único Filho", "o Deus vivo responde à oração". Ele sentia que devia sempre deixar claro que o Deus a respeito de quem ele testemunhava não era como outros deuses ou conceitos sobre Deus.

Aos que tiveram tão pouca oportunidade de conhecê-lo, o Deus vivo está disposto a demonstrar sua realidade. Uma das formas que ele escolhe para fazer isso é por meio de resposta à oração. Pastores, evangelistas e outros crentes em muitas nações estão vendo Deus provar seu poder milagroso para responder às necessidades das pessoas a quem eles estão testemunhando.

Recebo todos os meses relatórios das nossas equipes evangelísticas contando como não cristãos as procuraram pedindo oração por necessidades especiais. Quando Deus prova sua viva realidade, a notícia que se espalha é que o Deus dos cristãos responde à oração. Repetidas vezes isso abre a porta para o evangelho, e muitos são salvos. Quando leio esses relatos, quase sempre me sinto voltando aos tempos do Novo Testamento.

Por exemplo, existem relatos de curas milagrosas de enfermidade e infertilidade. Embora não façamos campanhas de curas, quando tais pedidos de oração são feitos, as nossas equipes os honram. Muitos não cristãos gravemente enfermos por prolongados períodos de tempo têm, como último recurso, buscar os nossos missionários. Eles contam que fizeram peregrinações de templo em templo, mas não encontraram melhora. Quando algum membro da nossa equipe ora, a cura ocorre. Esse acontecimento dramático frequentemente leva à evangelização de famílias inteiras que se convencem de que Cristo é Deus e responde às nossas orações.

Todo lar na Índia quer um filho. Quase sempre o casal orou e fez oferendas nos templos pagãos, às vezes viajando grandes distâncias, em vão. Ouvimos repetidas vezes o pedido: "O seu Deus pode nos ajudar?" A equipe vai até a casa da família, realiza uma reunião de oração e pede a Deus que abençoe aquele lar com um filho. E repetidas vezes há relatos de que, no devido tempo, uma criança nasce, e toda a família se converte a Cristo. Os nossos colaboradores nunca hesitam em aceitar tal desafio para provar que Cristo é Deus.

Uma das provas mais dramáticas da soberania de Deus está na expulsão de demônios. Nessas sociedades antigas, os não cristãos são bastante conscientes da realidade de demônios. Nos casos de longa data de possessão demoníaca, é amplamente conhecido que as religiões pagãs e os líderes são incapazes de ajudar. Às vezes, os demônios causam grande sofrimento aos possessos. Em desespero, essas pessoas são levadas às nossas equipes evangelísticas, e seus amigos e parentes não cristãos suplicam por qualquer ajuda que Jesus possa dar. Quando o demônio é expulso, um ou muitos espectadores maravilhados se voltam para Cristo.

Esses tipos de respostas às orações, nas quais Cristo enfrenta e derrota as forças satânicas, são frequentemente chamados de "enfrentamentos de poder". Cristo prova que está vivo ao responder à oração quando nenhum outro deus consegue fazê-lo.

A SUA ORAÇÃO PODE AJUDAR A VINDICAR CRISTO

Uma vida de oração efetiva é uma das mais importantes qualificações para qualquer missionário, pastor ou evangelista na linha de frente do esforço de evangelização. Mas a oração intercessora que apoia o trabalho missionário é a maior necessidade deles. O testemunho cristão em áreas não alcançadas e indiferentes deve ser coberto por oração, para que a presença de Deus possa ser demonstrada e as orações sejam respondidas de tal forma que levem salvação a muitos. Os cristãos precisam dessa obra de parceria de oração em alguns dos mais difíceis lugares do mundo.

Enquanto eu prestava serviço na Índia central, um soldado indiano converteu-se a Cristo numa das nossas novas igrejas. Posteriormente ele foi transferido para a Caxemira, no noroeste da Índia, onde a obra cristã tem crescido lentamente.

Quando o soldado cristão chegou a seu novo posto, ficou sabendo de uma senhora muçulmana que permanecia possessa pelo demônio havia vários anos. Os parentes a tinham levado de um famoso lugar santo muçulmano a outro sem nenhum resultado. Quando o soldado ficou sabendo dessa condição, foi movido por compaixão cristã e pediu permissão para orar em nome de Jesus. A mulher foi libertada instantaneamente, deixando os muçulmanos estupefatos.

Um muçulmano com grave problema cardíaco foi então levado a ele, para que recebesse oração em nome de Jesus. O soldado orou alegremente, e o homem foi curado. Uma mulher com um enorme bócio foi levada até o soldado, que novamente orou. Em duas semanas, a glândula havia voltado ao tamanho normal.

Logo em seguida, os muçulmanos, que acreditam que Deus é honrado por um lugar a ele dedicado, abordaram o soldado:

— Você precisa de um lugar para adorar seu Deus.

E assim os muçulmanos lhe deram três acres de terra num importante ponto na encosta de uma montanha e se ofereceram para ajudá-lo a construir uma pequena igreja.

Visto não haver outra igreja cristã ou outro obreiro num raio de quilômetros, o soldado aceitou, mas enviou uma mensagem urgente ao pastor da igreja na qual ele se convertera ao Senhor.

— Sou apenas um soldado. As pessoas aqui querem se tornar cristãs. Alguém precisa vir ajudar!

Hoje temos uma pequena igreja cristã porque Jesus se confirmou por meio da oração de um soldado cristão que estava apenas tentando demonstrar compaixão cristã.

Como a sua oração pode ajudar a provar aos não cristãos que Cristo é Deus? Permita-me sugerir algumas formas pelas quais você deve orar.

1. Inclua os "enfrentamentos de poder" na sua lista diária de oração. Lembre-se todos os dias dos que estão trabalhando em áreas difíceis, nas quais existem poucos cristãos e onde servir e seguir Cristo é custoso. Ore por aqueles que enfrentam desafios para provar que Cristo é o Deus amoroso que responde às nossas orações.

2. Ore para que Cristo seja manifestado em poder milagroso. Espelhe a sua oração na da igreja de Jerusalém:

> *Agora pois, ó Senhor, olha para as suas ameaças e concede aos teus servos que falem a tua palavra com toda coragem, enquanto estendes a mão para curar e para realizar sinais e feitos extraordinários pelo nome de teu santo Servo Jesus* (At 4.29,30).

Quando o povo daquela igreja se uniu para orar, o poder de Deus fez tremer o lugar onde eles estavam reunidos. A sua oração pode ajudar a sacudir espiritualmente incontáveis pessoas e lugares para Cristo.

3. Ore para que Deus mantenha os obreiros cristãos espiritualmente vitoriosos e capacitados pelo Espírito Santo. Satanás tenta de toda forma afligir os obreiros de ministérios pioneiros pelo desânimo e pela tentação. Eles precisam estar bem perto do Senhor e viver no Espírito para que o poder de Cristo possa repousar poderosamente sobre eles. Esse foi o segredo de Paulo e deve ser o segredo de todos os que trabalham na obra do Senhor (Rm 15.18,19; 1Co 2.4; 2Co 12.9; Ef 3.7,20; 2Tm 1.7; At 15.12). Ore para que Deus os revista diariamente com seu Espírito.

4. Ore por orientação diária para esses obreiros cristãos. Ore para que Deus leve à atenção dos obreiros os necessitados que Deus quer atender, e para que ele abra a porta para o ministério cristão. Ore por orientação na conquista daqueles a quem Cristo exerce seu poder milagroso.

5. Ore pela proteção de Deus por esses obreiros cristãos. Satanás, irado com aqueles que Deus está usando, faz deles alvos especiais de seus ataques. Ore para que Deus proteja espiritual e fisicamente os obreiros, mantendo-os livres do medo de ameaças e guardando suas famílias.

O "enfrentamento de poder" é um importante aspecto do ministério cristão e da batalha espiritual em muitos lugares. A sua oração pode fortalecer os que estão no ministério da linha de frente. Ore para que o nome de Jesus seja honrado e para que Deus conduza a colheita pela qual ele morreu na cruz.

17

Você pode derrotar e amarrar Satanás

Por causa do triunfo de Jesus no Calvário, você e eu temos uma maravilhosa nova autoridade. O que isso significa? É realmente plano de Jesus que você e eu amarremos e imobilizemos Satanás e seus demônios? Jesus disse:

> *Mas, se é pelo Espírito de Deus que expulso os demônios, então o reino de Deus chegou a vós. Como pode alguém entrar na casa do valente e roubar-lhe os bens, sem que primeiro o amarre? Só depois lhe saqueará a casa* (Mt 12.28,29).

Esse ensino é tão importante que o vemos repetido tanto em Marcos (3.27) como em Lucas (11.21,22). O valente (ou homem forte) a quem Jesus se refere é Satanás. Os bens que devem ser tirados de Satanás são as pessoas que estão escravizadas por ele — mesmo aquelas possuídas e habitadas por demônios. O poder usado por Jesus incluiu sua autoridade inerente e o poder do Espírito Santo.

Jesus, porém, espera que você se aproprie dos bens de Satanás? Sim, Deus quer que você resgate aqueles a quem Satanás amarrou de alguma forma. Judas 23 encoraja: *E salvai-os, arrebatando-os do fogo.* Provérbios 24.11 ordena: *Livra os que estão sendo levados à morte, detém os que vão tropeçando para a matança.* Segunda a Timóteo 2.26 ensina que os pecadores são feitos cativos por Satanás para fazer a vontade dele. Jesus e seus discípulos são comissionados a *proclamar liberdade aos cativos* (Is 61.1; Lc 4.18).

Contudo, nós realmente temos autoridade para amarrar Satanás? Lembre-se das palavras de Mateus 16.18,19:

> *Edificarei a minha igreja, e as portas do inferno não prevalecerão contra ela. Eu te darei as chaves do reino do céu; o que ligares na terra terá sido ligado no céu, e o que desligares na terra terá sido desligado no céu.*

Os comentaristas interpretam essa passagem de várias formas, como já discutimos num capítulo anterior. Seja qual for o significado completo, ela está relacionada à edificação da igreja de Cristo.

Esse ensino foi tão importante para Cristo que é repetido e ampliado dois capítulos adiante. Ali, está relacionado à oração em nome de Jesus e é fortalecido pela concordância em oração.

> *Em verdade vos digo: Tudo quanto ligardes na terra terá sido ligado no céu, e tudo quando desligardes na terra terá sido desligado no céu. Ainda vos digo mais: Se dois de vós na terra concordarem em pedir acerca de qualquer questão, isso lhes será feito por meu Pai, que está no céu. Pois onde dois ou três se reunirem em meu nome, ali estou no meio deles.* (Mt 18.18-20)

Independentemente do que Cristo tinha em mente, certamente ele estava ensinando as seguintes verdades:

1. Ele estava determinado a edificar sua igreja.
2. A edificação depende tanto de seu poder quanto da nossa obediência.
3. Ligar e desligar tem relação importante com edificar a igreja.
4. Ele espera que participemos desses atos de ligar e desligar.
5. A autoridade e o poder do céu apoiarão os atos de ligar e desligar.
6. Os atos de ligar e desligar podem estar relacionados à concordância em oração.
7. A concordância em oração não precisa ser feita por um grupo grande, porque o próprio Jesus se unirá em concordância de oração.
8. Os atos de ligar e desligar são basicamente realizados por meio da oração.

Foi profetizado que Jesus esmagaria a cabeça da serpente (Gn 3.15). A vitória de Jesus sobre Satanás está indicada pelo simbolismo nessa passagem de Gênesis e no texto bíblico: *Eu vos dei autoridade para pisardes serpentes e escorpiões, e autoridade sobre todo o poder do inimigo* (Lc 10.19). A principal referência não é a serpentes e escorpiões no sentido físico. O texto deve ser interpretado espiritualmente. Cristo dá a nós, seus discípulos, autoridade sobre todo o poder de Satanás, o nosso principal inimigo. *Para isto o Filho de Deus se manifestou: para destruir as obras do Diabo* (1Jo 3.8). Amarrar o poder de Satanás, restringindo sua obra diabólica pela autoridade de Cristo, é certamente a vontade de Deus.

Mas, por favor, lembre-se: Isso não é uma brincadeira de criança. É uma batalha espiritual. Até mesmo os arcanjos respeitam o terrível poder de Satanás e, em sua luta contra ele, fazem tudo em nome e na autoridade de Jesus (Jd 9). Quando os sete filhos de Ceva, um dos principais sacerdotes, tentaram imprudentemente usar o nome de Jesus sem estarem em correta relação com Jesus e, portanto, não cobertos por sua promessa, foram fisicamente agredidos pelo homem possesso (At 19.13-17). A batalha espiritual não é para os espiritualmente derrotados nem para os que não foram cobertos pelo sangue de Cristo. Ninguém neutraliza Satanás repetindo algumas palavras como se fosse uma fórmula mágica. Para usar o nome de Jesus, é preciso estar "em Cristo", vivendo em harmonia com sua santa natureza e vontade.

Paulo diz claramente: *Temos de lutar* (Ef 6.12). A luta de oração é um conflito espiritual sério. No entanto, a Bíblia determina que sejamos ousados, tenhamos fé e esperemos que Cristo prove sua suficiência e autoridade. Você não precisa ter medo de derrotar Satanás ao usar o nome de Jesus de acordo com as Escrituras.

Como amarrar Satanás

Considerando que a batalha de oração é tão urgente e que Satanás é tão poderoso, somos encorajados a usar todas as armas que Deus fornece para obtermos a vitória. Devemos tomar *toda a armadura de Deus* (Ef 6.13). A passagem de Efésios (v. 10-20) é uma referência a qualquer batalha espiritual, mas basicamente à batalha de oração (v. 19-20). A armadura é formada por todas as peças listadas nessa passagem. O propósito da armadura e da exortação é *para que possais permanecer firmes contra as ciladas do Diabo* (v. 11). Espera-se que o cristão, nessa batalha por Deus, faça "tudo" o que for possível (v. 13). Isso implica vários aspectos na sua batalha de oração.

À medida que você tem uma vida cheia do Espírito e cumpre diariamente o seu papel como companheiro intercessor ao lado de Cristo e do Espírito Santo, podem ocorrer emergências inesperadas, como você ser confrontado por uma manifestação do poder de Satanás e precisar repreendê-lo instantaneamente, como Jesus fez (Mt 16.23; Lc 4.8). Não hesite em tomar sempre que necessário, a autoridade que Cristo lhe dá.

Existem, no entanto, lugares e situações em que Satanás está entrincheirado por longo tempo. Não se trata tanto de uma situação de emergência ou de uma necessidade urgente. Você pode ter orado repetidamente e ainda não ter visto a resposta de Deus à sua oração. Deus pode levá-lo a passar um tempo mais longo em oração até sentir o testemunho interior do Espírito de que a sua oração foi ouvida e, pela fé, você reivindica que Satanás seja amarrado. É para esse período mais longo de intensa batalha de oração que são apresentadas as seguintes sugestões. Fique à vontade para usar qualquer delas a qualquer tempo, da maneira que o Espírito conduzir, sem levar em conta esta sequência específica.

1. Regozije-se na vitória de Cristo no Calvário sobre Satanás e seus espíritos demoníacos. Fortaleça a sua oração ao ler passagens como Lucas 10.19; João 12.31; Romanos 16.20; 1Coríntios 2.6; Efésios 1.21,22; Colossenses 2.15; Hebreus 2.14 e Tiago 4.7. Louve a Deus pela completa vitória de Cristo. Agradeça a Jesus por ter pagado o preço. Talvez algum cântico ou hino possa ser a expressão do seu coração. Os meus colaboradores indianos frequentemente entoam o seguinte cântico de triunfo:

> Ele assinou o documento com seu sangue expiador.
> E vive eternamente para cumprir sua promessa.

Quando todas as hostes do inferno se juntam para uma segunda reivindicação.
Fogem à menção do seu nome.
Fogem à menção do seu nome.

2. *Regozije-se na soberana autoridade de Cristo e no poder do Onipotente.* Graças a Deus, Jesus está sentado à direita da majestade nas alturas (Hb 1.3). Ele está sentado à direita de Deus enquanto Deus coloca tudo debaixo dos seus pés (Sl 110.1). *O seu domínio aumentará, e haverá paz sem fim* (Is 9.7). Ele tem poder para sujeitar a si todas as coisas (Fp 3.21). *O teu Deus reina!* (Is 52.7). Jesus está sentado à direita de Deus no céu *muito acima de todo principado, autoridade, poder, domínio, e de todo nome que possa ser pronunciado* (Ef 1.20,21). Toda autoridade lhe foi concedida no céu e na terra (Mt 28.18). Jesus Cristo é o mesmo em poder e autoridade ontem, hoje e eternamente (Hb 13.8).

3. *Apele para o sangue de Jesus.* Não temos méritos próprios, mas Jesus morreu por nós. Não colocamos a fé em nós mesmos, mas no sangue de Jesus (Rm 3.25). Quando Jesus clamou na cruz *Está consumado* (Jo 19.30), a derrota de Satanás foi total e a vitória do Calvário foi completa; o sangue do Filho de Deus está agora disponível como base do nosso apelo para a resposta de Deus às nossas orações. Agora Satanás pode ser vencido pelo sangue do Cordeiro de Deus (Ap 12.11). Suplique pelo sangue de Jesus ao atacar a fortaleza e o poder de Satanás.

4. *Use o nome de Jesus.* A sua luta de oração é por amor ao nome de Jesus. É para a glória do nome de Jesus que você avança contra Satanás. Todo joelho deve se dobrar perante Jesus, porque ele é Senhor (Fp 2.9,10). Jesus prometeu:

E eu farei tudo o que pedirdes em meu nome, para que o Pai seja glorificado no Filho. Se me pedirdes alguma coisa em meu nome, eu a farei (Jo 14.13,14). *O Pai vos conceda tudo quanto lhe pedirdes em meu nome* (15.16). *Em verdade, em verdade vos digo que o Pai vos concederá tudo quanto lhe pedirdes em meu nome* [...]. *Pedi, e recebereis* (16.23,24).

Todo poder no céu e na terra está por trás desse nome. Cada demônio do inferno conhece a autoridade desse nome. Pedro, Paulo, os apóstolos e a igreja primitiva tiveram repetidas provas do poder do nome de Jesus. Ao redor do mundo de hoje, Satanás está sendo rechaçado e forçado a libertar seus cativos mediante o uso do nome de Jesus. Você está autorizado a usar o nome de Jesus. Aproprie-se da autoridade que Deus lhe concedeu.

Use o nome de Jesus ao orar. Use-o ao reivindicar as promessas de Deus. Use-o ao tomar a iniciativa de rechaçar Satanás e seus espíritos malignos. Use-o para quebrar as amarras do pecado e do inferno e exigir a libertação dos cativos de Satanás. Use o nome de Jesus para derrotar o Diabo. Use-o para restringir o poder e a autoridade de Satanás. Use o nome de Jesus agora!

5. Tome a espada do Espírito, a Palavra de Deus. Citando o Antigo Testamento, Jesus empregou a Palavra para derrotar Satanás (Mt 4.1-11). A arma que o Espírito Santo usa para derrotar Satanás, a espada do Espírito, é a Bíblia (Ef 6.17). A Bíblia toda contém passagens que podem ser utilizadas para reivindicar vitória sobre Satanás. Você pode empregar as Escrituras para mostrar a Satanás como Cristo é o conquistador. Você pode, como Jesus, empregar as Escrituras para repreender Satanás na cara. Recorra às Escrituras, cite suas passagens e, simbolicamente, segure as Escrituras nas mãos ou coloque sua mão sobre a Palavra de Deus enquanto ora ou quando repreende o Diabo.

Quando foi presidente do *Union Biblical Seminary* da Índia, o dr. Frank Kline visitou o vilarejo natal de um novo convertido para participar de um culto de retirada dos antigos ídolos de sua casa. Ele foi escolhido para ser a pessoa a entrar na casa e levar as imagens para fora.

O pastor indiano instruiu:

— Invoque o nome de Jesus, segure a Bíblia à sua frente, vá e retire as imagens.

Aquela foi uma experiência nova para Frank. Com a Bíblia ao lado e esquecendo-se de usar o nome de Jesus, ele se dirigiu à porta da casa. Para espanto seu, em determinado ponto ele foi detido por um poder invisível. Por mais que tentasse, Frank, que era um homem forte, não conseguia dar outro passo.

— Segure a Bíblia à sua frente, Frank, e use o nome de Jesus! — disse o pastor.

Repentinamente, dando-se conta da seriedade do poder de Satanás contra ele, Frank segurou a Bíblia à sua frente e, em nome de Jesus, caminhou diretamente para o interior da casa e retirou os ídolos. Eu, pessoalmente, enfrentei experiências na Índia, onde quis ter a Bíblia nas mãos para simbolizar minha força e confiança. A verdade bíblica é literalmente a espada do Espírito.

6. Vá em frente, louvando a Deus. Louvar não é apenas um método de adorar o Senhor que leva alegria ao coração de Deus e expressa amor e gratidão, mas é também uma poderosa arma espiritual. Talvez Josafá tenha sido o único rei que venceu uma batalha usando o louvor em vez de armas (2Cr 20). Judá havia sido invadido pelo poderoso exército de Amom, Moabe e por alguns habitantes do monte Seir. Josafá convocou a nação para jejuar e orar em Jerusalém. Eles vieram de todas as cidades *para buscarem o* SENHOR (v. 4).

O rei Josafá ficou em pé e conduziu a nação em oração, primeiro regozijando-se na soberania de Deus e depois intercedendo por homens, mulheres e crianças que estavam em pé perante o Senhor em oração. O Espírito Santo veio sobre um dos levitas no meio da congregação, o qual profetizou que eles não precisariam lutar; a batalha era do Senhor (v. 15). O levita disse para a multidão não temer, mas sair e enfrentar o inimigo, pois o Senhor estaria com eles. A nação toda caiu de rosto em terra perante o Senhor em adoração, e os levitas louvaram bem alto ao Senhor.

Na manhã seguinte, logo cedo todos se levantaram; Josafá os exortou a crerem em Deus e depois designou cantores para liderarem o exército na batalha. *Quando começaram a cantar e a dar louvores, o* SENHOR pôs emboscadas contra o inimigo (v. 22). Enquanto os israelitas louvavam ao Senhor, os inimigos começaram a se atacar mutuamente, e todos foram destruídos. Durante três dias, Judá saqueou o despojo dos inimigos derrotados.

No quarto dia, os israelitas realizaram uma reunião de louvor, e então o rei conduziu toda a nação numa procissão triunfal de volta a Jerusalém e em direção ao templo. Não há registro de que Josafá jamais tenha sido atacado por outra nação. Satanás foi derrotado por completo.

Use o louvor para derrotar o Diabo. O louvor fortalece o espírito de fé. O louvor traz os anjos de Deus para ajudá-lo. O louvor afasta as nuvens negras com as quais Satanás gostaria de envolver você. O louvor irrita e amedronta Satanás e seus demônios. O nome de Jesus é poderoso em oração, poderoso nas ordens que você dá a Satanás e poderoso em infligir terror às fileiras de Satanás.

Avance contra a posição do demônio, louvando ao Senhor. Grite louvores ao Senhor diante da face do Diabo. Eu, pessoalmente, fui usado várias vezes pelo Espírito Santo para expulsar um demônio apenas louvando a Jesus no ouvido do endemoninhado, enquanto este convulsionava. Louve ao Senhor Jesus, que derrota os espíritos imundos.

7. *Ordene a Satanás em nome de Jesus.* Nunca é demais enfatizar importância de falar diretamente a Satanás em nome de Jesus. "Satanás, você foi derrotado no Calvário. Pela autoridade do nome de Jesus, ordeno que você saia. Em nome de Jesus, eu o amarro e a toda a sua obra".

Ao expulsar demônios, se o nome do demônio for conhecido, use-o para ordenar que ele saia quando você falar pela autoridade do nome de Jesus. Em casos de pressão demoníaca, opressão ou oposição, não hesite, se Deus assim o conduzir, a ordenar que Satanás e todos os seus demônios obedeçam à sua ordem. (Para outros exemplos e instruções mais detalhadas sobre o comando de fé, veja o Capítulo 15.)

Por meio de Cristo, você pode derrotar Satanás

Graças a Deus, o cristão pode resistir a Satanás e fazê-lo fugir do campo de batalha (Tg 4.7). Às vezes, você deve expulsá-lo pela oração e louvor. Às vezes, deve ordenar-lhe que saia. Às vezes, você deve restringir seu poder. Às vezes, deve roubar seus cativos e, em nome de Jesus, derrotar Satanás em qualquer campo de combate. Você não deve fugir; pelo contrário, deve forçar Satanás a correr.

Devemos invadir o território do Diabo e libertar seus cativos. Satanás não passa de um usurpador. Por meio daquele que nos amou e se deu por nós, por meio de quem nos acompanha e nos cobre com a proteção de seu sangue, por meio de quem nos concedeu a autoridade de seu nome vencedor, você deve batalhar e derrotar Satanás vezes sem conta.

Algumas batalhas podem ser mais longas do que outras; às vezes, Satanás está firmemente estabelecido. Em algumas ocasiões, você pode precisar do apoio de um grupo de crentes que interceda, jejue e concorde com você em oração. Mas Jesus é vencedor agora e para todo o sempre. Permaneça na vitória dele. Em si mesmo, você não é nada, mas em Cristo e em seu nome você é mais que vencedor.

18

O seu louvor pode derrotar o Diabo

Muitas vezes, é mais importante louvar a Deus do que continuar em petição. O louvor tira os seus olhos da batalha e os leva para a vitória, porque Cristo já é vencedor. Como você tem o vencedor no seu coração, pode ter a vitória dele na sua vida e na sua oração. Normalmente, toda oração deveria começar com louvor (Sl 100.4). O Espírito Santo sempre quer conduzir você da intercessão oprimida ao louvor vitorioso. A atitude responsável é bíblica, mas o louvor é ainda mais.

Você já se deu conta de que as respostas de Deus às suas orações são às vezes adiadas porque não o louva o suficiente? Você já percebeu que as montanhas de dificuldade quase sempre permanecem à sua frente porque você deixou de louvar ao Senhor? Você sabia que pode derrotar Satanás mais depressa pelo louvor do que por qualquer outra forma, a menos que seja pelo comando de fé? Ou que o comando de fé está quase sempre relacionado a uma barreira de louvor? Você sabia que a depressão pode ser suspensa pelo sacrifício de louvor persistente? O louvor penetra as trevas, dinamita as obstruções que existem há longo tempo, e manda os demônios em fuga para o inferno.

A sra. Charles E. Cowman, autora de *Streams in the Desert* [Ribeiros no deserto] e cofundadora da OMS International, destaca que os cristãos repetem com frequência a conhecida afirmação: "A oração muda as coisas". Deus lhe ensinou a profunda verdade espiritual de que, depois de haver orado e crido, quase sempre é o louvor que muda as coisas. As orações repetidas durante longo tempo e aparentemente não respondidas por Deus são rapidamente respondidas quando o intercessor se volta do pedido para o louvor. A sra. Cowman enfatiza que são necessárias duas asas para que a alma chegue ao trono de Deus — a oração e o louvor. Por que colocamos maior ênfase na oração do que no louvor quando as Escrituras trazem muito mais exortações a respeito do louvor do que sobre a oração?

Existem três níveis de louvor que podem abençoar a sua vida e acrescentar eficiência à sua oração: (1) louvar por aquilo que Deus tem feito; (2) louvar por aquilo que você espera que Deus faça; (3) louvar por quem é Deus. Tal louvor não se resume à adoração digna; é também uma batalha espiritual de grande eficácia.

Como Deus usa o seu louvor

O louvor renova a sua força. Aguardar em Deus e esperar nele renova você espiritualmente e quase sempre fisicamente também (Is 40.29-31). Louvar a Deus é ainda mais eficiente do que orar, para renovar, reanimar e fortalecer você. Todo cristão passa pela experiência de aridez espiritual. Certamente, após uma batalha espiritual ocorre a exaustão mental e emocional. Várias vezes precisamos de um derramamento do Espírito. O louvor produz mudança de humor. O louvor abre um poço artesiano de fé e alegria. O louvor é um dos meios de Deus para renovar você interiormente (2Co 4.16; Sl 103.1-5). Quando você é sincero em seu louvor a Deus, o louvor é santo, poderoso e agradável a Deus.

Você pode ser mais forte espiritualmente se acumular louvor na sua jornada diária com o Senhor. Você será mais forte fisicamente se fizer do louvor ao Senhor uma parte do seu estilo de vida. Quando você louva ao Senhor, a preocupação se vai. O louvor expulsa a frustração, a tensão e a depressão. O louvor expulsa as trevas e acende a luz de Deus. O louvor purifica a atmosfera das dúvidas, críticas e irritações sugeridas por Satanás. O louvor concede a você uma espécie de transfusão celestial.

A. B. Simpson disse que o louvor é tanto um tônico físico como um saudável estimulante emocional. O louvor mudará a atmosfera da sua vida, do seu lar e da sua igreja. Uma palavra, um cântico ou um hino de louvor podem fazer um culto doméstico adquirir vida. Você crescerá diariamente em força espiritual se planejar e praticar constantemente o louvor. Spurgeon declarou: "Quando bendizemos Deus pelas misericórdias, nós as prolongamos; e, quando o bendizemos pelos sofrimentos, normalmente os suspendemos".

O louvor clarifica a sua visão. Satanás tentará injetar a perspectiva dele na sua mente antes mesmo que você se dê conta. Ele tem prazer em retratar as coisas nos tons mais escuros. Ele transforma uma pequena colina em montanhas, escurece o céu com penumbra e faz que as dificuldades pareçam impossibilidades. Ele quer que você se autoavalie de forma errada; acusa-o de não ter importância para Deus, de ser fraco demais para ser usado por Deus, de ser um completo fracasso. Ele faz que as forças do mal pareçam maiores, mais inteligentes e mais fortes do que realmente são.

Comece a louvar a Deus, e você se livrará das sugestões de Satanás. Louve a Deus, e o Espírito Santo clarificará a sua visão. As perspectivas de Satanás são sempre enganosas; ele quer que você veja somente parte do quadro completo. Louve ao Senhor, e o Espírito Santo começará a lhe dar a perspectiva do céu. O louvor reduz o Diabo ao devido seu tamanho e ajuda você a reconhecer a falsidade, o vazio e a arrogância do maligno.

O louvor lhe dá a visão especial do Espírito Santo sobre como Deus tem trabalhado e como sua resposta está próxima. O louvor eleva você acima do pó da batalha e lhe permite olhar de cima, da perspectiva de Jesus, que está entronizado à direita do Pai. O louvor traz à luz as reivindicações mentirosas de Satanás e mostra a você o que os anjos de Deus são capazes de ver.

O louvor limpa a sua alma. Você ficaria surpreso em saber quanto a oração é prejudicada pela vida egocêntrica dos cristãos. A carnalidade impede que milhares de orações ultrapassem o teto. *Se eu tivesse guardado o pecado no coração, o Senhor não me teria ouvido* (Sl 66.18). Pensamentos pecaminosos, atitudes carnais e egocentrismo destroem o poder da oração. Isso fecha o ouvido de Deus às nossas palavras e aos nossos anseios.

As Escrituras falam muitas vezes sobre pessoas que oram e não são ouvidas por Deus. De acordo com Tiago, se a nossa relação com Deus for verdadeira e a nossa motivação for pura, ele nos ouvirá (4.3). O orgulho cancela muitas orações (4.6). Uma atitude crítica, a falta de perdão e amargura ocultas no coração impossibilitam a oração. Se você quer ver as suas orações respondidas, permita que o Espírito Santo o purifique (4.6-10).

Você pode ser preservado em pureza pelo espírito de louvor. Quando Satanás trouxer essas sugestões à sua mente, limpe os seus pensamentos por meio do louvor. O louvor afasta os seus olhos de si mesmo e os direciona para Jesus. O louvor remove o negativismo, a autocomiseração, o egocentrismo e a autoidolatria. O louvor torna você tão lindamente limpo que Deus o aceita à medida que você se aproxima do trono da graça.

O louvor autoriza a sua oração. A passagem do Salmo 50.14,15 sugere que, no dia de angústia, um sacrifício de ação de graças é o prelúdio adequado à oração de livramento. Em outras palavras, o louvor torna a sua petição mais eficaz. Deus já fez tanto por nós, que muitas vezes agradecemos de forma inadequada, enquanto o louvor de adoração acalenta o coração de Deus e prepara o caminho para respostas rápidas.

Se houve alguém entendido em batalha espiritual, foi Martinho Lutero. Ele tinha plena consciência das forças demoníacas que lutavam contra o ser humano. Lutero escreveu: "Quando não posso orar, eu sempre canto". O louvor traz o poder celestial sobre você. Deus libertou pessoas de hábitos pecaminosos pela oração. Sempre que a tentação voltava, elas louvavam um pouco mais ao Senhor, até a pressão ser aliviada. Outras pessoas foram curadas enquanto louvavam ao Senhor. John Wesley também conhecia o segredo: "O louvor abre as portas para a maior graça".

O louvor multiplica a sua fé. Quando você começa a louvar ao Senhor, o seu foco de atenção é movido da complexidade do problema para a adequação dos recursos de Deus, da urgência da sua necessidade para o poder do Senhor em atender à sua necessidade. Quando você louva a Deus, começa a lembrar como ele o ajudou em outras ocasiões, e a expectativa da sua fé aumenta. Você começa a lançar mão da disponibilidade e da disposição de Deus em ajudá-lo agora. Quanto mais você ora, menor lhe parece a montanha a ser enfrentada, à luz da grandeza de Deus.

O louvor eleva os seus olhos para Jesus, e quase inconscientemente você *lança o seu fardo sobre o Senhor* (Sl 55.22). O louvor ajuda você a perceber quão comparativamente insignificante Satanás e seus ajudantes demoníacos são, e quão totalmente derrotados e amedrontados eles se tornaram por causa do Calvário.

O louvor lhe dá coragem para se levantar em nome de Jesus e repreendê-los. O louvor não é apenas um meio de multiplicar a sua fé; também se torna uma evidência da sua fé.

O louvor une você em espírito com os anjos. Batalhas espirituais são ganhas no mundo invisível pela oração e pela ativa assistência dos anjos de Deus designados para serem ajudadores (Hb 1.14). Gabriel disse a Daniel que ele e Miguel precisaram derrotar a oposição dos espíritos malignos para poderem entregar a mensagem da oração de Daniel (Dn 10.12,13).

A grande alegria dos anjos é louvar e adorar a Jesus. Quando você começa a louvar a Deus, os anjos parecem se reunir em torno de você em louvor e alegria. Você não os vê, mas eles estão ao seu lado. Repetidas vezes, o céu parece perto demais quando você começa a louvar. Deus e seus anjos ouvem e se alegram.

O louvor põe Satanás para correr. Satanás e seus demônios temem a presença e a autoridade de Jesus. Eles sabem que Jesus pode bani-los a qualquer momento para o lago de fogo, que será a maldição final deles. O medo dessa punição e a santa presença de Jesus os torturam (Mt 8.29).

Louvar a Jesus coloca as hostes demoníacas em fuga. Esteja certo de que Satanás fugirá de você (Tg 4.7). Lutero exortou certa vez: "Cantemos um hino e humilhemos o Diabo". Quando a batalha contra Satanás parece não ter fim e você está quase sem esperança, comece a louvar a Deus, e as hostes de Satanás fugirão.

Temos louvado pouco e ocasionalmente a Deus durante a oração. Louvemos mais e mais. Temos usado o louvor para adorar o Senhor; comecemos a usá-lo para derrotar o Diabo. Além de todos os outros maravilhosos resultados, vale a pena louvar ao Senhor apenas pela bênção que você sentirá em seu coração. Além disso, o louvor é a artilharia pesada do cristão; o louvor é mais eficaz na batalha espiritual do que uma bomba atômica numa batalha militar. O louvor é um meio estratégico para a vitória.

Como louvar ao Senhor

Você pode louvar a Deus na solidão da sua alma, sem que ninguém mais perceba. Comece o dia com um louvor silencioso. Entre numa casa ao fazer uma visita evangelística louvando a Jesus em seu coração. Se outros estiverem aconselhando uma pessoa na sua presença, repita o nome de Jesus diversas vezes em oração. Ao sentar-se ao lado de uma pessoa que sofre no hospital, louve silenciosamente ao Senhor até que a presença de Deus esteja perto a ponto de talvez ser sentida até mesmo pelo paciente. Quantas vezes é apropriado louvar a Jesus desta forma!

Embora o louvor deva fluir do seu interior (Sl 103.1) e possa ser cantado em seu coração (30.12), também deve ser expresso em público (35.18), na presença dos outros (34.3). O louvor deve ser declarado (9.14), cantado (33.1), gritado de alegria (33.3; 71.23), expresso com música (92.1), com os lábios e com a boca. *Bendirei o Senhor em todo o tempo; seu louvor estará sempre nos meus lábios* (34.1). *Assim, por intermédio dele, ofereçamos sempre a Deus um sacrifício de louvor, que é o fruto dos lábios que declaram publicamente o seu nome* (Hb 13.15).

O louvor pode transformar a vida diária. O louvor pode transformar a vida de oração. O louvor pode apressar a vitória nas batalhas de oração. Não existe substituto ao louvor. O louvor honra Deus, alegra os anjos e inflige terror a qualquer espírito maligno que possa estar em redor. O louvor clareia a atmosfera, lava o espírito, multiplica a fé e nos reveste com a presença e o poder de Deus. *Ó minha alma, bendize o Senhor, e todo meu ser bendiga seu santo nome* (Sl 103.1).

19

A PROMESSA É PARA VOCÊ

A Bíblia é uma das maiores dádivas do amor de Deus para você. É o maior tesouro literário do mundo. É o fundamento da igreja e da fé. Mas sempre existe o perigo de você se esquecer de quanto Deus quer entregá-la a você individualmente. Deus deseja que você a utilize diariamente como alimento espiritual, recurso de oração pessoal e arma para a vitória espiritual.

João é muito claro ao afirmar que escreveu seu evangelho para ajudar *você* a crer (Jo 20.31). O texto não é apenas para as pessoas em geral; é para você. Isso é verdade em relação a toda a Bíblia, incluindo o Antigo Testamento.

A instrução é para você. Referindo-se ao Antigo Testamento, Paulo escreveu: *Porque tudo o que foi escrito no passado foi escrito para nossa instrução, para que tenhamos esperança por meio da perseverança e do ânimo que provêm das Escrituras* (Rm 15.4). Quanto mais você viver na Palavra de Deus, mas forte se tornará a sua vida espiritual.

O exemplo é para você. Após relatar como Deus usou Moisés para tirar Israel do Egito, Paulo escreveu: *Tudo isso lhes aconteceu como exemplo e foi escrito como advertência para nós* (1Co 10.11). A intenção de Deus é que você aprenda e aplique pessoalmente os exemplos encontrados na Bíblia. Por exemplo, Tiago, o irmão de Jesus, encoraja a sua oração pelo exemplo de Elias:

> Elias era humano e frágil como nós; ele orou com insistência para que não chovesse e, por três anos e seis meses, não choveu sobre a terra. Ele orou outra vez, e o céu deu chuva, e a terra produziu seu fruto (Tg 5.17-18).

Todo exemplo encontrado na Palavra de Deus é destinado a você.

O alimento é para você. Jeremias declarou: *Quando as tuas palavras foram encontradas, eu as comi; e elas eram para mim o regozijo e a alegria do meu coração* (15.16). O salmista acrescentou: *Como tuas palavras são doces ao meu paladar! Mais doces do que o mel em minha boca!* (119.103). O alimento da Palavra é sempre uma tremenda fonte de bênção quando você inicia um tempo de oração, particularmente os momentos em que você passa uma hora ou mais com o Senhor.

Jesus declarou: *Porque a minha carne é verdadeira comida, e o meu sangue é verdadeira bebida [...]. Quem de mim se alimenta também viverá por minha causa* (Jo 6.55-57). Para tornar mais claro o que queria dizer, Jesus acrescentou: *O Espírito é o que dá vida, a carne não serve para nada; as palavras que eu vos tenho falado são espírito e vida* (v. 63). Você pode manter saúde e vida espiritual sem se alimentar das palavras de Jesus.

"Comer" envolve ler, compreender e obedecer. Alguns textos quase não têm valor alimentar para a mente ou para a alma. Outros valem a pena — mas uma degustação é suficiente. As Escrituras são uma dieta essencial; não há alternativa para o cristão. Um cristão, leigo ou líder que não leia alguns capítulos da Palavra de Deus diariamente não pode ser um cristão forte, independentemente de quantos anos professe sua fé ou de qual posição ocupe na igreja. Um livro devocional pode ser útil, mas é inaceitável como substituto à Palavra de Deus. Não existe pessoa poderosa em oração que negligencie a Palavra de Deus. Essa negligência explica o nanismo de almas e a oração impotente.

A promessa é para você. As crianças sempre cantam um coro que começa assim:

> Cada promessa no livro é minha,
> cada capítulo, cada versículo, cada linha...

Isso é verdade? A Palavra de Deus é dada para *você* usar. Embora as Escrituras tenham sido inicialmente transmitidas a pessoas em situações específicas séculos atrás, sua verdade básica é tão verdadeira hoje como sempre foi, e tão verdadeira para você quanto para qualquer outra pessoa. Pedro disse aos milhares que o ouviram no dia de Pentecostes: *Porque a promessa é para vós, para vossos filhos e para todos os que estão longe, a quantos o Senhor nosso Deus chamar* (At 2.39, ênfase acrescentada). A qual promessa Pedro se referia? Provavelmente a várias, retrocedendo até Isaías 44.3. Mas a respeito de quem Isaías 44 falou? Originariamente, a palavra foi entregue a Israel mais de setecentos anos antes de Cristo nascer. A mensagem era realmente para eles? Sim, para eles, para o povo no dia de Pentecostes e para você também.

Deus inspirou a redação das Escrituras para abençoar você. A promessa a que Pedro se referiu é aquela que Jesus chamou de *a promessa de meu Pai* (Lc 24.49). O que o Espírito Santo realizou no Pentecostes em cumprimento dessa promessa foi purificar (At 15.9), outorgar poder (At 1.8) e encher com o Espírito (At 2.4; 4.31). A promessa no Antigo Testamento a Israel foi cumprida na igreja, a sucessora espiritual de Israel no Pentecostes.

Você é membro da igreja de Cristo. Portanto, diz Pedro: "A promessa é para você".

Promessas a indivíduos têm o primeiro e principal significado para aquela pessoa, mas o que Deus estava disposto a fazer por qualquer personagem bíblica, ele está ansioso para fazer por você também, quando você precisar. A promessa a Moisés ou aos discípulos é geralmente a promessa de Deus a você também. As promessas que Paulo fez às igrejas estão plenamente disponíveis a você. As orações de Paulo em suas cartas às igrejas ainda estão sendo respondidas hoje.

A promessa feita por Malaquias a Israel caso eles fossem fiéis nos dízimos e nas ofertas era apropriada para aquele tempo — e o é para este tempo também: *Repreenderei a praga devoradora, e ela não destruirá os frutos da vossa terra* (Ml 3.11). O meu pai caminhava certo dia pela nossa horta e descobriu que as hortas de vários vizinhos estavam sendo destruídas por percevejos de batata. A nossa horta era a próxima a ser atingida. Os meus pais eram dizimistas fiéis, por isso tinham o direito de reivindicar essa promessa. O meu pai se posicionou no meio do canteiro de batatas e orou, lembrando a Deus sua promessa. Os percevejos pararam junto à cerca, e nenhum deles alcançou a nossa horta. Os vizinhos perderam todas as suas batatas. Foi legítimo para o meu pai reivindicar essa promessa? Sim, a promessa era para ele, e é igualmente para você.

A promessa de Deus para ajudar Moisés a tirar Israel do Egito era para aquela época. Mas a promessa ilustra os tipos de orações às quais Deus ainda está respondendo hoje, em particular se for aplicada espiritualmente. Na noite anterior à nossa partida para a Índia, a sra. Charles Cowman nos lembrou de uma promessa que Deus lhe havia feito para o início do trabalho da

OMS naquele país: *Farei vocês prosperarem mais do que antes* (Ez 36.11, NVI). Durante anos, fiquei intrigado a respeito de como essa promessa seria cumprida. Mas agora é bastante evidente que Deus realizou exatamente o que havia prometido. Por muitos anos, enfrentamos jejum, oração e trabalho duro no campo missionário, com poucos resultados a serem mostrados. Agora Deus está multiplicando a obra na Índia.

Teria a sra. Cowman usado inadequadamente as Escrituras? Podemos hoje espiritualizar para nós uma promessa dada séculos atrás a outras pessoas? Sim, sob certas condições, como veremos a seguir.

1. Estude cuidadosamente as Escrituras para compreender seu significado para aqueles a quem ela foi originariamente entregue. A aplicação espiritual deve ser feita à luz desse significado literal.
2. Reconheça que, se essa é a promessa de Deus para você, ele não apenas a imprimirá profundamente no seu coração, como proverá evidência que a corrobore por meio de providência divina, opinião de outros cristãos e muita paz no coração.
3. Mantenha a sua motivação basicamente na glória de Deus, não no seu próprio interesse, embora você possa ser beneficiado pelo cumprimento da promessa.

Como usar as Escrituras ao orar

As Escrituras e a oração estão inter-relacionadas e são indispensáveis uma à outra. Toda oração se baseia no nosso conhecimento de Deus revelado na Bíblia. Toda oração é fortalecida pelos exemplos de oração e pelas respostas disponíveis na Bíblia.

Tendo em mente essa base, seguem algumas maneiras de usar as Escrituras para tornar a sua oração mais eficaz:

1. Inicie os seus momentos regulares de oração com a Palavra de Deus. O seu momento de oração será mais eficaz se você ouvir Deus através de sua Palavra antes de orar. Esse foi o grande segredo que Deus ensinou a George Mueller, o "apóstolo da fé". Ler as Escrituras antes ajuda você a perceber a imediata presença de Deus, a se concentrar em seus pensamentos e a perceber questões a serem incluídas em sua oração. Passe tanto tempo lendo e ouvindo a Palavra de Deus quanto você passa em oração. Assim, se você investe uma hora em oração, invista metade do tempo nas Escrituras. Lembre-se de que há exceções quando você enfrenta um encargo especial de oração.

2. Aplique o que você leu à sua vida. O que você acha que o encoraja pessoalmente? Como isso pode ajudá-lo? Que nova instrução espiritual essa passagem lhe traz? De que forma ela o guia ou o corrige? De que forma ela o abençoa hoje? Aplique constantemente a si mesmo o que você encontra na Palavra de Deus.

3. Personalize passagens das Escrituras durante o seu momento de oração. Você pode adaptar passagens de louvor ou petição e torná-las parte de sua oração. Você pode orar por coisas que Deus lhe diz através da Palavra. Por exemplo: *Entrai pelas suas portas com ações de graças, e em seus átrios, com louvor! Rendei-lhe graças e bendizei seu nome! Porque o S*ENHOR *é bom! Seu amor dura para sempre, e a sua fidelidade, de geração em geração* (Sl 100.4,5). Você pode orar esses versículos desta forma:

> *Senhor, entro pelas tuas portas com ação de graças; esta manhã o meu coração está cheio de louvor. Agradeço-te e louvo o teu nome,*

porque tens sido muito bom para mim. O teu amor tem me cercado! Tu tens sido muito fiel a mim! Oh, eu te agradeço e te louvo!

Essa paráfrase da Palavra prepara o seu coração para louvar e adorar a Deus.

Outro exemplo: *Pois, sem tê-lo visto, vós o amais e, sem vê-lo agora, crendo, exultais com alegria inexprimível e cheia de glória* (1Pe 1.8). Enquanto lê esse versículo, você pode fazer uma pausa e elevar o seu coração a Deus:

> Senhor, não posso ver-te com os meus olhos, mas te vejo no meu coração. Sei que um dia te verei face a face. Mas, Senhor, tu sabes que te amo. Tu és muito precioso para mim. E, quanto mais te amo, mais alegria sinto no meu coração. Creio em ti; creio nas tuas promessas. Amo a tua Palavra, e, Senhor, amo a ti mais e mais. Louvado seja o teu nome!

Mais um exemplo:

> *Mas, graças a Deus, que em Cristo sempre nos conduz em triunfo e por meio de nós manifesta em todo lugar o aroma do seu conhecimento; porque para Deus somos o bom aroma de Cristo, tanto entre os que estão sendo salvos como entre os que estão perecendo* (2Co 2.14,15).

Um uso personalizado deste versículo poderia ser:

> Senhor, estou feliz por teres derrotado Satanás no Calvário. Estou contente por seres o vitorioso sobre todos os poderes das trevas. Estou alegre por me guiares passo a passo. Senhor, amo seguir-te. Muito obrigado por me guiares na tua procissão triunfal. Sei que o

mundo está observando. Senhor, ajuda-me a mostrar a tua alegria e o teu triunfo na minha face hoje. Obrigado, Senhor, por teres colocado a tua beleza na minha face, na minha vida. E, quando manifesto um espírito semelhante ao de Cristo independentemente do que acontece, isso é como um suave perfume para o Pai, que faz lembrar a ti e a ele.

Senhor, não sou digno. Ajuda-me a ter um aroma mais agradável a ti. Ajuda-me a ter um aroma agradável também perante o mundo, para que o que eu disser ou fizer hoje seja um perfume suave que faça lembrar a ti às pessoas. Faze-me uma bênção, uma fragrância ao não salvo. Ó Senhor, sou incapaz de realizar essas coisas. Dependo de ti. Abençoa-me, ajuda-me e faze-me perfumado para ti hoje.

4. Banhe a sua alma nas Escrituras para aumentar sua fé. A fé vem pelo ouvir, e o ouvir, pela palavra de Cristo (Rm 10.17). Essa não é a única verdade para o não salvo; é verdade também para a nutrição e o crescimento da nossa fé. A sua fé nunca crescerá se você não mergulhar na Palavra de Deus. Quanto mais você saturar a sua alma da Palavra de Deus, mais forte se tornará a sua fé.

5. Memorize versículos bíblicos que serão úteis na oração. É também importante memorizar a Bíblia para ser usada no testemunho e na oração. Decore a oração do Senhor. Você irá querer orá-la nos seus momentos devocionais particulares repetidas vezes. Nos pontos a seguir, você encontrará vários versículos para serem memorizados, caso ainda não tenha feito isso. Eles abençoarão o seu coração quando o Espírito Santo os trouxer à sua memória.

6. Use as Escrituras para louvar e adorar ao Senhor. O papel do louvor é discutido no Capítulo 18. Aqui estão alguns bons exemplos de passagens a serem usadas na oração: 1Crônicas 29.10-13; Neemias 9.5,6; Salmos 8.1-9; 27.4; 36.5-9; 40.5; 71.14-19; 73.23-25; 103.1-5,20-22; 108.1-5; 115.1; 118.28,29; 139.17,18; 145.1-21; Isaías 25.1; Jeremias 32.17-21; Romanos 11.34-36; Apocalipse 1.5,6; 4.8,11; 5.12,13; 7.12; 15.3,4.

7. Use as Escrituras para confessar o seu desmerecimento. É uma grande bênção dizer ao Senhor quanto você não é merecedor de ter a sua bênção respondida! Você pode encontrar nos versículos seguintes frases e passagens de grande valor para a oração, especialmente quando as adapta à sua situação específica: Gênesis 32.10; 2Samuel 7.18; 1Reis 3.7; 1Crônicas 29.14-16; Jeremias 1.6; Lucas 7.6,7; Atos 20.19; Efésios 3.8.

8. Use orações e expressões das Escrituras. Quase sempre você desejará usar frases ou versículos inteiros das Escrituras nas orações por necessidades. Estas dirão exatamente o que você quer dizer. Você não terá tempo de olhar os versículos cada vez que orar. Mas, se alguns desses estiverem gravados no seu coração, Deus os transformará em grande bênção para você. Na sua leitura, adapte as seguintes passagens que servem como exemplo para a sua oração pessoal:

- Oração por purificação: Salmos 19.12,13; 51.1-10.
- Oração por bênção na leitura bíblica: Salmos 119.15,16, 18,97,103-105.
- Oração por bênção no trabalho: Salmo 90.16,17.
- Oração por cumprimento da promessa de Deus: 2Samuel 7.25,26,28; Salmos 119.81,82,162.
- Oração por orientação: Salmos 5.8; 25.4,5; 31.3; 43.3; 86.11.
- Oração por autoanálise: Salmos 26.2,3; 139.1-10,23,24.

- Oração por fome de Deus: Salmos 42.1,2; 61.1-5; 63.1,2; 130.1,2; 142.5,6.
- Oração por amor a Deus: Salmos 18.1; 139.17,18.
- Oração por crescimento pessoal: Romanos 12.1,2; Efésios 3.16-21; 4.12-16; Filipenses 1.10,11; 3.12,15; 4.4-8; Colossenses 1.9-12; 3.12-17; 1Tessalonicenses 5.16-24; 2Pedro 1.5-8.
- Oração por reavivamento: Salmo 85.6,7; Isaías 43.18,19; 44.2,3; 51.9; 54.2-4; 55.6-13; 57.14,15; 59.12,13; 62.1-10; 64.1-5.
- Oração por ajuda na batalha de oração: Efésios 6.10-18.

9. *Reivindique as promessas bíblicas ao orar.* Oh, quantas promessas ricas podem ser encontradas na Palavra de Deus! Já discutimos como você pode se apropriar delas.

Use as Escrituras para repreender Satanás. A Palavra de Deus é a espada do Espírito (Ef 6.17). Jesus citou as Escrituras para derrotar e expulsar Satanás (Mt 4.1-11). Você tem plena autoridade para fazer o mesmo. Não seja petulante ao enfrentar Satanás, mas também não tenha medo. Use os fatos e as promessas das Escrituras para resistir ao maligno. Os anjos de Deus reforçarão o uso das Escrituras e farão o inimigo fugir (Tg 4.7).

20

ELIAS ERA IGUAL A VOCÊ

As biografias bíblicas são seletivas e muito resumidas. Os poderosos exemplos de fé listados em Hebreus 11 e em outras partes da Palavra de Deus não apenas podem abençoar você, mas também fazer você querer saber se essas pessoas pertenceram a uma elite que viveu num nível mais elevado que o restante dos mortais. Às vezes, você não acha que há bem poucos santos de Deus vivendo hoje?

Existem duas passagens das Escrituras com as quais Deus quer desafiar e encorajar você: *Porque a promessa é para vós* (At 2.39) e *Elias era humano e frágil como nós* (Tg 5.17). Cada preciosa palavra bíblica sobre esses heróis e essas heroínas da história sagrada é totalmente verdade. Mas é também totalmente verdade que cada uma dessas pessoas foi um ser humano como você e eu.

A Bíblia não camufla o fato de que cada personagem registrada teve uma ou mais fraquezas, decepcionou Deus em uma ou mais ocasiões, e teve necessidade de recorrer à graça e à ajuda divinas. A única pessoa perfeita que já viveu foi Jesus. Somente ele nunca pecou em pensamento, palavra ou ação. Mas Jesus o compreende e se simpatiza com você — não apenas por causa de seu infinito e divino conhecimento, mas também porque ele, por escolha, experimentou todas as tentações, dificuldades e problemas. Jesus entende você perfeitamente.

E Jesus preparou o plano de salvação para você. Ele planejou a parceria de oração com você e o ministério de oração por você. Seu tremendo plano é feito sob medida para você; é do seu tamanho. É para um ser humano como você.

Algum outro ser humano em alguma outra época fez tanto por meio da intercessão como Moisés? Ele escreveu os livros iniciais da Bíblia. Não teve promessas bíblicas nas quais se apoiar, até as receber do próprio Deus e registrá-las por escrito. Moisés é um exemplo de amor, paciência, oração e obediência. Ele tirou da escravidão uma nação idólatra, teimosa e incrédula e deu-lhe uma nacionalidade; tirou-a da idolatria para a adoração exclusiva a Javé; tirou-a do Egito, durante quarenta anos de peregrinação no deserto, para a entrada em Canaã. Moisés conheceu Deus como nenhum outro ser humano jamais o conheceu (Dt 34.10).

Moisés teve uma das mentes mais bem educadas e foi provavelmente o mais experiente líder mundial do seu tempo, mas também cometera um crime, ao assassinar um egípcio. Ele enfrentou problemas familiares, repetidas rebeliões e ocasiões em que sua vida esteve em perigo. Por várias vezes, esgotou seus recursos e se viu num beco sem saída. Enfrentou diversas situações nas quais não sabia o que fazer. Pelo menos uma vez, na parte final de seu ministério, decepcionou grandemente a Deus. Apesar de seu brilhante papel, sua família tinha inveja dele. Arão, seu irmão e auxiliar, falhou com ele; sua esposa não o compreendeu nem o apoiou; e nunca mais se ouviu falar de seus filhos. Moisés foi um ser humano normal exatamente como você e eu. Mas Moisés sabia orar!

Elias também foi um ser humano comum. Ele se enfraqueceu, desanimou e estava prestes a desistir. Ficou tão desesperado que desejou morrer. Ele não tinha nem esposa nem irmão para confortá-lo; estava sozinho, desprezado, traído e incompreendido. Não foi um grande sucesso, a não ser como profeta. De fato, ele tinha uma natureza humana, mas se destacou na história por suas poderosas orações.

Davi não era respeitado nem valorizado quando jovem. Seu sogro tornou-se seu inimigo e passou boa parte de seu tempo tentando matá-lo. Sua esposa, Mical, não compreendeu seu amor pelo Senhor. Alguns de seus principais auxiliares não tinham interesses espirituais. Certa vez, Davi cometeu um grave pecado, embora depois tenha se arrependido verdadeiramente. Mas Deus considerou Davi seu companheiro íntimo e o chamou de um *homem segundo o meu coração* (At 13.22). Por quê? Por causa da vida de oração de Davi. Davi foi um homem exatamente como você e eu, exceto por sua constante comunhão com Deus e sua vida de oração.

E quanto a Pedro? Ele era verdadeiramente humano — sincero, franco e com uma boca que constantemente o colocava em dificuldades. Somente minutos após fazer sua grande confissão a respeito de Jesus, ele recebeu a mais dura repreensão jamais dada a um dos discípulos. Todavia, Pedro foi um dos parceiros de oração mais íntimos de Jesus. Se Pedro, o pescador que expunha abertamente suas opiniões, pôde se tornar um homem de oração, você também pode.

Ou tome Paulo como exemplo. Paulo foi um homem rude e determinado. Ele trabalhou, suportou e sofreu quase além da compreensão humana. Amava seus convertidos e as igrejas que fundou com zelo afetuoso, intenso e dedicado. Sem dúvida, foi inflexível e exigente para com seus auxiliares e colaboradores. Duvido que você quisesse estar na equipe dele. Mas qual cristão deixou uma trilha tão grande de bênçãos? Ele trabalhou mais do que os outros, sofreu mais do que os outros e, provavelmente, amou mais intensamente do que todos os outros líderes da igreja primitiva. Que homem de Deus! Mas como era humano também! Na verdade, em muitos aspectos Paulo certamente não foi como você e eu; todavia, talvez em outros aspectos, todos nós nos identificamos com Paulo.

Ele foi o maior missionário, o maior teólogo da Igreja cristã e o maior implantador de igrejas que já viveu. Paulo jamais poderia ter realizado tudo o que fez, sofrido tudo o que sofreu e edificado a Igreja de Cristo como edificou se não tivesse sido forte em incessante intercessão. Paulo orava dia e noite. Ele orava por longas listas de crentes. Orava e chorava por suas igrejas. Jejuava e orava em favor de cada igreja que fundava ou visitava.

A história de Deus bem pode revelar que Paulo realizou tanto ou mais por meio de suas orações quanto fez por meio de seu evangelismo e sua pregação pessoal. Seus escritos nasceram da oração e foram recheados com mais oração ainda. Paulo foi exatamente como você, exceto por sua gigantesca e incessante batalha de oração. Se algum cristão combateu e venceu batalhas de oração, esse cristão foi Paulo!

Ajoelhados, eles venceram

David Livingstone, John Knox, John Wesley — todos foram poderosos homens de Deus. Todavia, algumas pessoas hoje gostariam de reescrever biografias e desenterrar toda lama, manchar a auréola e destacar as fraquezas desses grandes heróis da fé. Porém, apesar de suas imperfeições, Deus usou todos eles, assim como usa você e eu. O maior papel deles, no final das contas, pode não ser aquele pelo qual ficaram mais famosos.

Livingstone pode ter sido maior em oração. Ele morreu de joelhos.

John Knox foi um líder duro e inflexível, mas lutou e venceu de joelhos a batalha espiritual pela Escócia. Foram suas orações, mais do que seus sermões e suas ações, que salvaram a Escócia.

John Wesley não teve uma vida familiar feliz. Como poderia ter, no ritmo em que viveu? Sua esposa fez tudo o que pôde para preocupá-lo. Todavia, esse homem virou a Inglaterra de cabeça para baixo por causa de Deus, ensinando a santidade de coração. John Wesley sempre viajava a cavalo cerca de 100 quilômetros por dia, pregando várias vezes. Durante os 54 anos de seu ministério, ele viajou a cavalo cerca de 8 mil quilômetros por ano, alcançando um o de 464 mil quilômetros, distância equivalente a doze vezes a circum-navegação da Terra. Ao longo de mais de meio século, ele pregou a média de 15 sermões por semana, além de muitas outras exortações e palestras. Às vezes, ele se dirigia a 10, 20 e 30 mil pessoas ao ar livre sem nenhum tipo de amplificador.

Alguns historiadores seculares concedem ao ministério de Wesley o crédito de ter transformado a tal ponto a Inglaterra que o país foi poupado da repetição da sangrenta Revolução Francesa. John Wesley cometeu seus erros, mas foi um homem de oração. Ele disse: "Deus não faz nada senão em resposta à oração". A respeito dele, alguém disse: "Ele acreditava que a oração era uma ocupação sua maior do que qualquer outra; e eu o vi sair do seu pequeno quarto com uma serenidade na face próxima ao brilho". Wesley passava duas horas por dia em oração.

O austero Martinho Lutero também foi intensamente humano e, apesar disso, um verdadeiro homem de oração. Ele escreveu: "Julgo que a minha oração é mais do que o próprio demônio [...]. Mas os homens não verão nem reconhecerão as grandes maravilhas que Deus opera a meu favor. Se eu negligenciasse a oração um único dia, perderia muito do fogo da fé".

As pessoas falavam a respeito de Lutero como "o homem que pode ter o que quiser de Deus". Quando uma menina endemoninhada foi levada até Lutero, ele colocou a mão sobre a cabeça dela, e a garota foi completamente libertada. As poderosas orações de Lutero por cura trouxeram pessoas de volta da beira da morte.

Certa feita, os olhos de Melâncton estavam imóveis e, aparentemente, ele tinha perdido a fala e a audição. Não reconhecia ninguém e havia deixado de se alimentar. Quando Lutero viu sua condição, começou a implorar vigorosamente a Deus, tomou Melâncton pela mão e disse:

— Tem bom ânimo, Felipe (Felipe *Melâncton*), tu não morrerás... Confia no Senhor que pode matar e revivificar.

Enquanto Lutero falava, Felipe começou a se mover e a respirar novamente; por fim, teve a saúde e as forças restauradas.

Nos últimos estágios da tuberculose, o amado líder Friedrich Myconius agonizava quando Lutero orou por ele. "Que Deus não me permita, enquanto eu viver, ouvir que você está morto", Lutero lhe escreveu, "mas faça que você sobreviva a mim. Oro por isso insistentemente, e que a minha vontade contida nesta carta seja concedida. Amém". Myconius disse que foi como se ele tivesse ouvido Cristo dizer: *Lázaro, vem para fora!* (Jo 11.43). Myconius foi curado e viveu mais dias que Lutero.

Todos os santos de Deus foram humanos como você e eu, mas se tornaram poderosos em oração. Você nunca será maior do que qualquer oração sua. Mas você pode ser grande em oração, apesar de tudo, se andar com Deus. Provavelmente a maioria dos principais intercessores de Deus é quase desconhecida de todos, exceto dele.

Tome cuidado, entretanto. Você nunca será grande se a sua maior ambição for ser grande aos olhos de Deus. *E procuras coisas magníficas para ti mesmo? Não as busques* (Jr 45.5). Se está disposto a ser desconsiderado pelos homens, talvez elogiado por um tempo e depois esquecido, considerado um fracasso por muitos padrões humanos, você pode, como João Batista, tornar-se *grande diante do Senhor* (Lc 1.15).

O caminho para a grandeza espiritual envolve o viver cheio do Espírito, uma caminhada humilde com Deus, a comunhão constante e íntima com Deus, o Pai, Deus, o Filho, e Deus, o Espírito Santo. Deus está à procura de grandes intercessores. A intercessão é normalmente uma função secreta. É um papel subestimado pela maioria dos cristãos que quase sempre andam somente superficialmente com Deus.

Se Moisés pôde ser um dos maiores intercessores do mundo, você também pode ser usado poderosamente por Deus. Se Elias pôde ser considerado por Deus um dos maiores guerreiros de oração da terra, você também pode se alistar na legião de seus intercessores. Se Davi pôde superar seu sórdido passado de adultério e assassinato e tornar-se conhecido como um homem segundo o coração de Deus, você também pode ser amado do Pai se verdadeiramente se entregar à doce comunhão e intercessão.

Você pode não ser capaz de duplicar as melhores três horas de Martinho Lutero dedicadas à oração diariamente — poucos podem. Você pode não conseguir, como John Wesley, dedicar as primeiras duas horas de cada dia à oração — poucos podem. Mas o que você pode fazer? Se o presidente da República podia levantar-se às 4 horas da manhã para ter tempo de orar, talvez você possa se levantar mais cedo do que o restante da família para ter um momento de qualidade em oração. Você pode não passar noites ajoelhado ou deitado no chão, chorando e dizendo repetidamente: "Ó Deus, dá-me a Escócia, ou eu morro", como fez John Knox, mas pode começar a suportar encargos de oração em favor de outros.

Você pode decidir, pela graça de Deus, dar prioridade à oração de maneiras novas e específicas. Você pode formar bons hábitos de oração; pode aprender a disciplinar o seu tempo e começar a programar períodos de oração; pode resgatar momentos ao longo do dia e dedicá-los à oração se o seu coração tiver fome suficiente de Deus.

Existe uma forma de você iniciar uma nova dimensão de oração. Nenhum desses grandes homens de oração começou como gigantes de intercessão. Eles desenvolveram sua vida de oração por meio de uma série de passos. Aprenderam a buscar constantemente a face de Deus e a pagar o preço da oração. Dessa forma, tornaram-se poderosos guerreiros de oração.

Deus chama você para um novo passo em oração. Dê esse passo hoje. Comece uma nova caminhada com Deus. Faça de algum momento hoje o seu tempo de oração. Faça de algum lugar o seu lugar de oração. Comece a preparar a sua lista de oração hoje. Elias e outros heróis e heroínas de oração eram exatamente como você. Você, na sua vida agitada, nas suas circunstâncias limitadoras, pode encontrar espaço para mais oração, se assim o quiser. Você fará isso?

21

Deus precisa de você para preparar o caminho

*Voz do que clama: Preparai o caminho do S*ENHOR *no deserto; endireitai ali uma estrada para o nosso Deus. Todo vale será elevado, todo monte e toda colina serão rebaixados; o terreno acidentado será nivelado, e o que é íngreme será aplanado. A glória do S*ENHOR *se revelará; e todos juntos a verão, pois foi o S*ENHOR *quem falou.*
(Is 40.3-5)

A nossa maior necessidade

A nossa nação precisa de um grande despertar espiritual que varra a nossa terra. O nosso povo se esqueceu de Deus por demais. O pecado, a violência e o crime estão destruindo o potencial da nossa nação. A nossa literatura, a nossa linguagem e os nossos meios de comunicação estão poluídos. Os nossos jovens estão crescendo com pouquíssima consciência ou conhecimento de Deus. Por pelo menos uma ou duas gerações, muitas famílias se tornaram quase ateias.

Embora milhares de nós nos autointitulemos "evangélicos nascidos de novo", estamos causando pouquíssimo impacto no nosso sistema educacional, no nosso governo e na nossa sociedade. Nós, como povo, precisamos nos voltar para Deus. Quando Deus mandará uma nova reforma, um novo despertamento espiritual e um mover do Espírito de Deus que faça multidões se voltarem para ele? Somente quando prepararmos o caminho do Senhor.

Durante décadas passadas, nações após nações foram tomadas pelo ateísmo militante na forma do comunismo. Então, quando o comunismo consolida seu poder, ele começa a restringir a igreja e atacar a religião, o evangelismo e o trabalho missionário. Em muitas nações islâmicas, alarmadas pelo crescimento do secularismo e do materialismo, o islamismo e outras religiões antigas estão despertando, e o fanatismo religioso vem aumentando. A igreja está sempre sujeita à pressão e às vezes a ataques e ao terror.

Dadas essas condições, como a igreja avançará, atingindo a nossa geração para Deus? Como os povos não alcançados ouvirão o evangelho quando é tão difícil obter vistos para obreiros e missionários cristãos? Como os pequenos grupos de crentes podem se estabelecer nesses ambientes hostis? Há somente uma resposta a todas essas perguntas. É preciso haver uma equipe adequada de guerreiros de oração preparando o caminho e cobrindo os obreiros do evangelho, os crentes e o ministério.

Se quisermos ver áreas fechadas se abrindo, é essencial contar com a oração militante em massa. Se quisermos ver grande colheita e reavivamento espiritual, a nossa maior necessidade é por muita oração. Esta é a mensagem de Isaías para hoje: *Preparai o caminho do Senhor!*

A nossa maior esperança

As poderosas obras de Deus são feitas somente depois que ele abençoa a preparação adequada. Deus planejou tirar os filhos de Israel do Egito e colocá-los em seu novo lar, Canaã. Planejou torná-los o povo que receberia a revelação de Deus no Antigo Testamento para ser o povo do Messias. Mas primeiro Deus teve de fazer uma grande preparação.

Ele preparou Moisés durante quarenta anos no deserto antes que seu servo estivesse pronto para liderar Israel. Através dos julgamentos e dos milagres das pragas no Egito, ele preparou aquela nação para libertar Israel de sua servidão. Por meio desses mesmos eventos, Israel foi preparado para aceitar a verdade de que somente Javé era Deus. Foi necessário, também, que Israel fosse preparado para receber os Dez Mandamentos e a lei do Antigo Testamento. Para esse propósito, Deus usou as experiências deles entre o Egito e Canaã e sua revelação a Moisés no Sinai.

A vinda de Jesus também foi cuidadosamente orquestrada. Deus permitiu que os judeus fossem espalhados pelo mundo civilizado e construíssem sinagogas em importantes centros para que elas pudessem ser usadas pelos primeiros arautos da cruz décadas após o Pentecostes. Deus permitiu que o grego se tornasse a língua comercial do mundo mediterrâneo, incluindo a Palestina e Roma, para que o Novo Testamento em grego pudesse ser imediatamente utilizável em toda a área no nascimento da igreja primitiva. Estradas, o governo e a paz romana também foram usados por Deus para apressar a divulgação do evangelho. O cativeiro babilônico havia, pelo menos, curado os judeus de suas repetidas recaídas no pecado da idolatria. Desde aquele tempo até agora, os judeus abominam a idolatria. Cristo não poderia vir à terra até que a adoração aos ídolos fosse completamente abandonada.

Durante quatrocentos anos depois de Malaquias, Deus não levantou profeta. O céu pareceu silenciar. A severidade do domínio romano fez que os judeus ansiassem pelo Messias. Finalmente, tudo estava pronto para que Deus, *na plenitude dos tempos* (Gl 4.4). enviasse Jesus. O último preparativo público foi feito por João Batista. Quando indagado quem ele era, João se denominou *uma voz* [...] *que clama no deserto* (NVI) para endireitar ali *uma estrada para o nosso Deus*. Isso apontava para a profecia de Isaías 40.3-5.

A referência em Isaías era ao bem conhecido fato histórico de que os antigos reis mandavam pioneiros ou mensageiros para preparar o caminho pelo qual eles e sua guarda real armada planejavam viajar. Ajudados pelas forças do rei, as pessoas da área eram convocadas a preparar "a estrada para o rei".

As estradas daquela época eram literalmente estradas elevadas, construídas em terreno mais alto do que a área circundante. As passagens eram abertas por áreas montanhosas, os lugares acidentados eram nivelados, os trajetos tortos eram endireitados e todos os impedimentos eram removidos. Era um trabalho meticuloso, requerendo dura labuta por parte de muitos. Mas era uma preparação essencial para que uma estrada fosse digna de um rei.

Só Deus sabe quantos intercessores ocultos prepararam o caminho para a primeira vinda de Cristo. Assim como a intercessão de Esdras e Neemias possibilitou o retorno dos judeus à sua terra natal, da mesma forma as listas de honra do céu (Êx 32.32; Sl 56.8; 87.6; Ml 3.16) incluem muitos nomes de intercessores que, ao longo dos séculos, prepararam o caminho para a Encarnação. O papel deles será reconhecido diante do trono do juízo de Cristo (2Co 5.10). O testemunho deles será compartilhado conosco e, sem dúvida, será investigado pelos historiadores da eternidade.

Entre esses fiéis intercessores do tempo de Cristo, encontramos Simeão, um homem justo (Lc 2.25-35), e Ana, uma profetisa que, jejuando e orando, servia ao Senhor (Lc 2.36-38). Eles faziam parte de um grupo maior (Lc 2.38) que não apenas aguardava, mas indubitavelmente intercedia constantemente pela chegada do Messias. Outro desses fiéis foi José de Arimateia (Lc 23.51). Que honra será na eternidade ter compartilhado desse papel de preparação para a vinda de Cristo! Agora você e eu temos o privilégio de ajudar, com a nossa intercessão, a preparar sua segunda vinda.

Em cada grande reavivamento ou tempo de colheita espiritual na Igreja cristã, a história tem registros de preparação por parte do povo de Deus. Deus normalmente usa alguns evangelistas com mensagens proféticas, especialmente antes de realizar alguma obra poderosa. Mas, de longe, a maior preparação parece ser compartilhada por inúmeras pessoas comuns, muitas vezes em lugares escondidos. É delas a preparação de oração. Com frequência, a extensão da preparação de oração não é conhecida até que se cumpra a obra do poder de Deus, quando então a pesquisa posterior descobre os verdadeiros fatos.

Isso foi verdadeiro no reavivamento das *United Prayer Meetings* que se espalharam pela América do Norte em meados de 1800 e levaram aproximadamente 1 milhão de pessoas a Cristo. Isso foi verdadeiro no reavivamento em Gales em 1904-1906, que levou mais de 1 milhão de pessoas ao reino de Cristo. E é verdadeiro ainda hoje em muitas localidades e cidades ao redor do mundo. A história das missões prova que raramente existe uma obra de Deus poderosa sem a preparação prévia por meio da oração.

Por que a preparação é necessária?

A salvação, a colheita e o reavivamento são obras sobrenaturais do Espírito Santo. Os crentes mais dedicados não podem produzir resultados espirituais por esforço próprio. Na verdade, Deus sempre usa seres humanos. É seu método de trabalho. A obra espiritual é, no entanto, uma obra divina. Os nossos esforços não podem obter a bênção de Deus. Nenhum mérito espiritual acumulado obriga Deus a responder à nossa oração.

Podemos aperfeiçoar a estrutura e a eficiência das nossas organizações. Podemos aumentar o número de pessoas envolvidas nos nossos esforços evangelísticos. Podemos incrementar o uso de literatura, rádio ou outro meio de comunicação. Podemos fazer ampla propaganda — e mesmo assim não obter resultados espirituais. Podemos usar todas as palavras certas, as passagens bíblicas certas, os métodos certos e até mesmo as pessoas certas. Porém, a menos que Deus dê sua unção, outorgue poder e nos ajude, os nossos resultados serão meramente humanos. Espiritualmente, permaneceremos estéreis.

Quando Deus deseja fazer uma obra poderosa de salvação e colheita espiritual, ele convoca o povo a se ajoelhar. O Espírito Santo coloca um profundo desejo no coração dos filhos de Deus que estejam próximos a ele para ouvir sua voz. Quando o coração deles clama por Deus, ele os guia a passar mais e mais tempo em oração. Ele os conduz a se unirem a outros cristãos para acrescentarem jejum às orações, porque o desejo do coração deles é tão intenso que querem dar esse passo extra mais custoso na busca da visitação sobrenatural de Deus.

Muitas vezes Deus usa pastores ou outros líderes cristãos para fazerem apelos por oração especial ou separar dias para oração e jejum. Com mais frequência, Deus leva as pessoas, uma a uma, a dar passos para aprofundar sua vida pessoal de oração. Muitos reavivamentos locais conduzidos pelo Espírito Santo foram apoiados pela preparação de oração de duas ou três pessoas em um ou mais lugares, orando individualmente ou juntas, durante meses ou até anos. Quando elas se humilharam perante Deus, pedindo sua misericórdia e reivindicando suas promessas, foram usadas pelo Espírito para preparar uma obra de Deus poderosa. Esse é o papel para o qual Deus precisa de você e da sua oração.

22

Como você pode preparar o caminho do Senhor

Em certo sentido, o propósito deste livro é ajudar você a capacitar-se para preparar mais efetivamente o caminho do Senhor em muitos lugares — seja na sua igreja local, na sua comunidade, na sua denominação, em uma sociedade missionária ou nos campos missionários em toda parte do mundo. Você pode estar orando por tudo isso simultaneamente, mas há uma consciência de que devemos todos ter uma visão mundial, uma responsabilidade mundial e um ministério mundial de intercessão.

Visto que o Capítulo 32, a seguir, é dedicado à oração por indivíduos, este capítulo se restringirá à oração por grupos maiores ou por alguma área específica do mundo. As sugestões práticas são aplicáveis tanto à oração por reavivamento ou quanto à oração por grande colheita evangelística.

Abençoada é a sociedade missionária, a organização, a igreja local ou a denominação que não apenas tem uma ampla base de parceiros de oração em seu rol de membros comprometidos, mas também conta, dentro do grupo maior, com alguns que oram com fé e perseverança, persistindo e crendo no frequente derramar do Espírito de Deus sobre aquele grupo ou organização. Você está disposto a ser usado por Deus como um de seus intercessores ocultos que preparam o caminho do Senhor?

Preparando o seu coração

Se você está ávido para que Deus o use como um de seus intercessores ocultos, há alguns passos a serem dados a fim de preparar o seu coração para esse ministério:

1. Renove e desafie o seu coração lendo os relatos bíblicos e históricos de colheita e reavivamento. Leia e releia os relatos de bênção de reavivamento sobre Davi (1Cr 28.1—29.25); Asa (1Rs 15.9-24; 2Cr 14—16); Elias (1Rs 17—18); Josafá (2Cr 17; 19.1—20.33); Ezequias (2Rs 18—19; 2Cr 29—32); Josias (2Rs 22.1—23.30); e a igreja do Novo Testamento (Atos).

Livros têm sido escritos para registrar estimulantes relatos de reavivamento na América, em Gales e outras partes do mundo. Esses testemunhos aprofundarão a sua fome de participar e nutrirão a sua fé.

2. Colete informação e estatísticas para evidenciar a necessidade do mundo e da igreja. Concentre-se nos mais de 2 bilhões de pessoas do mundo que ainda não foram alcançadas, assim como nas trevas espirituais das religiões não cristãs, na tremenda reatividade de algumas áreas do conhecimento e nas opressivas dificuldades de outras. Concentre-se nos pecados da raça humana, na insegurança, na injustiça, no crime, na imoralidade, no terrorismo e em outros males. Concentre-se na apatia espiritual de tantos que alegam ser cristãos, na pobre ou declinante frequência de tantas igrejas, na necessidade de nova vida espiritual e nos desafio que se veem por toda parte.

3. Medite em passagens bíblicas nas quais Deus promete grande bênção, colheita e reavivamento, e em passagens nas quais os filhos de Deus oraram por reavivamento. Aqui estão alguns exemplos: 2Crônicas 7.14; Salmo 80.18,19; 85.6; Isaías 32.12-17; 35; Jeremias 32.2,3; Lamentações 3.40-50; Oseias 6.1-3; 14.1,2; Habacuque 3.2; João 7.38.

4. Certifique-se de não haver nada no seu coração que possa impedir sua oração. Lembre-se de que a oração pode ser bloqueada por pecado acalentado no seu coração (Sl 66.18), orgulho (1Pe 5.5,6), falta de perdão (Lc 11.4), conflito pessoal com outra pessoa (Mt 5.23,24) ou conflito conjugal (1Pe 3.7).

Preparando o caminho do Senhor

1. Dê à oração por reavivamento e colheita um lugar especial na sua lista regular de oração. Certifique-se de orar por isso em algum momento do dia.

2. Faça uma lista de pedidos específicos de oração. Sempre que houver períodos longos de oração, dedique tempo aos itens da sua lista. Ore para que Deus:

a. Aprofunde o desejo ardente nos membros do seu grupo, nos cristãos da área ou em outras que se preocupam com o mundo.
b. Revele uma nova dimensão de santidade e poder. Esta é sempre uma importante preparação para o poderoso agir de Deus.
c. Produza um santo descontentamento com as coisas tais como estão.
d. Avive e fortaleça a fé para que seja a vontade de Deus trabalhar dessa forma.
e. Dê a seus filhos nova sensibilidade à sua orientação e à sua voz.
f. Dê a seus filhos o desejo de serem usados por ele e de obedecer-lhe.
g. Dê humildade de coração perante ele, com confissão de pecado, atribuindo-se toda a glória a Deus.

h. Dê nova consciência a seu povo quanto à urgência dessa necessidade.
i. Prepare os indivíduos-chave que ele planeja usar.
j. Motive e coordene a oração e a fé de grande número de cristãos para que eles continuem em ardente e frequente oração.

3. Esteja preparado para aceitar o tempo oportuno de Deus, seus métodos e seu povo. Não tente programar Deus; confie nele para agir de maneiras superiores a tudo o que você poderia pensar ou planejar.

4. Procure oportunidades para passar tempo extra em oração. Somos incapazes de reconhecer o potencial dos momentos que deixamos passar quase despercebidos. Cada minuto é potencialmente uma bênção se usado para o Senhor. Momentos perdidos estão perdidos para sempre. Encontre tempo para investir na eternidade ao elevar o seu coração a Deus em oração.

5. Programe períodos especiais de oração para si mesmo. Minutos economizados aqui e ali e investidos em oração são de valor eterno. Clame a Deus repetidas vezes durante o dia. Nenhuma oração sincera é insignificante. O tempo especialmente programado para oração, entretanto, permite que a sua oração se torne mais profunda e mais intensa. Ore de maneira intensa e extensa. Se possível, separe um dia por semana no qual possa planejar um período especial com Deus, preparando o caminho dele. Se necessário, diga a seus amigos que você tem um compromisso especial — na verdade, será mesmo especial, porque é um compromisso com o Senhor.

6. Ore publicamente por reavivamento e colheita. Faça uso de orações voluntárias nos cultos públicos para orar por essas necessidades. Isso pode ajudar a aumentar o interesse de oração de outras pessoas.

7. Mencione o seu interesse e encorajamento nos seus testemunhos. Quando houver oportunidade em reuniões de oração ou em testemunhos pessoais, compartilhe como Deus está aprofundando a sua oração e a sua fé por reavivamento e colheita. Você poderá compartilhar como Deus está abençoando em outros lugares. Confie em Deus para orientá-lo a estimular os outros por meio do seu testemunho.

8. Use literatura cristã e material de apoio para motivar outros. Ao encontrar literatura disponível e de baixo custo, use-a como uma prece — em suas cartas, pessoalmente ao se reunir com amigos, no seu grupo de oração, ou como Deus puder guiá-lo. Empreste livros desafiadores. Envolva tantas pessoas quanto for possível no desafio de preparar o caminho do Senhor.

9. Estimule a seleção de colheita ou reavivamento como um tema para ocasiões especiais. Quando houver oportunidade de ser membro de uma comissão da igreja, ou de outras ocasiões de planejamento, sugira o reavivamento ou a colheita como um tópico para ênfase especial.

10. Mantenha arquivos sobre reavivamento e colheita. Ao encontrar artigos, poemas ou reportagens sobre reavivamento e colheita, arquive-os para possível uso posterior.

11. Acrescente o jejum à sua oração regular. Pode haver momentos em que o desejo do seu coração, a urgência de uma necessidade ou a importância de uma situação pode motivá-lo a acrescentar jejum à sua oração. Você pode fazer um jejum parcial de um ou mais alimentos. Lembre-se de que o jejum espiritual fortalece o seu ardor por Deus. Deus vê e honra o jejum, mas não obtemos a resposta de Deus por meio do jejum

(v. Capítulo 13). A igreja primitiva jejuava às quartas e às sextas-feiras. John Wesley insistia em que seus seguidores adotassem este plano também. Quando você programa um jejum regular, deve, se possível, passar o tempo da refeição em oração. E evite dizer aos outros que você está jejuando.

Sugestões relacionadas ao seu período de oração

1. Comece o seu período de oração com alegria. Normalmente, você deve entrar na presença do Senhor com ação de graças (Sl 100.4). Você talvez se sinta profundamente sobrecarregado ao buscar, semana após semana, preparar o caminho do Senhor em colheita e reavivamento, mas não negligencie a alegria da oração.

2. Seja sensível à disposição de ânimo do Espírito Santo. Lembre-se de que o Espírito Santo é uma pessoa que habita em você, o ama e deseja orar por seu intermédio. É fisicamente exaustivo manter qualquer estado emocional por um período prolongado, a menos que você perceba alguma mudança. O Espírito Santo chora e geme sob o peso da oração (Rm 8.26,27), mas isso não significa necessariamente que você fará o mesmo. Quando o Espírito Santo ora por seu intermédio, sua disposição pode ser de apreensão às vezes e, em outras ocasiões, de alegria.

Quando John Hyde da oração, poderoso guerreiro de oração da obra missionária presbiteriana na Índia, carregou pesados fardos de oração antes das Convenções de Sialkot, orou com grande intensidade durante horas e até dias. Quase sempre, no entanto, em meio ao choro sob o peso da oração, o Espírito Santo o impressionava com uma das promessas de Deus, e ele começava a cantar e a louvar ao Senhor e até mesmo rir de alegria!

3. Permita que a Palavra de Deus fale ao seu coração. Você pode ser lembrado de algumas passagens ou promessas que nutrirão a sua fé. O melhor plano, no entanto, é ler a Bíblia regularmente. A Palavra de Deus está repleta de bênçãos. Baseie a sua vida na Palavra de Deus como um todo, e não apenas em passagens favoritas. Você descobrirá que a bênção exata de que necessita encontra-se no trecho ao qual você se dedicar naquele dia.

4. Use hinos e coros em oração. O verso de um hino ou de um coro pode vir à sua mente durante a oração. Cite-o, cante-o silenciosamente ou, se estiver sozinho e desejar fazê-lo, cante em voz alta. As palavras podem expressar exatamente o desejo da sua alma, a fé pela qual você busca Deus. Muitas pessoas encontram bênção em manter um hinário no seu local de oração.

5. Ore com lápis e papel ao lado. Se outras necessidades de oração precisam vir à sua mente durante o momento especial de oração por colheita e reavivamento, anote-as para não as esquecer. Se essas necessidades estiverem de alguma forma relacionadas com o seu principal interesse de oração, você pode sentir-se levado a orar por elas também e depois voltar ao seu tema original.

Deus pode trazer à sua mente passos de obediência que você deve dar para ajudar a responder às orações. Faça uma breve anotação para lembrar-se deles mais tarde. Talvez você deva escrever algumas cartas, ou ajudar algumas pessoas de alguma forma. Após ter anotado em papel as sugestões de Deus, volte à sua prioridade de oração. Não se distraia ou negligencie o seu propósito principal.

6. Permaneça sensível a qualquer ordenamento que possa fortalecer o amor e a unidade. Uma poderosa obra do Espírito quase sempre se fortalece ou se inicia quando alguém obedece ao estímulo de Deus em oração e busca perdão por alguma ofensa cometida (Mt 5.23,24). Por outro lado, quando o conflito interpessoal é apresentado e você não obedece, isso pode bloquear as respostas à sua oração.

(Observação: A pergunta não é quem está errado ou quem está mais errado. Se você sabe que alguém se sente tenso, negativo ou magoado em relação a você, essa exortação é uma ordem direta do Senhor. A sua oração pode ser bloqueada até que você obedeça à mensagem de Mateus 5.23,24. No entanto, tendo se humilhado e obedecido, o seu canal de oração está limpo, não importa como a outra pessoa aja ou responda.)

7. Encerre o seu momento de oração com ação de graças. A oração do Senhor começa e termina com louvor. Alguns salmos bíblicos fazem o mesmo. Quando terminar a sua oração, declare ao Senhor novamente quanto você o ama. Regozije-se em sua bondade e em suas promessas e siga o seu caminho, sabendo que Deus ouviu as suas orações e que você contribuiu para preparar o caminho do Senhor.

23

Você pode experimentar e compartilhar o reavivamento

A maravilhosa vontade de Deus é que você e a igreja experimentem o máximo possível de bênçãos. A amorosa provisão da permanente presença do Espírito em cada crente nos encoraja a esperar que o Espírito esteja graciosamente presente na reunião de adoração e serviço dos crentes. Se Deus é um doador abundante no campo material, quanto mais ele proverá para nós no campo espiritual (Lc 11.13).

O reavivamento é plano universal de Deus

A renovação parece ser o plano de Deus para o ser humano, para a natureza e para a igreja. O alimento abastece o nosso físico e nos dá força e renovação; o sono provê descanso e restauração tanto à mente quanto ao corpo. Para grande parte da terra, o ciclo de estações propicia renovação anual. Que alegria ver os botões da primavera abrindo nas árvores após a esterilidade do inverno! Em grande parte da Índia e em muitos outros países tropicais, as pessoas e a natureza suportam a longa e seca estação à espera da chegada das chuvas das monções, que renovam a terra ressecada.

Para os cristãos, Deus também ordenou tempos de renovação espiritual caracterizados por uma nova vida e poder, alegria espiritual e bênção e uma nova fragrância e frutificação para o Senhor. Normalmente, chamamos essa experiência de "reavivamento". Esses períodos de bênção especial vêm muito raramente, e alguns grupos eclesiásticos parecem nunca experimentá-los. Até mesmo pastores e pessoas que procuram viver em contínuo reavivamento falam sobre tempos de aridez espiritual aos quais eles não conseguem relacionar alguma desobediência específica ou deliberada negligência. Todo cristão precisa, muitas vezes, de um novo toque de Deus sobre sua vida. De fato, os *tempos de refrigério* vêm do Senhor (At 3.20).

O simbolismo do Espírito Santo nos encoraja a esperar uma abundância de sua presença e de seu ministério. O óleo da unção, símbolo do Espírito, foi derramado sobre a cabeça de Arão em tal abundância que escorreu por sua barba e desceu por suas vestes (Sl 133.2). A água, símbolo do Espírito Santo, é prometida em abundância. Deus a faz jorrar (Sl 78.20; 105.41; Is 35.6; 48.21). Ele provê riachos e rios (plural) de bênçãos (Sl 46.4; 78.16; 126.4; Is 30.25; 33.21; 35.6). O rio sobrenatural de Ezequiel miraculosamente se aprofundou e se alargou (Ez 47.1-5), levando vida por onde passava (v. 9,12).

Deus "derrama" o Espírito sobre seu povo como água doadora de vida. *Porque derramarei água sobre o sedento e torrentes sobre a terra seca; derramarei o meu Espírito sobre a tua posteridade e a minha bênção sobre a tua descendência* (Is 44.3; v. tb. Is 32.15; Ez 39.29; Jl 2.28,29; At 2.17,18). O Espírito Santo não é apenas derramado sobre os filhos de Deus; ele se derrama sobre a vida deles como correntes de água, levando bênção a outras pessoas (Jo 7.38,39).

Quanto mais espiritual for uma pessoa ou uma obra, mais urgentes se tornam as visitações frequentes de Deus. É a diferença entre o mero reavivamento e a vida abundante; entre a ortodoxia evangélica e a vitalidade evangélica; entre estar contente com o *status quo* e experimentar novas e estimulantes unções do Espírito Santo.

Todos nós cremos em renovação e reavivamento. Sabemos que precisamos disso. Mas queremos realmente o reavivamento para vermos a face de Deus, a ponto de pagarmos o preço para preparar o caminho para a vinda de Deus? Ninguém pode prever o reavivamento, ninguém pode programar o reavivamento, ninguém pode obter o reavivamento. Não podemos gerar reavivamento por meio de fidelidade, serviço ou atividade espiritual. Deus é a única fonte de reavivamento.

O que queremos dizer por "reavivamento"?

Uma distinção adequada é frequentemente feita entre evangelização e reavivamento. Todo amplo movimento do Espírito de Deus entre seu povo parece estar relacionado a um evangelista, profeta ou instrumento humano. No entanto, mesmo por Deus, o evangelismo dirigido divinamente, embora traga bênção e fruto espiritual, fica aquém do reavivamento. Então, o que é reavivamento?

O reavivamento é uma manifestação do Deus santo, soberano e onipotente. É Deus visitando seu povo com bênção especial e renovada. Os reavivamentos normalmente produzem uma nova consciência, uma nova revelação, uma nova sensibilidade e às vezes um impressionante senso da santidade de Deus e das necessidades mais justas. São momentos em que Deus mostra seu santo braço na salvação e sua santa voz na consciência das pessoas. Os reavivamentos são súbitas intervenções do agir soberano e sobrenatural de Deus na vida e no testemunho da igreja. Em certo sentido, são um antegozo messiânico da conquista final de Cristo. São sempre obra do bendito Espírito Santo.

Duas teorias apresentam pontos de vista cristãos extremos com relação ao reavivamento. Um ponto de vista reconhece a realidade do reavivamento, mas afirma que esse agir soberano de Deus depende inteiramente dele, e nós não podemos fazer nada, a não ser esperar até que Deus decida nos visitar novamente. O outro extremo acredita que, por meio dos nossos esforços religiosos, podemos produzir reavivamento. Se orarmos o suficiente, seremos capazes de obter reavivamento a qualquer tempo. A verdade bíblica e a experiência do povo de Deus demonstram repetidamente que, embora o povo de Deus tenha um papel muito importante em preparar o caminho do Senhor, nenhuma pessoa ou grupo pode programar como, quando ou onde um reavivamento ocorrerá.

Alguns têm interpretado João 3.8 (*O vento sopra onde quer*) para defender a incerteza da obra do Espírito. Sugiro que esse trecho ilustra que o Espírito retém sua soberana vontade com relação a seu divino agir. O texto aponta para a invisibilidade da obra do Espírito, e não para a incerteza de seu agir. Sugere uma natureza misteriosa para a ação de Deus, e não uma natureza caprichosa. O Espírito Santo não é o vento. É apenas simbolizado em alguns aspectos pelo vento. O Espírito Santo é um Deus de propósito. Age de acordo com seu plano e por motivos santos. É um Deus de promessa, de aliança imutável, de poder e de santidade, que deseja que participemos de sua obra.

As alianças e as promessas de Deus nos revelam ser vontade de Deus abençoar seu povo. Essas alianças e promessas incluem as condições estabelecidas por Deus para essa bênção — nossa resposta à sua Palavra, a seu chamado e à sua provisão. Suas promessas serão cumpridas. Deus assim ordenou. Mas primeiro devemos nos humilhar, buscar sua face e dar passos mais ativos de obediência.

A história do reavivamento destaca dois papéis especiais aos filhos de Deus: a oração e a obediência. A obediência pode envolver muitas coisas, mas sempre envolve oração. Se existe uma questão-chave para o reavivamento, às vezes oculta, mas sempre presente, é a oração. A obediência da oração leva a todas as outras obediências necessárias.

Quando você deve orar por um reavivamento pessoal?

Como você sabe quando o seu coração precisa de reavivamento espiritual? Como você sabe que é momento de se buscar devotamente um novo revigoramento e a bênção do Senhor? Eis algumas sugestões de momentos em que você deve orar:

1. Quando você percebe uma falta de interesse, uma contínua falta de apetite espiritual pela Palavra, por oração e por comunhão da igreja.
2. Quando a Palavra de Deus raramente o abençoa verdadeiramente; quando você quase nunca tem o desejo de separar mais tempo para ler a Palavra de Deus e se banquetear com ela; quando você raramente sente o Espírito lhe falar enquanto lê a Palavra de Deus.
3. Quando você sente falta de profunda humildade, de generosidade nascida do Espírito e de amorosa paciência.
4. Quando você demonstra falta de verdadeira compaixão pelas pessoas que sofrem e têm necessidades; quando você sente pouca preocupação pelas pessoas sem Cristo, e pouco

senso de responsabilidade pessoal pela presença de Deus e de bênção na sua igreja ou no seu grupo local.
5. Quando a oração é para você mais uma responsabilidade do que uma alegria; quando Deus raramente coloca no seu coração pessoas que precisam de oração; quando você raramente sente a proximidade de Deus ao orar.

Quando você deve orar por um reavivamento do grupo

Como você sabe quando é preciso estar profunda e piedosamente preocupado com um novo reavivamento na sua igreja local ou qualquer grupo do qual você é participante?

1. Quando o seu grupo de oração está sem vida; quando as pessoas não parecem ansiosas por orar; quando há poucas orações ou pedidos hesitantes a Deus pelo que ele está fazendo.
2. Quando os cultos da igreja ou do grupo raramente são marcados pela consciência da presença pessoal de Deus falando com as pessoas; quando o culto parece não ter espontaneidade, alegria e ação de graças transbordante; quando há uma congregação envelhecendo, com óbvia falta de jovens e recém-casados.
3. Quando os membros parecem apáticos a respeito da seriedade do pecado ou deixam de demonstrar senso de responsabilidade ética e moral; quando a igreja carece de visão e profunda preocupação em levar a comunidade e novas pessoas a Cristo.
4. Quando as pessoas raramente são conduzidas pelo Espírito de Deus a testemunhar aos outros, não ajudam os necessitados nem levam encorajamento aos outros; quando se

entregar à causa de Deus não traz alegria, é relutante e inadequado; quando as pessoas carecem de visão pelo que Deus deseja fazer por meio delas como grupo.
5. Quando há tensão interpessoal, espírito partidário ou falta de perdão na igreja ou no grupo.

A SUA ORAÇÃO PREPARA O CAMINHO PARA O REAVIVAMENTO

Você pode preparar o caminho para um novo despertar espiritual, para uma real visitação do Espírito Santo sobre o povo de Deus e para a renovação moral e espiritual que o verdadeiro reavivamento produz. As sugestões e ilustrações a seguir podem orientá-lo nesse sentido.

1. Peça ao Espírito Santo que aprofunde a sua fé. A preparação inicial de Deus por reavivamento sempre começa no coração de uma ou mais pessoas quando elas desejam a renovada presença e o poder de Deus. Alguém disse que, quando Deus planeja bênção para seu povo, ele convoca a igreja a orar. Se você tem fome de ver Deus agir, esse santo desejo vem do Espírito Santo. Peça a Deus que aprofunde a sua fome pelo divino agir na sua vida, na sua igreja ou grupo, ou onde quer que você seja levado a focar a sua oração.

2. Peça a Deus que lhe dê o encargo de oração por reavivamento. Um encargo de oração é um dom precioso de Deus confiado a você para o cumprimento do propósito divino. Seja por reavivamento no seu coração, seja na igreja ou em algum campo missionário, Deus tem prazer em designar responsabilidade espiritual a seus intercessores.

Um piedoso irmão cristão da Inglaterra foi um dos intercessores ocultos de Deus (Is 62.6,7) muitas décadas atrás. Ele orou constantemente pela obra de uma das grandes sociedades missionárias que trabalhavam na China. Após sua morte, alguém encontrou em seu diário mais de vinte listagens com os nomes dos postos missionários na China, incluindo anotações de que Deus o havia capacitado a fazer a oração de fé por reavivamento naquele lugar. Depois da investigação, descobriu-se que, de fato, Deus tinha mandado um despertamento espiritual a cada um daqueles lugares durante um período de anos, na ordem exata em que seu intercessor secreto havia apontado! Ninguém soube a respeito desse guerreiro de oração até sua morte, mas Deus conservou o registro. Que recompensas e santas surpresas o céu revelará quando os filhos de Deus que labutaram em oração receberem suas recompensas especiais!

3. Peça a Deus que lhe dê alguma promessa a ser reivindicada pela fé. Deus cumpre suas alianças; suas promessas são verdadeiras. Peça a ele que imprima em seu coração alguma promessa na qual você possa permanecer pela fé enquanto ora por reavivamento. Uma promessa maravilhosa usada repetidas vezes encontra-se em 2Crônicas 7.14. Mas existem muitas outras na Palavra de Deus. O Espírito Santo pode imprimir qualquer uma delas no seu coração.

4. Humilhe o seu coração perante Deus em oração. Confesse a Deus quão indigno você é para interceder por essa necessidade. Deus dá grande graça e reavivamento aos que se humilham perante seu trono (Is 57.15).

5. Peça a Deus que o leve a um parceiro de oração e depois concorde em oração. À medida que o seu interesse se aprofunda, Deus pode levá-lo a alguém que já compartilha da sua visão e responsabilidade, ou que rapidamente se tornará um parceiro em espírito com você. Quando os filhos de Deus concordam em oração (Mt 18.19), as respostas divinas são apressadas (v. Capítulo 34).

A história completa de como Deus usa as orações de seus filhos para preparar o reavivamento raramente é conhecida neste mundo. O meu querido amigo, rev. Duncan Campbell, ministro da Igreja da Escócia e por muitos anos diretor do *Faith Mission Training Home and Bible College*, de Edimburgo, compartilhou comigo o início do maravilhoso reavivamento das Ilhas Hébridas, conhecido como "o despertamento Lewis".

Duas mulheres idosas do vilarejo de Barvas, na ilha de Lewis, começaram a orar todas as noites quando concordaram em orar para que Deus enviasse um reavivamento à comunidade. Noite após noite, elas intercederam a Deus. Após alguns meses, sem o conhecimento dessas mulheres, vários jovens devotos começaram a se reunir todas as noites no outro lado do vilarejo para orarem por reavivamento. À medida que as senhoras continuavam a pedir, Deus lhes revelou que o conhecido rev. Duncan Campbell iria a Barvas. Quando elas lhe escreveram convidando-o para um culto, ele infelizmente declinou, explicando que sua agenda estava lotada. As mulheres responderam: "O senhor pode dizer que não vem, mas Deus diz que o senhor virá!"

Algum tempo depois, o pastor da igreja presbiteriana local, rev. James M. MacKay, participou de uma das convenções das Ilhas Britânicas. Enquanto estava lá, o dr. Fitch sugeriu que ele convidasse o sr. Campbell para reuniões especiais.

Em dezembro de 1949, Duncan Campbell finalmente chegou às Hébridas para uma série de reuniões. Após várias noites, a impressionante presença de Deus desceu sobre o vilarejo, gerando profunda convicção do pecado. Dali, o reavivamento se espalhou de vilarejo em vilarejo numa série de ondas, que continuaram de 1949 a 1953, até a vida de toda a comunidade ser transformada. Muitas pessoas, repentinamente convencidas pelo Espírito Santo enquanto estavam sentadas em suas casas, caíram com o rosto no chão perante o Senhor e foram poderosamente convertidas. Outras foram atingidas de surpresa pelo Espírito ao descerem a rua e caíram de joelhos para orar. Numa única noite, havia tantas pessoas orando fora da delegacia que os policiais tiveram de chamar o pastor e Duncan Campbell.

Bares foram fechados por falta de movimento. Ônibus atravessavam a ilha levando multidões às reuniões. Os cultos se estendiam às vezes até as 2 ou 3 horas da madrugada. Igrejas que tinham uma frequência de apenas quatro ou cinco pessoas aos domingos pela manhã ficavam lotadas semana após semana. Reuniões de oração tornaram-se o centro da vida do vilarejo. O reavivamento veio de Deus, mas, tanto quanto pode ser conhecido do ponto de vista humano, começou quando Deus dirigiu duas senhoras idosas a concordarem em oração.

6. *Convide outras pessoas para se unirem em reuniões especiais de oração por reavivamento.* Reuniões locais podem ser convocadas com o propósito de buscar a face de Deus. Cartas podem ser enviadas a pessoas até mesmo em locais distantes para se unirem em intercessão até que Deus responda. O reavivamento chegou à obra da OMS em Pequim, na China, depois que missionários oraram e jejuaram todos os dias pontualmente ao meio-dia durante seis semanas. Alguns pastores locais pediram para se juntarem ao grupo. O reavivamento desceu, espalhando-se primeiro nas igrejas urbanas em Pequim e depois nas igrejas dos vilarejos.

O grande reavivamento que varreu a América do Norte em 1857-1858 ficou conhecido como "o reavivamento da reunião de oração unida". Começou quando um homem convidou alguns outros para orar junto com ele ao meio-dia em 23 de setembro de 1857, na Igreja Holandesa Reformada do Norte, na cidade de Nova York. Gradualmente as multidões aumentaram. À medida que a notícia da reunião de oração chegava às cidades afastadas, outros grupos de oração surgiam.

Após seis meses, só na cidade de Nova York, 10 mil empresários se reuniam diariamente ao meio-dia. Em maio, 50 mil haviam se convertido naquela cidade. Reuniões de oração unidas começaram a se espalhar pela Nova Inglaterra, descendo de Ohio Valley até o Texas e alcançando a costa oeste. Grande parte dos Estados Unidos e do Canadá foi coberta por esse espírito de intercessão alimentado em reuniões de oração unidas.

Os metodistas relataram 8 mil conversões em suas igrejas em uma semana. Os batistas registraram 17 mil conversões num período de três semanas. Durante dois anos houve um aumento médio semanal de 10 mil no rol de membros das igrejas na América do Norte. Uma estimativa conservadora informa que, do total de 30 milhões que compunha a população americana naquela época, pelo menos 1 milhão se converteu a Cristo no período de um ano. Foi um reavivamento de âmbito nacional. Foi o agir soberano de Deus chamando pessoas à oração e respondendo-lhes poderosamente. Do ponto de vista humano, isso começou com um homem numa cidade e uma reunião de oração por reavivamento.

7. *Não se canse de permanecer em oração.* A oração por reavivamento local ou nacional pode continuar durante meses ou até anos antes de obter a resposta. Não desista. O reavivamento virá no tempo de Deus se você perseverar em oração (Gl 6.9).

Lembre-se de que você não pode escolher a forma como Deus agirá no reavivamento. Você não pode escolher a pessoa que Deus usará para ajudar a trazer o reavivamento. Deus ordenou agir por meio da instrumentalidade humana. Você jamais conhecerá todas as pessoas que Deus usa para preparar o caminho para o reavivamento. Mas de uma coisa você pode ter certeza: sempre é vontade de Deus convencer as pessoas do pecado e levá-las ao arrependimento. Sempre é a vontade de Deus visitar novamente seu povo com bênção espiritual e reavivamento. Você está disposto a ser um dos canais de Deus para o reavivamento? Seja o que for que Deus lhe peça, faça-o, e ele abençoará.

24

Permita que Jesus e Paulo orientem a sua oração

Se Jesus se preocupa com o nosso mundo hoje, é a mesma preocupação que ele teve quando esteve na terra — que a colheita seja feita. Jesus percebeu que seus discípulos ainda não tinham entendido a visão da colheita. Quase sempre, eles estavam mais preocupados consigo mesmos do que em alcançar os perdidos. Consequentemente, deixavam de ver, da perspectiva de Cristo, as pessoas que conheciam.

Jesus via as pessoas tais como eram e as amava. Seu amor alcançava e demonstrava a sua missão redentora à terra. Movido pelas necessidades das pessoas que sofriam, Jesus se aproximava delas. Olhe para Jesus e aprenda como ele deseja que o seu amor alcance outras pessoas.

Quando Jesus viu a sogra de Pedro doente na cama, foi até ela, tocou sua mão e a curou. Quando o leproso caiu aos pés de Jesus, estendeu a mão e o tocou. Quando dois cegos se aproximaram pedindo misericórdia, Jesus tocou os olhos deles, e eles passaram a ver. Jesus tocou os ouvidos e a língua de um homem surdo-mudo, e este começou a ouvir e falar. Aproximando-se, Jesus tocou no caixão do filho morto da viúva e restituiu a vida ao menino. Jesus tocou a orelha do servo do sumo sacerdote e a curou após Pedro tê-la cortado com a espada.

Sabemos, com base em outros exemplos, que Jesus só precisou falar, e a cura e a vida foram concedidos. Mas ele demonstrou seu amor aproximando-se das pessoas e as tocando. Quando ele pegou as crianças nos braços, estava demonstrando o amor de Deus, o amor que o Espírito Santo quer canalizar a outras pessoas através de nós (Jo 7.38).

Jesus, porém, não usou seus poderes dados por Deus para vantagem pessoal. Quando os samaritanos recusaram dar hospitalidade a Jesus, Tiago e João ficaram ofendidos e queriam que caísse fogo do céu em retaliação (Lc 9.54). Jesus viu os samaritanos como amados de seu Pai, alguns dos pecadores por quem ele ia morrer. Enxergou-os como parte da safra que ele viera colher.

JESUS QUER QUE VOCÊ TENHA A VISÃO DA COLHEITA

Barbeiros e cabeleireiros têm o foco no cabelo. Quando olham para uma pessoa, a primeira coisa que notam é o cabelo. Os dentistas têm o foco nos dentes. No momento em que veem uma pessoa, concentram-se nos dentes. Os cristãos deveriam se concentrar nas pessoas, em suas necessidades, na colheita. Jesus fazia isso. Quando um jovem se aproximou dele, ele o amou e considerou o vasto potencial de sua vida caso o rapaz apenas o seguisse. Observando um pescador, Jesus reconheceu que ele poderia se tornar um pescador de almas. Uma mulher pecadora foi vista através dos olhos de Jesus como a filha de Deus pura em que poderia se tornar quando seus pecados fossem perdoados.

Os discípulos de Jesus viam a colheita no futuro, mas não enxergavam as pessoas como colheita. Jesus discordou, dizendo que a colheita é agora. A colheita está sempre aqui conosco se tivermos olhos para ver. Jesus apontou para o povo samaritano andando na direção deles e declarou: *Eu vos digo: Levantai os olhos e vede os campos já prontos para a colheita* (Jo 4.35). Os samaritanos eram apenas um dos campos da colheita mundial. Jesus estava dizendo: "Vejam as pessoas como colheita! Tenham consciência da colheita. Concentrem o seu interesse no potencial de colheita espiritual de todos os povos da terra".

Jesus fez três exortações a respeito da colheita, que veremos a seguir.

1. Veja as pessoas como colheita. Ao passar pela vida a cada dia, faça-o com os olhos abertos. Veja as pessoas; veja suas necessidades. Veja-as como colheita.

O povo samaritano que Jesus mostrava aos discípulos era desconhecido para eles. Os discípulos não conheciam seus nomes ou alguma coisa mais sobre eles. Mas Jesus disse: "Olhem! Essas pessoas são parte da colheita".

Ao ver pessoas que precisam de Jesus, veja-as como elas podem ser em Cristo; veja o que elas podem significar para a causa de Cristo. Veja-as como pessoas que Cristo amou tanto que se dispôs a morrer por elas. Então ame-as e ore por elas (Jo 4.35).

2. Ore pela colheita. Ore por todos que você vê, encontra ou tem algum contato. Ore por aqueles que servem a você na empresa, no viver diário ou em uma viagem. Ore pelas crianças no parque, pelos motoristas de carros que param ao seu lado nos semáforos, pelos que esperam com você nas filas do supermercado.

A colheita imediatamente à sua frente deve sempre lembrá-lo da colheita além da sua vista. Um objeto fabricado no exterior que você compra ou usa apela para que você ore pelo povo daquele país. A transmissão da reportagem de um conflito numa nação estrangeira, a foto de uma criança morrendo de fome, uma notícia de qualquer lugar do mundo é um apelo à oração por aquelas pessoas e suas necessidades. Tenha consciência da colheita.

Seja um cristão mundial. Tenha uma visão mundial e seja um intercessor mundial. Permita que o seu amor seja tão grande quanto é o amor de Deus. Ele ama o mundo. Você amará o mundo para Deus hoje? Permita que o Espírito Santo faça fluir através de você o amor de Deus ao orar por todas as pessoas. Não ame o mundo apenas teoricamente; ame as pessoas verdadeiramente. Não repita apenas: "Abençoa o mundo todo, Senhor", e pense que sua responsabilidade de oração pelo mundo termina aí. Ame as pessoas, os povos, as nações.

Até mesmo orações de três palavras, como "Abençoa a Índia", "Abençoa a China", "Abençoa a Rússia", "Abençoa o Egito", podem não apenas ser orações válidas, mas orações poderosas se partirem de um coração amoroso que deseja expressar o amor de Cristo.

3. Ore para que outros compreendam a visão da colheita.

> *Jesus percorria todas as cidades e povoados [...]. Vendo as multidões, compadeceu-se delas, porque andavam atribuladas e abatidas, como ovelhas que não têm pastor. Então disse a seus discípulos: Na verdade, a colheita é grande, mas os trabalhadores são poucos; rogai ao Senhor da colheita que mande trabalhadores para a sua colheita.*
> (Mt 9.35-38)

Embora você possa esperar que Jesus tenha feito isso, ele não disse aos discípulos que olhassem para a colheita e então começassem a trabalhar. Ele lhes disse que orassem. Poucos meses depois do Pentecostes, a colheita da safra seria a incumbência em tempo integral dos apóstolos. Mas, antes da colheita, vinha a preparação por meio da oração.

Jesus sabia que, no momento em que os discípulos orassem, a visão deles sobre a colheita lhes inflamaria a alma, e eles seriam movidos com compaixão a fazer algo. É rara a pessoa que tem uma visão real da colheita e da responsabilidade de oração e não se envolve de outras maneiras quando Deus abre portas. A visão real, que leva à intercessão real, aprofunda o amor e o interesse por uma pessoa ou lugar e nos faz desejar ajudar de todas as formas possíveis — dando, pregando, servindo. O perigo é que estamos tão ocupados trabalhando que não oramos o suficiente.

O único pedido de oração que Jesus fez à igreja foi orar por colheita. Louve a Deus quando 99 ovelhas estão no aprisco, mas, enquanto uma permanece fora, não descanse até que ela seja encontrada e levada para dentro em segurança. Ministre onde você estiver, mas nunca se esqueça dos que ainda não foram alcançados. *Vamos a outros lugares, aos povoados vizinhos, para que também eu pregue ali, pois foi para isso que vim* (Mc 1.38). Por isso, Jesus passou pela Galileia e pelas áreas vizinhas, de vilarejo em vilarejo, sempre buscando alcançar as pessoas. *Tenho ainda outras ovelhas que não são deste aprisco. É necessário que eu também as conduza. Elas ouvirão a minha voz* (Jo 10.16).

A partir do momento em que você vir o mundo pelos olhos de Jesus, a oração pela colheita do mundo será uma das principais prioridades da sua intercessão.

Paulo também convoca você a ajudar em oração

Em suas cartas às igrejas que havia implantado, bem como àquelas das quais apenas ouvira falar (Roma, Colossos), Paulo tinha um pedido constante de oração. Ele o repetiu várias vezes; e, embora as palavras variassem, a mensagem era sempre a mesma: *Com a ajuda também de vossas orações por nós, para que, pelo favor que nos foi concedido pela intercessão de muitos, também por muitos sejam dadas graças a nosso respeito* (2Co 1.11).

O desejo de Paulo era de que todo cristão orasse pelo ministério dele. Quanto maior o número de cristãos orando e quanto maior o volume de oração, mais pessoas seriam abençoadas e louvariam a Deus quando suas orações fossem respondidas.

Paulo nunca tinha visto os romanos quando lhes escreveu, mas invocou Deus como sua testemunha *de como sempre vos menciono, pedindo constantemente em minhas orações* (Rm 1.9,10). Ele lhes suplicou: *Rogo-vos, irmãos, por nosso Senhor Jesus Cristo e pelo amor do Espírito, que luteis juntamente comigo nas vossas orações em meu favor diante de Deus* (15.30). Aos coríntios, o apóstolo escreveu que sempre agradecia a Deus por eles e estava orando por seu aperfeiçoamento (1Co 1.4; 13.9). Ele lhes pedia ajuda em suas orações (2Co 1.11).

Paulo escreveu aos efésios dizendo que, desde o momento em que ouvira falar a respeito da fé daquela igreja, não havia parado de agradecer a Deus por eles e lembrar-se deles em suas orações (Ef 1.15,16). Ele lhes pediu que orassem por sua vida e ministério (6.19,20), fazendo-lhes vários pedidos específicos de oração. Aos filipenses, Paulo escreveu que sempre que se lembrava deles, agradecia a Deus (1.3,4) e dependia das orações deles (1.19). Aos colossenses, aos quais nunca tinha visto pessoalmente, Paulo escreveu que, desde o dia que ouvira falar deles, não tinha parado de orar em seu favor (1.9) e lutava em oração por eles e pelo povo de Laodiceia (2.1). O apóstolo também pediu as orações deles (4.3).

Ao escrever aos tessalonicenses sobre sua oração por eles, Paulo usou palavras como *sempre* e *continuamente* (1Ts 1.2,3;

2Ts 1.11). Em ambas as cartas, pediu o apoio deles em oração (1Ts 5.25; 2Ts 3.1). Escreveu a Timóteo: *Ao mencionar-te sempre em minhas súplicas noite e dia* (2Tm 1.3), e lhe disse como as pessoas deveriam orar (1Tm 2.1-3,8). Em sua carta a Filemom, Paulo mencionou que se lembrava dele em oração (v. 4,6) e dependia de suas orações (v. 22).

Paulo foi o maior missionário de todos os tempos. Qual era, então, o segredo da bênção de Deus em seu ministério? Era a oração dos filhos de Deus. Para Paulo, esta oração intercessora era absolutamente essencial. Ele sabia que a única forma de implantar igrejas no Novo Testamento era por meio da oração e jejum de sua parte, e da oração dos irmãos em Cristo impregnando sua obra.

Não existe outro caminho para a colheita. Se Paulo visitasse as nossas igrejas hoje, tenho certeza de que diria: "Orem pela seara. Orem pelos obreiros da seara. Orem pelos novos crentes. Por meio de suas orações, vocês poderão se envolver na seara mundial".

25

A SUA ORAÇÃO PODE CEIFAR A COLHEITA MUNDIAL

Não existe interesse mais urgente no céu hoje do que a igreja completar sua tarefa da evangelização mundial. Deus quer uma casa cheia para a ceia matrimonial de seu Filho com sua noiva, a igreja (Mt 22.1-10; Lc 14.16-23). A volta de Cristo será adiada até que todos os povos de toda parte da terra tenham ouvido as boas-novas, mas a imperfeição do nosso testemunho e da nossa ceifa pode retardar sua vinda (Mt 24.14).

A missão da evangelização mundial depende, antes de tudo, de testemunho e oração. A oração deve preparar o caminho para a evangelização. A oração deve impregnar e cobrir a obra de evangelização. A oração deve acompanhar e conservar o fruto da evangelização. Somente quando a igreja orar é que haverá ceifadores suficientes entregando-se à evangelização e à colheita mundial (Mt 9.38).

Existe um tremendo desperdício de esforços evangélicos no que se refere à colheita: (a) Somente uma pequena parte do povo de Deus está envolvida na semeadura. (b) Somente uma pequena parte da semente que é lançada germina. (c) Somente uma pequena parte da semente que germina continua a crescer até produzir a colheita. (d) Somente uma pequena parte da colheita é plenamente utilizada.

O propósito deste capítulo é destacar algumas formas estratégicas pelas quais a sua oração pode desempenhar um papel vital nessa tarefa:

1. Pela oração, você pode se unir a qualquer equipe que está sendo usada por Deus.
2. A sua oração pode irrigar a seara.
3. A sua oração pode cultivar a seara.
4. A sua oração pode mudar a atitude dos governantes, que é crucial em muitos aspectos do ministério cristão e da igreja cristã.

Você pode se envolver na colheita

Você pode ter um estimulante papel em ceifar a colheita de Deus. Somente uma pequena porcentagem do povo de Deus está verdadeiramente envolvida na semeadura, na irrigação, no cultivo e no preparo de mais ceifadores, todavia todos nós podemos participar em um nível mais profundo do que jamais sonhamos.

Se você estiver disposto, a oração lhe dará um caminho para estar significativamente envolvido na colheita mundial. A oração não cancela a sua responsabilidade de testemunhar, contribuir e ajudar, mas lhe dá oportunidade de exercer influência mundial.

Pela oração, você pode se juntar a qualquer equipe. A qual equipe você gostaria de se juntar? À equipe de Billy Graham? A equipes que transmitem por poderosas estações de rádio a verdade de Deus à Rússia, à China, a terras muçulmanas? Ou a equipes que televisionam a mensagem aqui mesmo no nosso país? As suas circunstâncias, os seus talentos e outras razões podem impedir você de fazer tudo o que gostaria. Mesmo que você fosse participante de uma dessas equipes, não poderia estar senão em um lugar de cada vez.

Tenho notícias extraordinárias para você! Pela oração, você pode se unir a qualquer dessas equipes! Poderia estar em pé ao lado de Billy Graham toda vez que ele estivesse diante de um microfone para enfrentar uma multidão cheia de expectativa. Durante anos, orei por ele diariamente, e às vezes sentia estar em pé, exatamente ao seu lado, quando ele pregava o evangelho. Insisto que você faça o mesmo com relação aos evangelistas mundiais. Eles talvez nunca tenham consciência de que você faz parte de sua equipe. Você poderá lhes falar a respeito disso quando chegar no céu. Mas Billy Graham sempre soube da existência de milhares de pessoas em sua equipe de oração. Se esse número for duplicado em benefício da evangelização mundial, imagine os resultados!

Quando eu estava ministrando em Palmerston North, Nova Zelândia, há alguns anos, uma senhora me procurou no final do culto e disse que estivera de joelhos todas as manhãs, desde as 4 horas, orando por mim! Fiquei muito comovido. Ela havia dirigido sozinha alguns quilômetros numa noite chuvosa para me dizer isso.

Algumas semanas depois, ao final de um culto na zona rural na Austrália, uma querida senhora e seu marido, ambos com seus 80 anos, me contaram:

— Irmão Duewel, temos orado pelo senhor todos os dias às 4 horas da manhã. E durante anos temos pedido a Deus para mandá-lo à Austrália e a esta igreja!

Senti-me completamente indigno. Quem era eu para receber tais bênçãos de oração? Então compreendi por que o novo pastor de uma igreja da cidade, sem nos informar, havia abruptamente cancelado a reunião para aquela noite na igreja de sua cidade e reservado para mim aquela igreja rural. Ele nada sabia sobre as orações daquele casal. Mas Deus sabia. Eles faziam parte da minha equipe. Eram missionários aposentados que haviam trabalhado com os aborígenes da Austrália, mas também colaboravam com a minha equipe na Índia.

Pela oração, você pode pregar por meio de qualquer evangelista, transmitir mensagens de rádio a qualquer país, escrever um livro ou um hino cristão, ou trabalhar lado a lado com qualquer missionário ou colaborador internacional. Ao orar, você se torna parceiro de todos eles. Você não fica confinado ao tempo ou ao espaço. Peça a Deus que o guie ao ministério e às pessoas que ele quer que você apoie em oração.

Pela oração, você pode irrigar a seara. Talvez a maior necessidade entre o tempo de semear e o tempo de colher seja a chuva. Espiritualmente, *a semente é a Palavra* (Lc 8.11). Ela pode ser semeada por um testemunho dado, um folheto distribuído, uma porção lida da Bíblia, ou uma mensagem radiofônica ouvida. Quase sempre há um longo período de tempo — dias, meses ou até mesmo anos —, quando a semente parece permanecer dormente antes de começar a crescer.

Então, de alguma forma milagrosa, o Espírito Santo traz alguma semente à vida. O catalisador pode ser o exemplo de uma vida piedosa, ou experiências na vida da pessoa que recebeu a semente, ou talvez outro contato com a Palavra. Nem toda semente plantada produz fruto.

Jesus ensinou que a qualidade do solo que recebe a semente fez grande diferença na colheita. Em alguns povos e em algumas partes do mundo, o solo parece mais rochoso e improdutivo. Muitos corações estão tão endurecidos pela vida e pelos preconceitos que são como a semente semeada em solo praticamente impermeável. Há também lugares nos quais o crescimento da boa semente é sufocado por causa das ervas daninhas semeadas pelo inimigo, o Diabo (Mt 13.24-28).

Grande parte do solo é relativamente estéril por causa da falta de umidade. Se o solo for irrigado, a colheita será abundante. A grande diferença entre a esterilidade e a colheita em muitos lugares é a quantidade de água suficiente.

Espiritualmente falando, sementes suficientes têm sido semeadas para levar milhões a Cristo. A Palavra de Deus é verdadeira e eficaz. Não há falha na semeadura. O problema é a água! A oração é o caminho, quase sempre o único caminho, para irrigar a seara. Pela oração, você pode levar a bênção do Espírito Santo sobre qualquer esforço evangelístico em qualquer parte do mundo.

A Bíblia usa a água como um símbolo do Espírito Santo. Rios de água viva fluirão de sua vida como cristão (Jo 7.38). Como? Provavelmente de várias maneiras — por meio da sua piedosa influência, do fruto do Espírito produzido na sua vida, do seu testemunho. Mas certamente uma das principais formas é por intermédio da sua oração.

A oração é o meio ordenado por Deus para preparar a estrada por lugares espiritualmente secos e áridos, e a oração é a forma ordenada por ele para produzir a água refrescante do Espírito de Deus em vidas estéreis. Quanto mais você ora, mais a água flui do Espírito. Quanto mais você ora, mais a semente é irrigada. A sua oração tem o potencial de transformar qualquer coração ou área deserta num jardim do Senhor.

Como podemos colher uma safra de programas radiofônicos evangelísticos? Canalizando constantes correntes de oração para as transmissões. A extensão da colheita dependerá da quantidade de oração que houver para irrigar a semente.

Como podemos multiplicar a frutificação e a duração efetiva de uma cruzada de evangelização? Pela adequada saturação de oração antes, durante e depois das reuniões. Assim, a oração constante por uma área especial diminui rapidamente após o término da cruzada quando a equipe se move para outro compromisso, e a semente plantada em muitas vidas espera pelas chuvas vivificantes. Esse é o tempo de irrigar a semente por meio da oração.

As organizações de publicação cristã produzem toneladas e toneladas de boa literatura evangelística. Milhões de porções das Escrituras são distribuídas no mundo todo a cada ano. Se 10% da semente semeada produzisse uma colheita, que colheita testemunharíamos! Está faltando uma coisa — oração adequada para irrigar a seara. Você pode fazer algo a respeito disto, se quiser.

Pela oração, você pode cultivar a safra. A semente é semeada e irrigada, e a minúscula muda começa a brotar. Esse é outro momento crítico, quando o cultivo depende de acompanhamento por meio de oração. Jesus advertiu que as dificuldades, as perseguições e as preocupações desta vida, assim como a falsidade das riquezas, levariam alguns a se desviarem e a se tornarem infrutíferos (Mt 13.20-22).

Como mencionado anteriormente, a pressão de familiares e de amigos não crentes atrapalha muitos. Em algumas partes do mundo nas quais as famílias são unidas e as tradições são sagradas, os que professam a crença em Cristo correm o risco de sofrer grave perseguição. Além de serem expulsos de suas casas, crentes novatos percebem que oportunidades educacionais podem ser perdidas; outros podem perder seus clientes ou empregos; outros podem ter o vestuário e outros bens confiscados ou destruídos. Em certos ambientes muçulmanos e comunistas, o risco inclui prisão ou até a perda da vida àqueles que forem conhecidos como seguidores de Cristo.

Existe algo que você pode fazer para ajudá-los — algo extremamente poderoso. Você pode orar diariamente. Ajude de qualquer outra forma que puder, mas, acima de tudo, ore insistentemente para que Deus proteja os novos crentes. A sua oração pode encorajá-los, fortalecê-los e protegê-los durante esse período crucial da nova vida.

Pela oração, você pode influenciar os líderes mundiais. Decisões governamentais constantemente tiram a liberdade de evangelização e de culto, permitindo ou estimulando a perseguição aos cristãos. Nenhum governo externo pode fazer muito para ajudar a mudar esse quadro, mas não estamos completamente impotentes. Pela oração, você pode se tornar um conselheiro secreto desses líderes de governo e dessas autoridades sem que eles tenham consciência disso. Como? *O coração do rei é como a corrente de águas nas mãos do Senhor: ele o dirige para onde quer* (Pv 21.1).

Foi o Senhor que moveu o coração de Ciro, rei da Pérsia, para emitir o édito que permitiu aos judeus no cativeiro retornar livremente para Jerusalém (Ed 1.1). Quando, durante dezesseis anos ou mais, os líderes de nações vizinhas evitaram a construção do templo, Esdras registra que foi o Senhor quem mudou a atitude do rei Dario (Ed 6.22) e o fez ordenar que o templo fosse construído e as nações vizinhas deixassem de interferir.

Foi quando Neemias orou e jejuou que Deus preparou o coração do rei Artaxerxes, que já governava a Pérsia havia vinte anos. Então ele autorizou Neemias, seu oficial, a tirar uma licença do serviço e ir a Jerusalém para reconstruir seus muros (Ne 1.4,6).

Quando a rainha Ester, Mardoqueu e centenas de judeus em Susã passaram três dias em oração e jejum, Deus não deixou o rei Xerxes (Assuero) dormir (Et 6.1), e assim começou a série de ações que preservou a nação judaica.

Podemos ter certeza de que foi enquanto Daniel estava orando que Deus livrou os três jovens hebreus e transformou o rei Nabucodonosor de perseguidor em protetor (Dn 3).

Hoje, como no passado, governantes de nações maquinam contra os cristãos e contra a igreja cristã. Leis são repetidamente promulgadas para restringir o trabalho missionário, o testemunho cristão, o batismo, a reunião de crentes em cultos públicos e a construção de novos templos. Em alguns países, os cristãos são repetidamente presos, severamente maltratados e torturados. Graças a Deus, a perseguição não pode destruir a igreja (Mt 16.18)!

Raramente a igreja exerce adequadamente seu privilégio e sua autoridade de oração para mudar a atitude de governantes políticos e o tratamento sofrido pelos cristãos. Embora ocasionalmente Deus intervenha para proteger ou ajudar os seus, quem sabe quais mudanças poderiam ocorrer se a igreja se unisse para se concentrar sincera e diariamente em oração persistente pelas autoridades na Rússia, na China, no Irã, na Etiópia ou em qualquer outra nação onde existe oposição ativa ao cristianismo.

Nem sempre é da vontade de Deus que seus filhos evitem todo sofrimento, ou que sejam concedidos todos os vistos solicitados aos missionários. Mas até que Deus controle a nossa oração, por que não nos unirmos em oração em concordância e batalha de oração? Por que não usarmos o comando de fé num esforço conjunto para mudar as atitudes dos governantes da terra? Satanás não quer que você contemple os milagres que podem ser feitos por meio da sua oração. Erga-se em santa determinação para se opor a ele e promover a colheita de Deus!

26

VOCÊ PRECISA TRIUNFAR EM ORAÇÃO

Ser um cristão é ser uma pessoa que ora; certamente todos os cristãos oram ocasionalmente. Tais orações ordinárias são alegres bênçãos, mas há momentos em que se faz necessária uma oração extraordinária. E até mesmo os cristãos mais maduros quase sempre fazem pouco uso desse tipo de oração. É a pessoa que pratica a oração triunfante, entretanto, que utiliza com eficácia o poder diante de Deus e dos homens.

Há uma inter-relação essencial entre a oração triunfante, a batalha de oração, a neutralização de Satanás e o uso do comando de fé para mover montanhas para Deus. Tudo pode estar envolvido em dada situação. Tudo está relacionado à vitória de Cristo no Calvário e ao poder do Espírito Santo. Em algumas situações, o Espírito Santo nos guia a um nível de oração e depois pode aprofundar e intensificar a oração quando nos movemos de nível para nível. Paulo, em seu desafio à batalha espiritual, insiste que os crentes orem *em todo tempo no Espírito* e a vigiar *com toda perseverança e súplica* (Ef 6.18). Cristo ensinaria a você cada uma dessas divinas estratégias para usar na orientação dele.

Por que a oração triunfante é necessária? Que experiência você tem com a oração triunfante? Quando você triunfou em oração? Quanto você deseja aprender para triunfar em oração?

Estas são perguntas importantes. O seu sucesso na oração será determinado pela profundidade do seu desejo de praticar a oração triunfante.

Por que a oração triunfante é necessária?

Triunfar é "obter sucesso diante da dificuldade, dominar completamente, sobrepujar e vencer". A oração triunfante é aquela que atravessa todas as dificuldades e todos os obstáculos, rechaça todas as forças opositoras de Satanás e assegura a vontade de Deus. Seu propósito é realizar a vontade de Deus na terra. A oração triunfante é aquela que não apenas toma a iniciativa, mas continua na ofensiva por Deus até que seja obtida a vitória espiritual.

Em muitas situações, antes que a oração seja respondida, a pessoa deve tomar certas ações. Salvos ou não, os seres humanos não podem controlar a vontade dos outros porque Deus nos deu liberdade para escolher. E, além do livre-arbítrio humano, o Espírito Santo e Satanás também influenciam o pensamento dos seres humanos.

O Espírito Santo fala diretamente pela Palavra de Deus, pelas palavras de outras pessoas e, com frequência, pelos anjos que sugerem pensamentos sem que uma pessoa tenha consciência de sua origem. O Espírito pode preparar circunstâncias que exerçam pressão ou possibilitam certas ações. Da mesma forma, Satanás, o mestre do engano, tenta influenciar o pensamento da pessoa, seja por ações ou palavras de outros, seja por sugestão exclusivamente demoníaca.

A oração triunfante é necessária nas situações descritas a seguir.

Opor-se a Satanás em sua batalha por almas. Quando você ora para que uma pessoa não salva se renda a Cristo, está orando em harmonia com a vontade de Deus, com o ministério do Espírito Santo e com a assistência dos anjos de Deus. Mas você também está orando em oposição direta a Satanás e contra as ações dos espíritos malignos.

Mesmo quando temos certeza de que oramos em concordância com a vontade de Deus, com frequência deparamos com surpreendente resistência. Deus nunca suplanta a vontade humana. Ele fala à consciência individual, mas a consciência pode estar amortecida. O principal campo de batalha de Satanás é a mente humana, e os demônios precisam ser afrontados e expulsos.

É relativamente fácil para Satanás conseguir a atenção de um pecador para suas sugestões. E é necessária oração séria para compensar seus planos diabólicos.

Sobrepujar a sedução satânica aos cristãos. Até mesmo crentes fortes estão sujeitos à sugestão demoníaca. Certa ocasião, Satanás obteve sucesso em persuadir Davi a praticar uma ação errada pelo "incitamento" de sua mente (1Cr 21.1). Satanás guiou o processo mental de Pedro num encontro com Jesus, e Jesus instantaneamente percebeu que Pedro estava verbalizando inconscientemente a sugestão do inimigo (Mt 16.23). Satanás também colocou pensamentos malignos na mente de Tiago e João (Lc 9.55,56).

Às vezes, até mesmo a pessoa mais espiritual pode escorregar temporariamente em demonstrações atípicas de fraqueza. A palavra crítica dita numa reunião de conselho, a fofoca maldosa cochichada num bate-papo, a falta de fé evidenciada numa tomada de decisão podem realmente ter como origem a sugestão de um dos demônios de Satanás.

Se Satanás pôde penetrar até mesmo na mente de Cristo, tentando-o durante quarenta dias e quarenta noites

(Mt 4.1-11), não deveríamos ficar surpresos de precisarmos triunfar em oração.

Proteger a si mesmo ou aos outros do ataque direto de Satanás. Jó não foi o único atacado fisicamente por Satanás. Questiona-se, entretanto, se a provação de Jó teria sido suspensa antes caso seus três "amigos" fossem cristãos de oração! O espinho na carne de Paulo foi um mensageiro de Satanás (2Co 12.7). Lucas 13.10-17 fala sobre uma mulher incapacitada durante dezoito anos por Satanás. Em Marcos 9.17-20, um espírito demoníaco privou um menino de falar e lhe causou convulsões.

Acidentes quase fatais quase sempre convenceram os obreiros cristãos de que Satanás estava tentando destruí-los. Nas montanhas da Índia, quando se encaminhavam para o ministério, os nossos colaboradores cristãos se viram repentinamente à frente de animais selvagens. Um grupo de crentes recém-convertidos foi surpreendido numa véspera de ano-novo por uma manada de elefantes que barria estrepitosamente após ter demolido a estrutura simples da igreja em três ocasiões anteriores.

Sobre quem você triunfa em oração?

Você deve triunfar sobre si mesmo. A oração triunfante pode ser um trabalho exaustivo. Muitos cristãos são espiritualmente fracos, doentios e carecem de vitalidade espiritual a tal ponto que não conseguem permanecer em oração por mais do que alguns minutos. Essas pessoas são fracas espiritualmente e não sabem orar com verdadeiro sentimento de esforço.

Outras pessoas são tão carnais que não apenas a natureza física se retrai ao orar, mas a natureza carnal teme o envolvimento com a oração, evita participar de oração prolongada e encontra uma multidão de desculpas para não triunfar em oração. Uma pessoa cheia do Espírito tem desejo de orar, regozija-se com tempo extra em oração e anseia por sacrificar outras coisas a fim de orar mais e mais.

Muitas pessoas precisam confessar sua falta de oração e pedir que Deus as liberte. Encorajo você a reivindicar a vitória de Deus pela fé sobre as suas derrotas em oração, as suas hesitações interiores e a sua falta de oração.

Você deve triunfar sobre Satanás. Satanás e seus demônios não querem que você aprenda os segredos da oração. Eles temem mais a sua oração do que o seu testemunho e o seu trabalho. Eles preferem que você esteja mais ocupado em servir a Deus o dia inteiro do que se dedique à oração durante uma hora a cada dia.

Vitórias espirituais são normalmente obtidas na batalha espiritual. Testemunhamos pouquíssimas vitórias espirituais de impacto porque lutamos pouquíssimas batalhas espirituais em oração. Somos impotentes e infrutíferos porque nos envolvemos em oração muito casualmente. Nunca aprendemos verdadeiramente a batalhar em oração. Se você não está disposto a lutar, também não deve esperar grandes vitórias (Ef 2.2; 6.11,12; Jo 14.30; 1Jo 4.4; 5.19).

A oração de Daniel foi respondida, mas durante 21 dias suas respostas foram retardadas pelos poderes demoníacos (10.12-13). Se Daniel não tivesse jejuado e combatido a batalha de oração durante três semanas inteiras, se tivesse parado um dia antes da vitória, não nos teria chegado o grande capítulo 10 de Daniel. Se você pedir algo de acordo com a vontade de Deus e não perseverar em oração, poderá nunca receber a resposta de Deus.

Você deve triunfar perante Deus. Você deve triunfar não somente sobre si mesmo e sobre os poderes das trevas, mas

Deus também provará a sua sinceridade e a profundidade do seu desejo.

Jesus testou a mulher cananeia cuja filha estava sofrendo de possessão demoníaca (Mt 15.21-28). A princípio, Jesus ficou em silêncio, e os discípulos disseram: *Manda-a embora, porque vem gritando atrás de nós* (v. 23). Contudo, a mulher apresentou seu caso perante Jesus até triunfar e receber total livramento para sua filha.

No Getsêmani, Jesus orou durante três horas até triunfar. Sua agonia em oração foi tão grande que Deus mandou um anjo para fortalecê-lo.

Você aprenderá muitas lições espirituais com as demoradas respostas de Deus à oração. Talvez essas demoras tenham exatamente o propósito de ensiná-lo a triunfar em oração.

27

Como você pode vencer em oração

Pode haver momentos em que a oração triunfante se caracteriza como uma violenta, porém breve batalha. Normalmente, porém, a oração vitoriosa é caracterizada por elementos descritos a seguir.

Você precisa estar disposto a dedicar tempo

Há poucas respostas imediatas em assuntos de importância espiritual. Deus, é claro, tem realizado milagres em resposta a súplicas urgentes, imediatas, mas muitas batalhas espirituais levam muito tempo. Você não pode obter a bênção de Deus em virtude da quantidade de tempo que permanece orando. Todavia, ninguém jamais se tornou poderoso em oração sem passar muito tempo orando.

Preste atenção no testemunho de Isaías:

> *Por amor de Sião não me calarei, e por amor de Jerusalém não descansarei, até que a sua justiça resplandeça como o nascer do sol, e a sua salvação, como uma tocha acesa [...]. Coloquei vigias sobre os teus muros, que não se calarão de dia nem de noite; ó vós, que invocais o* Senhor, *não descanseis, e não lhe deis descanso até que ele estabeleça Jerusalém e a ponha por objeto de louvor na terra.* (Is 62.1,6,7).

Neemias perseverou dia e noite em oração: *Os teus olhos estejam abertos e os teus ouvidos atentos para ouvires a oração do teu servo, que faço diante de ti, dia e noite, pelos israelitas, teus servos* (Ne 1.6).

Daniel orou regularmente em tempos determinados, mas passou até três semanas em batalha num período de necessidade especial (Dn 10.2).

Paulo orou noite e dia triunfando por seus novos convertidos e suas novas igrejas (1Ts 3.10). Não oraremos menos quando aprendermos a triunfar.

Muitas vezes Jesus orou a noite inteira.

> *Naqueles dias, Jesus se retirou para um monte a fim de orar; e passou a noite toda orando a Deus* (Lc 6.12). *E Deus não fará justiça aos seus escolhidos, que dia e noite clamam a ele, mesmo que pareça demorado em responder-lhes? Digo-vos que depressa lhes fará justiça. Contudo, quando vier o Filho do homem, achará fé na terra?* (18.7,8)

Aprende-se a orar orando. O cantor passa horas em prática vocal e ensaio. O atleta treina para aperfeiçoar suas habilidades e fortalecer seus músculos. O exército que não enrijece seus soldados com constantes exercícios obtém poucas vitórias. Existe apenas uma forma de aprender a orar. Não é lendo livros sobre oração, não é entoando cânticos relacionados à oração, não é ouvindo sermões sobre oração; é orando mais e mais.

Pela natureza das batalhas, as vitórias de oração levam tempo. A oração busca expulsar inimigos há muito tempo entrincheirados. A oração procura mudar a vontade das pessoas. Você pode ter de cercá-las com oração durante dias antes que elas compreendam ou se disponham a obedecer a Deus. As respostas à oração sempre requerem uma coordenação complexa e oportuna de eventos e vidas feita por Deus.

A força da oração pode ser elevada a um nível quase irresistível. Não se pode armazenar graça, mas pode-se estocar oração. Águas que inundam crescentemente uma área podem varrer qualquer obstáculo e romper qualquer represa. Da mesma forma, o poder acumulado da oração triunfante pode remover obstáculos imutáveis. A fundação é orar sem cessar. A oração é mais do que uma atividade; deve ser uma atitude de vida.

Você deve orar no Espírito

Ao longo dos séculos, a história do povo de Deus demonstra o relacionamento do Espírito Santo e da oração. Spurgeon disse: "A oração é uma arte que somente o Espírito Santo pode nos ensinar. Ele é o doador de toda oração". E. M. Bounds acreditava: "O segredo da oração fraca é a falta do Espírito de Deus em sua força".

Você precisa estar cheio com o Espírito e nele viver se realmente quiser triunfar no Espírito enquanto intercede. A oração débil é motivada por uma experiência superficial em relação ao Espírito Santo. Estar cheio do Espírito é ser controlado pelo Espírito, e somente ele pode qualificar alguém para uma efetiva vida de oração.

> *Com toda oração e súplica, orando em todo tempo no Espírito e, para isso mesmo, vigiando com toda perseverança e súplica por todos os santos (Ef 6.18), orando no Espírito Santo (Jd 20). Do mesmo modo, o Espírito nos socorre na fraqueza, pois não sabemos como devemos orar, mas o próprio Espírito intercede por nós com*

gemidos que não se expressam com palavras. E aquele que sonda os corações sabe qual é a intenção do Espírito; ele intercede pelos santos, segundo a vontade de Deus (Rm 8.26,27). *Temos acesso ao Pai no mesmo Espírito* (Ef 2.18).

O Espírito Santo é o grande possibilitador dessa dispensação. Um importante papel de seu ministério no cristão é capacitá-lo a orar adequadamente. Assim, orar torna-se uma parceria real com o Espírito Santo. Vigiar e orar requer que você seja sensível ao Espírito Santo — a suas restrições, seus estímulos, suas disposições. Manter-se espiritualmente desperto e alerta ajuda você a viver no Espírito, a andar no Espírito e a orar no Espírito. Dessa forma, você experimenta a mente e os desejos do Senhor.

Você deve orar com urgente persistência

Importunação é a persistência sem acanhamento de pedir; indica tamanha urgência de espírito que não pode ser dissuadida. A Bíblia mostra repetidamente a importância de persistir na oração urgente sem enfraquecer ou desanimar.

Jesus contou aos discípulos uma parábola para ilustrar essa verdade. Havia um juiz injusto cujo coração estava endurecido para com Deus e os homens; todavia, dada a persistência sem acanhamento de uma viúva necessitada, ele agiu em favor dela (Lc 18.1-8). Jesus prometeu que, considerando esse caso, quanto mais Deus responderá à persistente oração de seus filhos.

Jesus ensinou que o pedido urgente e persistente produz resultados que um amigo não atenderia baseado apenas em amizade. E conclui: *Eu vos digo que, mesmo que não se levante para dar os pães por causa da amizade, ele se levantará por causa do incômodo e dará quantos pães o outro precisar* (v. 8). Então Jesus anunciou seu maior mandamento e promessa sobre a oração, indicando o crescente grau de importunação: *Por isso eu vos digo: Pedi, e vos será dado; buscai, e achareis; batei, e a porta vos será aberta; pois todo o que pede, recebe; quem busca, acha; e ao que bate, a porta será aberta* (v. 9-10).

Judson declarou: "Deus ama tanto a oração importuna que não nos dará muita bênção sem ela". A oração urgente e persistente treina você na vida de oração. Bounds escreveu: "Poucas coisas dão vigor tão rápido e permanente à alma quanto a longa e exaustiva temporada de oração importuna". Tais temporadas de oração são momentos de tremendo crescimento em graça e maturidade espiritual.

A oração persistente e urgente envolve toda a sua alma e todo o seu ser. É um intenso movimento de toda a sua alma em direção a Deus. *Então me invocareis e vireis orar a mim, e eu vos ouvirei. Vós me buscareis e me encontrareis, quando me buscardes de todo o coração. Eu me deixarei ser encontrado por vós* (Jr 29.12-14).

Bounds destacou: "O céu está ocupado demais para ouvir as orações de um coração irresoluto". Deus não pode tolerar a indiferença. A oração se alimenta na chama. É o intercessor ardente que vence. Tal desejo em chamas torna a intercessão invencível. A importunação é a oração em chamas. O desejo é o fogo interior; a intercessão é o fogo que vai até Deus.

A oração incandescente queima os obstáculos até o trono de Deus. Um coração em chamas é a melhor preparação para a oração. A oração ardente é a energia nascida do Espírito Santo. O fogo do Espírito batiza o seu coração como guerreiro de oração e outorga poder à sua oração. Se as suas orações não são tocadas com fogo santo, você ainda não sentiu o pulsar do coração de Deus. Ser absorvido pela vontade, pelo propósito, pelo zelo e pela glória de Deus colocará em chamas o seu coração e a sua oração.

Você não pode produzir esse fogo do Espírito, mas pode preparar-se para ele, recebê-lo, orar até recebê-lo e realimentá--lo para impedir que ele se apague. Tal oração inflamada pode às vezes tirar o sono e despertar o desejo de jejuar. A oração emocionada é vulgar; o zelo humano é às vezes ofensivo. Mas a oração outorgada pelo Espírito Santo traz fogo do céu, fogo na alma e regozijo de espírito.

Bounds escreveu: "Fogo é a vida da oração; o céu se alcança pela ardente importunação que surge em escala ascendente". O céu dá pouca atenção a pedidos casuais. Deus não se comove com desejos débeis, orações indiferentes e preguiça espiritual. Ele se alegra em ver uma alma empolgada com paixão santa conforme o coração se aproxima de seu trono.

Tanto o céu quanto o inferno respeitam a oração ardente, corajosa e insistente. Não há espaço para timidez na intercessão. Devemos chegar ousadamente ao trono da graça (Hb 4.16). Deus não tem tempo a desperdiçar em supostas orações que abrigam apenas fantasias de algumas almas indiferentes. Isaías lamentou: *Não há ninguém que clame pelo teu nome, que se anime a apegar-se a ti* (Is 64.7, NVI).

A oração que importuna está tão absorvida na necessidade e na resposta de Deus à necessidade que tudo mais é desconsiderado. Esse é o segredo da oração eficaz. A ilustração de Jesus da viúva importuna foi apresentada depois que os discípulos lhe pediram: *Senhor, ensina-nos a orar* (Lc 11.1).

A oração insistente aumenta em intensidade até receber a resposta. A oração pode ser uma sequência cada vez mais intensa de pedir, buscar, bater na porta e jejuar. A pessoa envolvida em tal oração não pode parar porque conhece a vontade de Deus e necessita ver sua glória.

Mesmo depois de Deus ter dado a você uma promessa em algum despertar especial do seu coração, você precisa seguir em frente em fé ativa. Elias sabia que Deus havia prometido mandar chuva, mas perseverou sete vezes em oração contínua, com o rosto posto entre os joelhos (1Rs 18.41-46). Daniel conhecia a promessa de Deus para libertar os judeus, mas intercedeu até que Deus mandou seu arcanjo para entregar a resposta e dizer-lhe quanto ele era amado (Dn 10.10,11,19). Deus estava operando com poder, mas Paulo continuou a batalha de oração dia e noite por todos os convertidos e suas igrejas.

A oração insistente pode ser angustiante. A oração é um trabalho árduo. Há momentos maravilhosos de revigoramento em oração, mas existem também momentos de trabalho duro, sem *glamour* e nem um pouco espetacular na intercessão. A oração é caracterizada pelo realismo. Montanhas precisam ser movidas; demônios devem ser derrotados. Os cristãos superficiais sentem-se mal com a oração que significa trabalho, luta, batalha. Então ocorre um trágico acidente, uma doença terminal ou uma morte iminente. E o cristão superficial suplica por oração àqueles que sabem como triunfar. De repente, ele não quer nada menos que a oração insistente.

Orar é lutar, como fez Jacó no Jaboque. A luta pode ser um tanto forjada, mas ocorrerá em sincera agonia. A palavra de Colossenses 4.12 referente a Epafras diz que ele estava angustiado em oração: [...] *que sempre luta* [literalmente, "em aflição"] *por vós em suas orações, para que permaneçais amadurecidos e plenamente seguros em toda a vontade de Deus.* Essa é uma descrição perfeita da sua oração pelos seus amigos, pela sua igreja, pela sua nação? Paulo suplicou por esse tipo de sofrida importunação em benefício dele: *Rogo-vos, irmãos, por nosso Senhor Jesus Cristo e pelo amor do Espírito, que luteis juntamente comigo* [literalmente, "agonizeis comigo em oração"] *nas vossas orações em meu favor diante de Deus* (Rm 15.30).

Quando Moisés se colocou na brecha por Israel, ele se empenhou em angustiante importunação. Também vemos uma angustiante importunação quando Paulo orou pelos judeus não salvos:

> *Digo a verdade em Cristo, não minto. Minha consciência dá testemunho comigo, no Espírito Santo, de que tenho grande tristeza e incessante dor no coração. Porque eu mesmo desejaria ser amaldiçoado e excluído de Cristo, por amor de meus irmãos, meus parentes segundo a carne* (Rm 9.1-3).

E ainda temos importunação verdadeiramente agonizante no Getsêmani quando o suor durante a oração de Cristo se transformou em gotas de sangue caindo no chão (Lc 22.44).

Você pode aprender a triunfar em oração, pode triunfar sobre si mesmo e Satanás, até que Deus veja e mande seus anjos para apressar a resposta. Mas sempre levará tempo e geralmente brotará de uma vida de intercessão cada vez mais profunda. Você deve aprender a persistir até que alcance a resposta. Deve aprender a ser tão controlado pelo Espírito na sua oração a ponto de ele o levar passo a passo até a vitória. Somente o Espírito pode lhe dar o empenho necessário para que todo o seu ser clame a Deus e se recuse a ser impedido por Satanás ou a ser desencorajado pela demora. Você não orará dessa forma para cada necessidade nem a cada dia. Mas, à medida que Deus assim o dirigir, o Espírito colocará essa urgência na sua alma.

A insistente oração triunfante talvez aumente de intensidade até você estar verdadeiramente lutando em oração. Esta é uma luta da alma, não uma luta física. É a oração que triunfa sobre todo o poder que Satanás lança contra a vontade de Deus. É a oração que produz o poder milagroso de Deus para suportar a necessidade humana. Ó amados irmãos, sejamos triunfantes em oração!

28

Você pode ser um guerreiro de oração

Os intercessores eficientes, grandemente usados por Deus em oração, são às vezes chamados de "guerreiros de oração". É correto usar o termo dessa forma, porque grandes pleitos de oração exigem grandes batalhas contra as forças do mal. Deus quer que todos os seus filhos sejam guerreiros de oração. Você alguma vez duvidou de que poderia se tornar poderoso em oração? Você acha que conhece bem a sua fraqueza em oração para continuar esperando até se tornar um dos guerreiros de oração de Deus? Anime-se. Você pode desenvolver a sua vida de oração até que Deus o considere um de seus verdadeiros guerreiros de oração.

Deus está constantemente em guerra com o poder de Satanás. Desde o tempo de Adão e Eva até o presente, Satanás tem tentado impedir o plano eterno de Deus para a terra e a humanidade. Ele nunca abandonará esse propósito. No livro de Apocalipse, temos um vislumbre do novo céu, da nova terra e da nova Jerusalém que realizarão o propósito original para o qual Deus criou o mundo. Satanás sabe que não pode destruir esse plano, mas desde o Éden até os dias atuais ele vem usando todas as táticas possíveis para protelar essa realização. Ele foi derrotado no Calvário, mas está determinado a lutar até sua profetizada derrota final, na batalha de Gogue e Magogue (20.7-10).

Deus também tem um plano personalizado para cada um de seus filhos, coordenado para harmonizar com seu supremo plano geral. Satanás ataca Deus hoje principalmente combatendo e atrapalhando os filhos de Deus e procurando enganar, prejudicar e destruir toda a humanidade não salva. Os esforços de Satanás podem ser derrotados somente por meio do envolvimento em batalha espiritual de dois níveis — a batalha angelical e a nossa batalha de oração.

Os filhos de Deus precisam ser guerreiros, avançando por Deus e derrotando Satanás repetidamente pela oração e obediência. A oração sozinha não será suficiente para fazer o trabalho, mas ela é a base para toda a obediência e o elemento humano indispensável para a eficácia da nossa obediência. Embora possa haver limites nas áreas em que a nossa obediência pode ser usada, cada cristão pode ser eficiente na batalha de oração em qualquer lugar do mundo.

Deus deseja que você mantenha um espírito militante, sempre pronto a tomar a iniciativa por Deus e contra o pecado e Satanás. Deus quer que você esteja sempre alerta, de sobreaviso, pronto para a missão especial. Isto significa que você deve permanecer vigilante e manter-se bem informado quanto aos métodos da batalha de oração.

Satanás se oporá a qualquer esforço para que a batalha de oração perdure. Ele conta com a relutância de muitos cristãos em entrar nesse tipo de oração sacrificial. Muitos estão à vontade orando com outros dois ou três cristãos mais espirituais; no entanto, como Pedro, Tiago e João no jardim de Getsêmani, não sabem passar uma hora em oração. Muitos nunca tiveram um encargo de oração, ou não sabem como corresponder a esse encargo. Deus quer que você tenha grande liberdade em oração e profunda experiência em todas as formas de oração.

Embora toda oração seja importante, a batalha de oração — o mais alto nível de oração — depende fortemente dos guerreiros de oração. Esse nível vai além da oração triunfante. Parece que temos 10 mil amadores em oração para cada verdadeiro guerreiro de oração. E isso não precisa ser assim. Você está disposto a ser treinado e usado por Deus como um de seus guerreiros de oração, sempre alerta e disponível? A evangelização mundial envolve forte batalha espiritual, uma vez que o progresso espiritual é combatido constantemente por Satanás. A vitória espiritual depende de permanente oração triunfante e repetidas batalhas de oração. Não seja um dos cristãos que preferem trabalhar a orar.

Você está preparado para ser um guerreiro de oração

Deus preparou uma armadura espiritual para seus filhos. *Finalmente, fortalecei-vos no Senhor e na força do seu poder. Revesti-vos de toda a armadura de Deus* (Ef 6.10,11,13). Essa armadura consiste nos seguintes elementos: (a) o cinto da verdade, (b) a couraça da justiça, (c) os pés calçados na preparação do evangelho da paz, (d) o escudo da fé, (e) o capacete da salvação, e (f) a espada do Espírito, que é a Palavra de Deus (v. 14-17).

Por que recebemos essa armadura? Porque estamos envolvidos numa batalha para expulsar e derrotar Satanás.

> *Revesti-vos de toda a armadura de Deus, para que possais permanecer firmes contra as ciladas do Diabo; pois não é contra pessoas de carne e sangue que temos de lutar, mas sim contra principados e poderios, contra os príncipes deste mundo de trevas, contra os exércitos espirituais da maldade nas regiões celestiais.* (Ef 6.11,12)

Paulo usa cinco vezes a palavra *contra*. Somos contra Satanás tanto quanto ele é contra nós!

Com todo esse equipamento, como devemos lutar? A resposta encontra-se no versículo 18: *Com toda oração e súplica, orando em todo tempo no Espírito e, para isso mesmo, vigiando com toda perseverança e súplica por todos os santos.* Assim, a magnífica passagem bíblica sobre batalha espiritual diz que a forma mais eficiente de nos envolvermos na batalha contra Satanás é orando. E você pode orar! Você não precisa viajar para o outro lado da terra. A linha de frente dessa batalha é exatamente onde você está. Você pode obter vitórias no outro lado do mundo, mas pode obtê-las no lugar onde está.

Dada a natureza da batalha de oração, nunca se sabe quantas pessoas o Espírito Santo alertou para orar em dado momento ou em relação a uma situação específica. Algumas necessidades de oração são emergências repentinas para as quais não há aviso prévio. Você pode ser o único que o Espírito designa a orar por uma pessoa ou uma necessidade particular. Ou, por causa da grave necessidade, você pode ser um entre vários que o Espírito designa para a batalha. Em alguns casos, entretanto, você pode ser o principal parceiro de oração em razão do seu relacionamento especial com a pessoa que precisa de oração.

Outras necessidades de oração são de longa data. Satanás e suas forças podem estar fortemente entrincheirados contra uma pessoa ou um grupo de pessoas. Isso pode exigir uma batalha de oração prolongada por parte de muitas pessoas até que se produza a glória de Deus.

Esteja você sozinho na batalha de oração, ou seja você um entre muitos, a sua oração é sempre estrategicamente importante para o plano de Deus.

Como obter vitórias de oração

Batalhar em oração não é suplicar a Deus para que ajude você a cumprir a vontade dele, nem é tentar convencer Deus a respeito da magnitude de uma necessidade. Batalhar em oração é unir-se a Cristo na derrota de Satanás e na libertação dos cativos. É avançar contra as fortalezas de Satanás, desalojar e expulsar suas forças demoníacas. Satanás é um impostor que não tem direito de dominar e escravizar aqueles por quem Cristo morreu. Ele não tem o direito de molestar e oprimir as pessoas, de ludibriá-las e assustá-las a fim de subjugá-las. Satanás foi totalmente derrotado no Calvário (v. Capítulo 14). Quando comparados às hostes de Deus, seus espíritos malignos são menores em número e muito inferiores em poder. A batalha de oração reforça a vitória do Calvário contra os planos enganadores de Satanás e os espíritos derrotados que o auxiliam.

1. Tome a ofensiva em oração. Deus chamou Moisés para tirar os israelitas do Egito, não para defendê-los no Egito; para atacar e derrotar as nações inimigas, não para proteger Israel contra elas. Deus mandou Josué invadir e conquistar Canaã, não negociar uma trégua. O Espírito Santo foi dado no Pentecostes não para manter a igreja abençoada e confortável, e sim para torná-la invencível.

As armas da nossa batalha espiritual, diz Paulo, não são defensivas, mas de ataque. *Pois as armas da nossa guerra não são humanas, mas poderosas em Deus para destruir fortalezas. Destruímos raciocínios e toda arrogância que se ergue contra o conhecimento de Deus, levando cativo todo pensamento para que obedeça a Cristo* (2Co 10.4,5). Não devemos construir um atalho quando Satanás constrói rapidamente uma montanha de resistência contra nós; devemos desafiá-lo e arremessar sua montanha no mar

(Mt 17.20). Não devemos esmorecer até que Jesus venha e nos resgate; devemos avançar contra as portas do inferno (16.18).

Peça a Deus que lhe dê você um espírito combativo. Peça-lhe que lhe mostre necessidades específicas pelas quais orar. Peça-lhe que lhe mostre a cegueira, a escravidão e a perdição do não salvo. Peça-lhe que o ajude a sentir seu carinhoso amor pelo pecador, seu ódio pelo pecado que está destruindo o pecador, e sua paixão pela igreja, pelo reino e pela colheita que está à espera.

Peça a Deus que lhe dê uma nova alegria e esperança em oração, uma santa ousadia para ver o triunfo de Cristo e a derrota de Satanás. Peça a Deus que lhe dê fé cada vez maior, a fim de ver a promessa de Deus cumprida e Satanás envergonhado. Peça a Deus que acenda um fogo santo na sua alma pelo poder do Espírito Santo, a fim de transformar a sua oração de fraqueza em poder triunfante, e faça isso com urgente insistência para ver a vontade de Deus realizada na terra assim como ela é realizada no céu. Insista na prece por situações específicas que Deus coloca no seu coração. Peça que ele cubra a sua oração com a autoridade do Calvário, com o poder do Pentecostes e com a onipotência de seu santo nome.

Esta é a sua hora de ver o milagre de Deus revelado, o propósito de Deus cumprido e os inimigos derrotados. Esta é a sua hora de triunfar com Cristo. A vitória foi obtida e assegurada no Calvário. Satanás e cada demônio do inferno sabem que a batalha deles já está perdida. Em nome de Jesus, enfrente-os!

2. Faça tudo no poder do Espírito Santo. O Espírito Santo veio para representar Cristo e entregar a vitória que Cristo obteve no Calvário. Veio para expulsar Satanás da sua frente. Resista ao Diabo, e ele fugirá de você, porque o poderoso Espírito Santo apoiará sua fé e sua autoridade dada por Cristo (Tg 4.7). *Vindo o inimigo como uma corrente de águas, o Espírito do Senhor arvorará contra ele a sua bandeira* (Is 59.19, Almeida Revista e Corrigida).

Se o Espírito está enchendo e conduzindo você em oração, e você está invadindo o território de Satanás para libertar os cativos, o Espírito Santo está ao seu lado para revestir as suas palavras com a autoridade de Cristo. Na batalha de oração, você não luta sozinho. O Espírito Santo estará sobre você e orará por seu intermédio, *orando em todo tempo no Espírito* (Ef 6.18).

3. Em fé santa, resista, amarre e derrote Satanás. Deixe-me incluir uma palavra de cautela — não fique preocupado com o Diabo. Não seja absorvido pelo inimigo. Não fique falando continuamente a respeito dele. Resista-lhe quando for preciso; ordene que ele se vá. Mas concentre os seus olhos em Jesus sentado no trono do céu. Lembre-se, pela oração, de que você está apressando o dia em que todas as coisas serão colocadas sob os pés de Jesus.

Resista a todo sinal da obra de Satanás, a cada ataque que ele fizer sobre um filho de Deus. Em nome de Jesus, repreenda Satanás. Diga-lhe que fique para trás de você e de Jesus. Apele para que o próprio Jesus repreenda o maligno (Zc 3.1,2). O Senhor veio para destruir a obra do Diabo (1Jo 3.8). Em nome de Jesus, amarre o tenebroso poder de Satanás por meio do soberano poder de Deus. O que você ligar na terra será ratificado, confirmado e amarrado no céu (Mt 16.19). Não se preocupe com a maneira como isso será feito. Tudo o que Cristo precisa fazer é pronunciar uma palavra. Apenas creia e amarre o homem forte e armado do inferno (Lc 11.21). Deus tem miríades poderosas de anjos prontos para ajudarem a confirmar o seu comando de fé.

Há situações em que Satanás está agora no domínio, e isso não mudará até você tomar a ofensiva e expulsá-lo. Há pessoas escravizadas por Satanás, incapazes de se libertarem por si mesmas. Elas permanecerão sob a servidão do inimigo até que você, ou outro filho de Deus, rechace as trevas, neutralize os poderes demoníacos e force Satanás a libertar os cativos.

Não trema diante de Satanás; desafie-lhe a autoridade. Não se encolha de medo quando ele rugir como leão. Assuma a autoridade do nome de Jesus, e o velho leão fugirá com o rabo entre as pernas; ele se arrastará como a antiga serpente que é (Ap 12.9).

4. Sature a sua alma com a Palavra de Deus. Desde que você nunca sabe quando o Espírito Santo pode alertá-lo para uma oração especial ou uma batalha de oração, é importante manter a força espiritual alimentando-se o tempo todo na Palavra de Deus. Ninguém pode permanecer espiritualmente preparado lendo apenas alguns versículos ao dia. Até mesmo um capítulo por dia provê uma dieta espiritual inadequada. Nada substitui a Palavra de Deus; nem mesmo um bom livro devocional substitui a leitura das Escrituras.

No começo de qualquer período prolongado de batalha de oração, alimente-se profundamente na Palavra de Deus. *A fé vem pelo ouvir, e o ouvir, pela palavra de Cristo* (Rm 10.17). Sature-se com a Palavra de Deus. (Para uma discussão mais extensa a respeito, v. Capítulo 19).

Durante a sua batalha de oração, cite ou leia as promessas de Deus. Se possível, use uma ou duas promessas especiais para reivindicar a vitória que você busca. Se Deus assim orientar, leia as promessas em voz alta no ouvido do Diabo. Lembre-se de que o nome mais poderoso da Bíblia é "Jesus". Repetidas vezes,

Satanás, seus demônios ou inimigos motivados pelo maligno foram derrotados pelo uso do nome de Jesus. Milhões de vezes os demônios foram expulsos pela autoridade do nome de Jesus.

Não conheço melhor exortação numa batalha de oração do que Efésios 6.17: *Tomai* [...] *a palavra de Deus*. O Espírito Santo confirmará e autorizará seu uso da Palavra em oração. Como mencionei anteriormente, você pode até sentir-se levado a manter a Bíblia no seu coração, ou na sua mão, ou a colocar a sua mão sobre a promessa que está reivindicando. Isso, porém, simboliza o que você está fazendo na esfera espiritual enquanto derrota Satanás pela Palavra. Assim como Jesus fez um chicote e expulsou os mercadores do templo, devemos tomar a Palavra e expulsar cada demônio que bloqueie a vontade de Deus e empreenda uma ação reacionária contra o povo de Deus.

5. *Derrote o inimigo pelo louvor*. Assim como numa batalha humana os soldados usam qualquer arma para conseguir a vitória, na batalha espiritual o Espírito Santo pode guiá-lo a mudar a sua abordagem de oração. Ele o guiará a tal fé que sua boca se encherá de louvor a Deus. Aleluia!

> *Exultem de glória os santos, cantem de alegria nos seus leitos. Os altos louvores de Deus estejam nos seus lábios, e na sua mão, a espada de dois gumes* [...] *para prenderem os seus reis com cadeias, e os seus nobres, com correntes de ferro; e executem sobre eles a sentença escrita. Esta será a honra para todos os santos. Aleluia!* (Sl 149.5,6,8,9)

Com a Palavra de Deus, a sua espada de dois gumes (Hb 4.12), na mão e o louvor de Deus nos lábios, todos os demônios do inferno fugirão de você. Como o Senhor preparou emboscadas (provavelmente por intermédio dos anjos) assim que os israelitas o louvaram, da mesma forma, quando você louva ao Senhor, ele pode preparar ciladas para Satanás.

6. *Conte com a oração de outras pessoas.* Existem situações espirituais de tamanha dificuldade que é necessária a oração de muitos guerreiros de Deus. Por isso o Senhor fez a promessa especial aos que concordam em oração (Mt 18.19). Há maior poder espiritual na oração conjunta. Foi depois de dez dias de oração conjunta pelos 120 crentes que o Pentecostes ocorreu, e 3 mil pessoas foram salvas num único dia (At 1.14). Foi depois da oração em conjunto feita por centenas de pessoas que o lugar onde estavam orando tremeu e Deus concedeu grande graça, grande poder e grande colheita (At 4.23-33; 5.12-16). Foi quando a igreja de Jerusalém orou ardentemente que Pedro foi libertado da prisão por um anjo, e *a palavra de Deus crescia e se multiplicava* (At 12.24).

A OMS International começou seu trabalho na Índia em 1941. Os primeiros 25 anos de trabalho árduo, suor, lágrimas, oração e jejum presenciaram a fundação de uma a duas novas igrejas locais por ano em média. Quando atravessei o Pacífico por causa de uma licença em 1964, eu estava orando sobre o que mais poderíamos fazer para ver a colheita da Índia ser realizada. Deus me levou a pedir por pelo menos mil parceiros de oração que passassem quinze minutos por dia orando pela Índia e pelo nosso trabalho.

Faz alguns anos que voltei para Allahabad, na Índia, com os nossos dirigentes durante um dia de oração e informação. Um por um, eles contaram como Deus estava operando poderosamente. Um deles se virou para mim e disse:

— Sr. Duewel, todos nós... todos nós estamos vendo resultados além de qualquer coisa já vista.

— Aleluia! — eu disse.

Ele continuou:

— Sr. Duewel, o senhor está surpreso?

— Sim, aleluia! — respondi.

— Não devia estar! — ele retrucou imediatamente. — O senhor não foi à América e conseguiu mil pessoas para orar durante quinze minutos por dia por nós?

— Mais que isso.

— Então, por que o senhor está surpreso?

— Obrigado, George. Eu precisava desse lembrete — confessei. — Por que deveríamos estar surpresos quando Deus responde à oração?!

Agora as nossas igrejas são aproximadamente 300, com cerca de 25 mil crentes, e 25 ou mais novas igrejas vem sendo estabelecidas a cada ano. O segredo está em mil guerreiros de oração orando unidos pela colheita!

Quanto maior a resistência espiritual, mais difícil é a sua tarefa de mover a montanha à sua frente. Quanto mais entrincheirado Satanás estiver, maior é a necessidade de recrutar guerreiros de oração para expulsá-lo. Pode levar muito mais tempo de oração do que você havia previsto, mas, tão certo quanto Deus está no céu, no tempo certo você colherá se não desistir (Gl 6.9).

7. Ore até Satanás ser derrotado. Por quanto tempo você deve continuar a batalha de oração? Até obter a vitória. Se Deus lhe deu a incumbência inicial de oração, a batalha não é sua; é dele. Se a batalha perdura por um período de dias ou meses, nem sempre você terá a mesma incumbência de oração ou a mesma quantidade de tempo para se dedicar a ela. Mas você pode manter o seu compromisso de oração. Você pode se manter firme nas promessas de Deus, louvando-o pela resposta que está por vir.

Mantenha a pressão de oração sobre Satanás. Assuma o seu lugar de autoridade com Cristo. Permaneça firme na autoridade do nome de Cristo. Progrida a momentos repetidos de oração mais longos à medida que o Espírito Santo o dirige e o capacita.

Essa foi a determinação de Isaías: *Por amor de Sião não me calarei, e por amor de Jerusalém não descansarei,* ATÉ *que a sua justiça resplandeça como o nascer do sol, e a sua salvação, como uma tocha acesa* (Is 62.1, ênfase acrescentada). Que instrução de Cristo manteve os discípulos orando no Cenáculo? *Ficai na cidade,* ATÉ *que do alto sejais revestidos de poder* (Lc 24.49, ênfase acrescentada). Por quanto tempo você deve orar? *Até.*

Quando Deus lhe der uma incumbência de oração, considere essa sagrada responsabilidade *até* (1) que venha a resposta, (2) a situação ou a pessoa seja removida, ou (3) Deus retire do seu coração a responsabilidade. Ciente de estar orando de acordo com a vontade de Deus, você pode ter certeza de que Cristo também está intercedendo. Não interrompa a sua parceria de oração com ele *até* que a necessidade tenha passado.

Por quanto tempo você deve pedir? *Até* que a resposta seja dada. Por quanto tempo você deve buscar? *Até* achar. Por quanto tempo você deve continuar batendo na porta do céu? *Até* que a porta se abra. Devo repetir: tão certo como Deus está em seu trono, no devido tempo você colherá se não desistir (Gl 6.9). O céu e a terra podem passar, mas sua Palavra jamais passará ou falhará.

29

A SUA ORAÇÃO PODE SER UM INVESTIMENTO ETERNO

A oração não é somente um meio de ter comunhão com Deus e receber sua ajuda; é um investimento eterno! Os registros do céu são adequadamente guardados pelos anjos. Deus não é tão injusto a ponto de se esquecer da sua obra e do amor que você demonstrou por ele ao ajudar outras pessoas (Hb 6.10). Nem é provável que ele se esqueça dos seus santos anseios, da sua intercessão e das suas lágrimas. Orações egocêntricas serão perdidas, mas o mesmo não acontece com a verdadeira oração. Nem as orações feitas por motivação errada têm validade alguma perante Deus (Tg 4.3).

A intercessão pela salvação dos outros, pela edificação da igreja de Cristo, pelo reavivamento do povo de Deus e pela evangelização do mundo, tudo faz parte da eternidade. A santa vontade de Deus é eterna, e tais orações são feitas em harmonia com essa vontade, recomendadas pelo nosso grande Sumo Sacerdote, que é o Amém das nossas orações (Ap 3.14), e energizada pelo anseio, pelo poder e pela intercessão do Espírito Santo. Tais orações não podem acabar até serem cumpridas à medida da santa vontade de Deus. Essas orações são investimentos eternos.

A ORAÇÃO É UM INVESTIMENTO DE AMOR INTENSAMENTE PESSOAL

Pela oração, você pode dar o seu amor, o seu verdadeiro eu a qualquer pessoa, grupo ou nação. A oração é a única expressão de amor que não pode ser barrada ou rejeitada. Pela oração, você pode transmitir amor aos que o amam, assim como aos que nem sequer o conhecem. Pela oração, você pode até cercar com amor a vida dos que o rejeitam. Eles podem não aceitá-lo, mas não podem destruí-lo. Está tudo armazenado na tesouraria do céu e na memória de Deus.

Não posso provar isso pelas Escrituras, mas creio que a oração por uma pessoa que rejeita toda a bondade e a graça de Deus até a morte deixa uma herança potencial para os outros na sua família, região ou nação. Por exemplo, a oração por um líder comunitário pode ser rejeitada, e o líder pode acabar morrendo ateu. Mas ele não permaneceu totalmente intocado pela sua oração ou pela graça de Deus. Deus fez a parte dele, e você fez a sua. Desde que o líder representou a sua nação, em certo sentido o seu amor por ele também foi uma demonstração de amor pela nação. Você terá a sua recompensa porque amou como Deus amou. Você foi semelhante a Cristo na sua intercessão. Talvez um dia essa oração seja respondida de uma forma que glorificará Deus muito além das suas expectativas — talvez em algum despertamento nacional. A sua petição está estocada no reservatório de orações não respondidas para aquela nação. Não está perdida. O capítulo a seguir descreve isso mais detalhadamente.

Os meus pais foram convidados a realizar estudos bíblicos semanais e reuniões de oração numa escola rural. Eles sempre me falavam sobre a extraordinária sensação da presença de Deus e da bênção que eles experimentavam ali. Certo dia eles mencionaram isso na escola. Imediatamente as pessoas disseram:

— Ah, o senhor não sabia que anos atrás, bem neste lugar, havia uma igreja batista?

Não é possível que, após todos aqueles anos, a oração ainda estivesse sendo respondida para aquela comunidade?

A ORAÇÃO PODE CONSTITUIR UM LEGADO DE BÊNÇÃO
Pais que oram podem interceder por seus filhos e netos de modo que, bem depois da morte dos pais, aquelas orações continuam transmitindo bênçãos maravilhosas. As piedosas intercessões dos fundadores e líderes de igrejas e de missões são respondidas durante décadas. Todo verdadeiro intercessor faz orações que só serão completamente respondidas quando o guerreiro de oração se unir à igreja no céu.

Orações feitas no Espírito nunca morrem até realizarem o propósito de Deus. A resposta pode não ser a que esperamos, ou pode vir em momento diferente do que esperamos, mas Deus sempre provê muito mais abundantemente do que podemos pensar ou pedir. Ele interpreta a nossa intenção e responde às nossas orações ou as guarda (Ap 8.2-5). Orações sinceras nunca são perdidas. Energia, tempo, amor e anseio podem ser legados que jamais serão desperdiçados ou deixados sem recompensa.

Jesus Cristo continua favorecendo a igreja com sua intercessão. Paulo favoreceu a igreja com oração. Assim fizeram inumeráveis santos e líderes do Antigo Testamento. O imenso derramar do Espírito de Deus no milênio no novo céu e na nova terra certamente será construído sobre as santas intercessões que não foram completamente respondidas antes.

Não desanime quando as suas orações não forem respondidas de imediato. Você pode usufruir das misericórdias de Deus, dos ministérios do Espírito Santo e da assistência e proteção angelical. Continue orando; a oração nunca é em vão.

A ORAÇÃO NÃO É LIMITADA EM EXTENSÃO

Todo santo desejo que surge no seu coração ao orar por outros enquanto você cuida de sua rotina normal pode multiplicar os seus investimentos de oração. Várias vezes ao longo do dia, invoque a Deus numa ou duas sentenças de intercessão. Cada uma dessas orações é considerada por Deus. Ao longo do dia, existem pequenos espaços de tempo que você pode usar para orar. Não desperdice esses preciosos minutos.

> Não menospreze um único minuto —
> Cada um tem sessenta segundos.
> Se você aproveitar, pode usá-lo.
> Não desperdice nem faça dele mau uso.
> Se você orar, seu pequeno minuto
> terá em si mesmo valor eterno.

Não lide com a sua responsabilidade de oração como uma obrigação legalista, nem acredite que por causa dela você jamais poderá tirar um tempo para relaxar, conversar com os outros, desfrutar a natureza de Deus, a boa música, ou tempo com a sua família e os seus amigos. No entanto, inúmeros minutos são desperdiçados pelas pessoas comuns todos os dias — minutos que poderiam ser muito bem investidos em oração.

Se você tem um coração voltado para a oração, há múltiplas oportunidades para fazer breves investimentos em oração. Se você ouve o rádio sempre que está sozinho no carro, se liga a TV quando está descansando em casa, se preenche cada momento com ocupações triviais, as suas prioridades estão claramente não caracterizadas pelo interesse nos valores eternos. Você pode gastar esses minutos despreocupadamente, e eles se perderão para sempre; ou você pode aproveitá-los para fazer uma breve e carinhosa intercessão, e eles serão eternamente abençoados. A escolha é sua.

Mas como é maravilhoso quando você deliberadamente planeja momentos mais longos de oração! Separe meia hora, uma hora ou mais para oração, depois feche a sua porta no momento do seu encontro com Deus. Se você não puder arranjar um lugar especial para o seu tempo de oração, trabalhe dentro de suas circunstâncias. Se você é motorista de caminhão, use o tempo em que está dirigindo durante longas viagens para orar. Se você está preso a uma cama dia após dia, faça o tempo voar nas asas da oração. Se é um lavrador arando os campos, plante sementes inestimáveis de oração.

Uma das maiores bênçãos da aposentadoria, por exemplo, é a possibilidade de dedicar grandes blocos de tempo à oração prolongada. Em Upper Hutt, próximo a Wellington, Nova Zelândia, certo irmão me mostrou seu quarto de oração e explicou com grande alegria:

— Veja, agora estou aposentado e posso passar o dia todo em oração. Tomo banho, faço a barba, tomo o meu café e depois passo horas neste quarto. Você gostaria de ver o meu livro de oração?

Ele me mostrou um grande caderno repleto de fotos de missionários da OMS, colaboradores nacionais, mapas de várias nações e itens similares.

— Veja, todos os dias eu dou a volta no mundo em oração — ele disse.

Que recompensa está agora acumulada para ele no céu! Esse meu amigo juntará dividendos eternos com seu investimento em oração.

Você pode diversificar o seu investimento em oração pelo mundo inteiro

Uma pessoa pode apoiar financeiramente apenas certo número de ministérios, organizações ou indivíduos. Pela oração, entretanto, não há limite para o âmbito de investimento possível. (V. Capítulo 33, para sugestões de como preparar listas de oração.) Talvez haja crianças ou jovens em cuja vida você queira fazer investimentos de oração. Você pode ter um grande interesse em famílias não salvas, em uma ou mais sociedades missionárias. Certamente você desejará investir oração no ministério da sua igreja. Se Deus colocou uma ou mais nações no seu coração, você pode investir em oração nelas. Você pode investir em povos e nações que talvez nunca venha a conhecer pessoalmente.

Enquanto eu viajava de ônibus na Irlanda do Norte alguns anos atrás, orava pela reunião que seria realizada naquela noite numa cidade do interior. Eu ansiava por conseguir mais apoio de oração para a Índia, e fui inspirado a escrever um poema. Fiquei tão absorvido com o meu texto que não percebi a paisagem passar nem o que faziam os meus companheiros de viagem. De repente, eu me assustei ao ouvir o meu nome ser chamado. Levantei os olhos e vi uma mulher em pé no corredor.

— Por acaso eu o vi sentado aqui — ela disse. — Eu o reconheci por uma foto no jornal missionário e quero dizer-lhe que, durante os últimos dezoito anos, tenho orado pelo senhor todos os dias, especialmente pela sua esposa Betty.

Lágrimas me vieram aos olhos quando percebi que Deus tinha graciosamente me permitido conhecer alguém que havia investido orações em meu favor e em prol de minha família.

Em outra ocasião, eu estava dirigindo sozinho na estrada da Virgínia Ocidental quando fiquei com tanto sono que temi prosseguir a viagem. Pedi ao Senhor que me mantivesse alerta até que eu pudesse encontrar um local para descansar e tomar um café. Um pouco mais adiante, vi um sinal indicando uma lanchonete aberta a noite toda na próxima saída. Parei em frente à lanchonete, entrei e ocupei a única banqueta vazia no canto. O homem sentado ao meu lado iniciou uma conversa:

— Parei aqui porque eles não vendem bebida alcoólica — ele arriscou.

Voltei-me para ele, surpreso.

— Concordo com você — comentei. — Sou missionário.

— Missionário! — ele exclamou. — Venha comigo.

Ele se levantou de onde estava sentado, e eu o segui, um tanto perplexo. Parando na extremidade do balcão, ele bateu no ombro de um homem que estava comendo algo. Quando o homem se virou, olhou-me direto no rosto e disse com os olhos brilhando ao me reconhecer:

— Eu oro por você todos os dias!

Nós tínhamos viajado centenas de quilômetros naquele dia, com destinos totalmente diferentes. No momento oportuno de Deus, entretanto, os nossos caminhos se cruzaram, e foi-me permitido encontrar outro investidor em oração que me concedeu uma palavra de estímulo.

Que alegria o céu proporcionará quando nos encontrarmos e tivermos comunhão com os que apoiaram o nosso ministério pelo investimento em oração! Eu me pergunto se os anjos se unirão nessas conversas e dirão como alertaram alguém a orar por nós nos momentos críticos da nossa vida...

Mesmo que oremos por pessoas que nunca se tenham rendido a Cristo durante toda a sua vida, nunca nos arrependeremos de ter feito a nossa parte. Certo dia, quando apertei a mão do primeiro-ministro Nehru, da Índia, fiquei pensando em que palavras poderia dizer no breve momento que teria com ele. Como fiquei feliz em poder dizer-lhe que havia orado por ele todos os dias!

Se você ama alguém, invista oração nessa pessoa. Se você ama a sua igreja e o seu pastor, ore sacrificialmente por eles. Se você ama a sua nação, certifique-se de passar mais tempo em oração do que em crítica. Você não tem o direito de criticar os seus líderes se não estiver orando por eles. Ame o mundo por meio da oração. Amplie os seus investimentos em oração pelo mundo todo e espere ricos dividendos!

A ORAÇÃO PODE SER O MELHOR INVESTIMENTO QUE VOCÊ JÁ FEZ

As bênçãos especiais de Deus estão reservadas aos que trabalham discretamente para ele, desejando agradar somente ao Senhor, e não as pessoas. Muitas vezes, doações financeiras se tornam de conhecimento público, e parte de sua recompensa é concretizada aqui na terra, quando os outros tomam conhecimento da doação e tecem elogios. Somos encorajados na Palavra a sermos servos fiéis e obedientes, e Deus nos recompensará abertamente. Entretanto, oramos não por causa da recompensa, mas porque ele nos pediu que assim o fizéssemos.

Não temos como avaliar o tamanho das recompensas do céu e como serão os dividendos da oração, embora Deus nos dê algumas estimulantes sugestões. Isso porque os caminhos de Deus são muito mais elevados do que os nossos — assim como os céus são mais elevados do que a terra (Is 55.9); e certamente isso inclui suas elevadas formas de recompensa. Da mesma maneira, Jesus enfatizou que Deus sabe infinitamente mais do que qualquer pai humano como dar boas coisas a seus filhos (Mt 7.11).

As recompensas da oração são indescritivelmente maiores do que qualquer dividendo pago por um investimento terreno. A Bíblia ensina que um pecador que nega Deus é o mais tolo dos homens. Às vezes, eu me pergunto se alguns cristãos também não deveriam ser classificados como tolos. Os cristãos cujas orações são quase sempre egoístas, do tipo "dá-me", que podem passar uma hora por dia lendo o jornal e nem sequer cinco minutos lendo a Palavra de Deus, ou mais de duas horas por dia assistindo à TV e nem sequer uma hora em oração —, certamente esses cristãos são, entre todas as pessoas, os mais tolos!

Aquele que conhece o poder de Deus, a glória dos céus, a extensão da eternidade, a certeza da recompensa de Deus para tudo o que fazemos por ele, e apesar disso coloca a maior parte da ênfase da vida naquilo que não tem valor na eternidade, desperdiça o tempo terreno e perde as recompensas eternas. Grande parte do investimento de vida dessa pessoa será queimada pelo fogo num piscar de olhos, pelo trono flamejante do juízo de Cristo perante o qual todos nós estaremos (Rm 14.10-12; 2Co 5.9,10). Essa pessoa, embora salva, está construindo sobre Cristo com materiais de madeira, feno e palha (1Co 3.11-15). Paulo diz que esse indivíduo *sofrerá prejuízo* (v. 15).

A oração é a sua oportunidade de transformar minutos e horas em recompensa eterna, de transformar o tempo terreno em bênçãos eternas. A oração é uma das mais devotas atividades na qual alguém pode se envolver, talvez a mais sagrada de todas. É a atividade constante de Deus, o Filho, e de Deus, o Espírito. Certamente o tempo investido na parceria com Jesus e o Espírito Santo é o mais sábio que pode ser feito.

Portanto estai atentos para que o vosso procedimento não seja de tolos, mas de sábios, aproveitando bem cada oportunidade [...]. *Por isso, não sejais insensatos, mas entendei qual é a vontade do Senhor* (Ef 5.15-17).

30

ORAÇÕES QUE JAMAIS PODEM SER PERDIDAS

Orações feitas de acordo com a vontade de Deus nunca se perdem. Deus as preserva em seus registros, e um dia elas serão respondidas. O Senhor recompensará totalmente todos aqueles cujas orações ajudaram a vencer a batalha espiritual e abriram a porta para a grande obra de Deus no mundo.

Apocalipse 8.1-5 apresenta simbolicamente uma dramática profecia de como tais orações serão um dia respondidas. Há um silêncio no céu durante cerca de meia hora, como se todo o céu estivesse aguardando, com a respiração suspensa, o que está prestes a acontecer. Um anjo se aproxima com um incensário de ouro — uma vasilha na qual o incenso é queimado.

> *Veio outro anjo e colocou-se junto ao altar, segurando um incensário de ouro; foi-lhe dado muito incenso para que ele o oferecesse sobre o altar de ouro que está diante do trono, juntamente com as orações de todos os santos. Da mão do anjo subiu, diante de Deus, a fumaça do incenso junto com as orações dos santos. Em seguida, o anjo pegou o incensário, encheu-o com o fogo do altar e o lançou sobre a terra; e houve trovões, vozes, relâmpagos e terremoto.* (Ap 8.3-5)

Você compreende o quadro? O incenso aromático provavelmente tipifica as intercessões de Cristo sentado à direita do Pai, onde intercede constantemente (Rm 8.34). Sua aromática intercessão se soma às orações dos filhos de Deus para que seu reino venha e sua vontade seja feita na terra. O fogo do altar, símbolo do grande poder do Espírito Santo, se soma às orações conjuntas de Jesus e seus santos, e tudo é derramado sobre a terra.

Seguem-se imediatamente as sete trombetas, tal como é descrito nos capítulos subsequentes de Apocalipse. Essas impressionantes demonstrações do poder de Deus agem dramaticamente para acelerar a realização da vontade de Deus na terra e a completa derrota de Satanás. Que orações são essas preservadas no céu? As orações que jamais podem ser perdidas. Muitos santos têm grande quantidade delas estocadas na tesouraria do céu. Você tem?

Quando sabemos que estamos orando de acordo com a vontade de Deus, a nossa fé é fortalecida. Daniel relatou que, quando ficou sabendo quanto tempo Israel permaneceria no cativeiro e se deu conta de que o tempo para o retorno dos judeus a Jerusalém estava próximo, buscou a face de Deus com muita insistência: *Então voltei o rosto ao Senhor Deus, para buscá-lo com oração e súplicas, com jejum, com pano de saco e cinzas* (Dn 9.3).

Daniel então nos descreve sua identificação intercessora com o povo (v. Dn 9.4-23.) Tão eficaz foi essa oração que Deus enviou o arcanjo Gabriel para entregar sua resposta pessoalmente. Embora Daniel não tenha vivido para ver seu pedido atendido, a sua oração foi plenamente respondida logo após sua morte. A oração de Daniel não morreu; ela não podia ser perdida, porque havia sido feita de acordo com a vontade de Deus.

Orações "permanentes"

Existem algumas orações que, podemos ter certeza, estão sempre de acordo com a vontade de Deus. Uma das orações mais eficazes é a que Jesus ensinou: *Seja feita a tua vontade* (Mt 6.10). É sempre apropriado orar essas palavras, embora nem sempre saibamos como orar especificamente sobre dada situação. Acredito que, na combativa batalha de oração, essas palavras são uma arma eficaz para derrotar Satanás.

"Abençoar." Embora esta seja uma oração muito geral, pode ser profunda e enfática. Expressa o coração de Deus que anseia abençoar todos. As necessidades podem variar, mas alguma forma de bênção é uma resposta para cada necessidade.

O rev. Harry Woods, diretor da OMS na China, viveu em Pequim durante algum tempo depois da tomada do poder comunista para identificar-se com a igreja chinesa. Chegou o tempo, entretanto, em que sentiu que sua presença estava causando constrangimento a eles. Ao pedir o visto de saída, foi interrogado pela polícia chinesa, que parecia relutante em deixá-lo ir. O rev. Woods declarou:

— Eu amo a China. Oro pela China todos os dias. Oro pelo chefe Mao todos os dias.

— Pelo que você ora? — eles revidaram.

— Oro para que Deus o abençoe e lhe dê sabedoria para governar esta grande nação — respondeu o pastor.

O rev. Woods recebeu permissão para sair.

Existem outras orações "permanentes", como: "Senhor, toma para si esta responsabilidade", "Senhor, revela-te a eles", "Senhor, que o teu Espírito seja derramado" e "Vem sem demora, Senhor Jesus". De acordo com as Escrituras, inúmeras orações estão sempre de acordo com a vontade de Deus.

Orar pela edificação da igreja de Cristo. Jesus disse: *Edificarei a minha igreja* (Mt 16.18). Talvez não seja o tempo de Deus estabelecer uma congregação local numa cidade ou parte da cidade em particular, mas sempre é desejo de Deus edificar a igreja.

Exemplos de aspectos "permanentes" incluem a implantação de novas congregações de crentes, o crescimento de congregações existentes, a bênção de Deus sobre ministérios e grupos especiais (crianças, jovens, famílias, pessoas fora da igreja, os pobres e assim por diante), a unidade da igreja, o aumento da visão e do zelo em testemunhar e ganhar almas, a doação sacrificial e o dízimo, o discipulado dos crentes, o espírito de oração cada vez maior e a edificação na sã doutrina.

Orar pelo reavivamento na igreja. Esse tipo de oração é mencionado diversas vezes na Bíblia.

> *Não tornarás a vivificar-nos, para que o teu povo se alegre em ti?* (Sl 85.6).

> *Porque assim diz o Alto e o Sublime, que habita na eternidade e cujo nome é santo: Habito num lugar alto e santo, e também com o contrito e humilde de espírito, para vivificar o espírito dos humildes e o coração dos contritos.* (Is 57.15)

> *Por amor de Sião não me calarei, e por amor de Jerusalém não descansarei, até que a sua justiça resplandeça como o nascer do sol, e a sua salvação, como uma tocha acesa.* (Is 62.1)

> *Ó vós, que invocais o SENHOR, não descanseis, e não lhe deis descanso até que ele estabeleça Jerusalém e a ponha por objeto de louvor na terra.* (Is 62.6,7)

Exemplos de aspectos "permanentes" incluem uma nova percepção e reverência a Deus, um anseio entre o povo por ver a obra de Deus realizada, nova magnificência (vida, unção, bênção e poder) nos cultos da igreja, nova evidência de arrependimento (humilhação do ego perante Deus, pedido de perdão e atos de restituição) e novo reavivamento (local, regional, ou nacional).

Orar por obreiros na colheita de Deus. Rogai ao Senhor da colheita que mande trabalhadores para a sua colheita (Mt 9.38).

Exemplos de aspectos "permanentes" incluem o claro chamado de Deus aos jovens e a outras pessoas, o treinamento de obreiros cristãos convocados por Deus, e a orientação de Deus a seus obreiros no que se refere ao local de ministração.

Orar pela colheita. Mas eu vos digo: Levantai os olhos e vede os campos já prontos para a colheita (Jo 4.35).

Exemplos de aspectos "permanentes" incluem a distribuição de Bíblias, a evangelização por meio de literatura, rádio e TV, a evangelização de grupos específicos (jovens, estudantes, prisioneiros, militares, judeus, muçulmanos e hindus), equipes de evangelização, evangelização por crentes leigos, acompanhamento de evangelização, convencimento de pecadores a respeito de seus pecados, e recepção a novos alcançados que buscam compreender o evangelho.

Orar pela salvação de um indivíduo. Você sempre realizará a vontade de Deus quando orar pela salvação de uma pessoa não salva. Jesus se deu em resgate de muitos (1Tm 2.5,6). Quem tiver sede pode vir (Jo 7.37). Qualquer um que quiser, pode vir (Ap 22.17).

Exemplos de aspectos "permanentes" incluem o convencimento do pecado pelo Espírito, o esclarecimento do Espírito para que a pessoa compreenda o evangelho, a revelação do amor de Deus, a libertação da pessoa dos grilhões de Satanás, a dádiva de Deus em conceder graça, e o presente da segurança da salvação.

Orar pela bênção de Deus sobre uma nação. **Pede-me, e te darei as nações como herança** (Sl 2.8). Peça a Deus que lhe dê alguma nação especial como incumbência de oração. Lembro-me bem do choro da minha mãe sempre que ela mencionava a China em suas orações diárias. Creio que a recente colheita na China se deve em parte à sua oração e a encargos semelhantes de oração por uma multidão de outros.

Exemplos de aspectos "permanentes" incluem a bênção sobre a nação, a bênção sobre seus líderes (em termos de sabedoria e integridade), a alimentação adequada e a moradia para o povo, a unção de Deus e a frutificação para os obreiros do evangelho, o fortalecimento e a bênção sobre a igreja, o avanço e a maior liberdade para o evangelho.

Orar pela restrição e derrota de Satanás. A Bíblia nos apoia também nesse tipo de oração.

> *Resisti-lhe* (1Pe 5.9). *Pois não é contra pessoas de carne e sangue que temos de lutar, mas sim contra principados e poderios, contra os príncipes deste mundo de trevas, contra os exércitos espirituais da maldade nas regiões celestiais* [...] *com toda oração e súplica, orando em todo tempo no Espírito.* (Ef 6.12,18)

Devemos orar sempre para que os planos de Satanás sejam desmontados, para que ele seja repreendido, suas trevas sejam desfeitas e suas algemas do pecado e hábitos malignos sejam arruinados, para que portas fechadas por ele sejam abertas, os espíritos demoníacos sejam expulsos e os escravos de Satanás sejam libertados.

Orações que dependem da vontade de Deus
Algumas categorias de orações podem ou não estar de acordo com a vontade de Deus. Você depende totalmente da orientação do Espírito ao orar por essas coisas, e deve sempre incluir nas suas petições a expressão "Se for da tua vontade". Você tem todo o direito de ser ousado nos seus pedidos, ser persistente na sua oração e reivindicar as promessas de Deus repetidas vezes. Ore até obter a resposta de Deus, a menos que ele o oriente a parar. Ele pode fazer isso afastando o seu interesse ou desejo, ou dando a você uma convicção íntima que sugere não ser essa a vontade dele. Entretanto, até que Deus o faça, continue orando com fé.

Orar por benefícios materiais. Se vós, sendo maus, sabeis dar boas coisas a vossos filhos, quanto mais vosso Pai, que está no céu, dará boas coisas aos que lhe pedirem! (Mt 7.11). Deus ama o ser humano de forma tão completa que tem prazer em ajudá-lo. A única ocasião em que Deus não se dispõe a conceder bênçãos materiais é quando ele deve punir por causa do pecado, quando deve disciplinar seus filhos, ou quando, em sua infinita sabedoria, tais bênçãos não são o melhor para o momento.

Às vezes, a bênção específica que se está pedindo a Deus pode levar aquele que recebe a se tornar espiritualmente negligente, autossuficiente e sentindo-se capaz de prosseguir sem Deus. Mais uma vez, Deus pode ter algo muito melhor em mente para aquele indivíduo, ou um tempo mais oportuno para aquela bênção particular. O maior amor de Deus pode ser revelado pela não concessão do pedido como solicitado, já que os caminhos de Deus estão muito além da nossa compreensão.

Orar pela remoção de provações, problemas e dificuldades. As provações podem ser uma fonte de grande bênção espiritual e levar a uma grande recompensa eterna (1Pe 1.6,7). Os sofrimentos presentes podem ser uma preparação para a glória eterna (2Co 4.17). *Considero que os sofrimentos do presente não se podem comparar com a glória que será revelada em nós* (Rm 8.18).

Assim como o trabalho árduo é bom para a saúde física de uma pessoa normal, assim as pressões, os problemas e as provações podem desenvolver a musculatura espiritual, a vitalidade espiritual, a fé, a paciência e outras virtudes espirituais.

> *Também nos gloriamos nas tribulações; sabendo que a tribulação produz perseverança, e a perseverança, a aprovação, e a aprovação a esperança; e a esperança não causa decepção* (Rm 5.3-5).

> *Sabendo que a prova da vossa fé produz perseverança; e a perseverança deve ter ação perfeita, para que sejais aperfeiçoados e completos, sem vos faltar coisa alguma* (Tg 1.3,4).

Deus não se agrada em afligir nem entristecer o ser humano (Lm 3.32,33). Ele sofre ao ver alguém sofrer. Mas ele trabalha para o nosso bem eterno. Por esse motivo, o salmista pôde dizer: *Antes de ser castigado, eu me desviava; mas agora obedeço à tua palavra* [...]. *Foi bom eu ter sido castigado, para que aprendesse teus decretos* (Sl 119.67,71).

Orar por cura física. A vontade geral de Deus para o ser humano é a saúde física e mental, mas nem sempre é vontade de Deus curar numa situação específica. A graça de Deus está presente até mesmo nos nossos genes e cromossomos. Deus não tem prazer em nenhum sofrimento, incluindo doença física, crueldade, perseguição ou privação. Ele se agrada quando a humanidade descobre procedimentos médicos e cirúrgicos que beneficiam a vida. Devemos ser ousados em oração pela cura física, emocional e mental, para nós mesmos e para os outros. Temos todo o direito de reivindicar as promessas de Deus em santa persistência até que Deus nos detenha ou sugira que curar não faz parte de sua vontade. Indubitavelmente, Deus se agrada se a nossa fé por cura for mais firme.

A cura divina em relação ao sofrimento físico e mental é comum nos campos missionários. Cristo precisa provar que é o Deus vivo, que responde às orações em contraste com os falsos deuses impotentes e as religiões pagãs. Cristo é glorificado ao responder à oração. Talvez nós, que participamos da plena luz do evangelho, não precisemos de tantas evidências do sobrenatural. Por outro lado, Deus é o mesmo hoje como foi no passado ou será no futuro (Hb 13.8). Isso significa que ele é o mesmo em sabedoria, compaixão, amor, poder e prontidão em responder à oração.

Há ocasiões em que sofrer pode gerar bênção à pessoa que sofre e a outras que observam a graça de Deus concedida ao sofredor. A doença é às vezes permitida porque, por meio dela, Deus ganhará glória (Jo 11.4).

Muitos comentaristas acreditam que o espinho na carne de Paulo (2Co 12.7-10) represente uma doença física de algum tipo, provavelmente um problema na vista. Curiosamente, foi por causa dessa enfermidade que Paulo pôde encontrar a igreja na Galacia (Gl 4.13). Os cristãos gálatas amavam tanto Paulo que teriam alegremente arrancado os próprios olhos e lhe dado se isso fosse possível (4.14,15). Paulo pediu a cura não apenas uma vez, mas em três ocasiões distintas. Para ele, foi correto pedir até Deus curá-lo ou recusar seu pedido. Esse pedido acabou sendo recusado, como é explicado em 2Coríntios 12.8-10.

Orar pelo prolongamento da vida. Às vezes, Deus atende ao nosso pedido, mesmo não estando de acordo com sua vontade perfeita, para nos ensinar uma valiosa lição. Por exemplo, Ezequias deve ter sido demasiado insistente em sua oração por livramento da morte (Is 38.1-6).

> *Naqueles dias, Ezequias adoeceu e estava à morte; ele orou ao Senhor, o qual lhe respondeu, e lhe deu um sinal. Mas Ezequias não correspondeu ao benefício que lhe foi feito, pois o seu coração se exaltou; pelo que veio grande ira sobre ele, e sobre Judá e Jerusalém.* (2Cr 32.24,25)

Deus prolongou sua vida em quinze anos. Durante aqueles anos acrescentados, nasceu seu filho Manassés. Quando Manassés sucedeu a seu pai Ezequias como rei, revelou-se o completo oposto de seu pai. Ele amaldiçoou a nação ao disseminar a idolatria e se tornou conhecido por sua crueldade e por extenso derramamento de sangue. Judá foi destruída como nação sob seu reinado. *Na verdade, foi por ordem do Senhor que isso aconteceu a Judá, para expulsá-lo da sua presença por causa de todos os pecados cometidos por Manassés* (2Rs 24.3). Teria sido muito melhor se Ezequias não tivesse insistido em viver mais.

Naturalmente, todos nós gostaríamos de postergar a morte o máximo possível. Existem também certas situações nas quais parece que a vontade de Deus seria prolongar a vida (por exemplo, os pais de crianças pequenas, os cristãos em posições-chave de liderança etc.). A menos que Deus nos interrompa, devemos nos sentir livres para lhe pedir que prolongue a vida de seus servos. No entanto, oremos sempre para que sua vontade seja cumprida acima de tudo mais.

31

Como organizar um retiro de oração pessoal

O retiro de oração pessoal que envolve mais de um dia, uma semana ou um período de vários dias proporciona um período de tempo prolongado com Deus. Posso repetir o testemunho de milhares de pessoas de que sua vida espiritual teria sido muito menos eficaz se não tivessem separado esses momentos. Nessas ocasiões, de oração prolongada, Deus tem me revelado sua vontade de maneiras que eu nunca havia imaginado. Eu não queria ter perdido essas experiências por nada neste mundo, porque elas tiveram um tremendo efeito sobre todo o meu serviço posterior para o Senhor.

Tais momentos prolongados com Jesus podem produzir reavivamento pessoal, paz renovada, estabilidade da alma em meio à pressão e uma clara compreensão da orientação e da vontade de Deus ao planejar a sua vida ou ao enfrentar decisões cruciais. Normalmente, é imprudente tomar uma decisão importante até você vivenciar esse retiro de oração pessoal. Esse tempo também pode exercer um papel importante na preparação do caminho do Senhor (v. os Capítulos 21 e 22).

Charles G. Finney, o evangelista congregacional grandemente usado por Deus na década de 1850, é considerado por muitos o maior evangelista desde o apóstolo Paulo. Mais de meio milhão de pessoas se converteram a Cristo no imenso reavivamento iniciado em suas reuniões. Estima-se que, somente em 1857-1858, cerca de 100 mil pessoas se converteram a Cristo direta ou indiretamente por meio de seu ministério e 80% desses convertidos permaneceram fiéis ao compromisso original e continuaram como membros da igreja, em crescimento espiritual contínuo. Em comparação, se 6% das pessoas que fazem profissão de fé nas cruzadas atuais se unirem depois à igreja, nós ficamos satisfeitos!

Qual é a diferença? Finney escreveu como Deus lhe deu um poderoso encher do Espírito Santo "que pareceu me atravessar corpo e alma. Imediatamente me vi imbuído de tal poder do alto que umas poucas palavras ditas aqui e ali para as pessoas eram o meio de sua imediata conversão. As minhas palavras pareciam apertar como arame farpado a alma dos homens. Cortavam como uma espada; quebravam o coração como um martelo. Multidões podem atestar isso... Às vezes, eu me via em grande medida vazio desse poder. Eu saía para visitar e percebia que não causara impressão salvadora. Eu exortava e orava com os mesmos resultados. Então eu separava um dia para, particularmente, orar e jejuar... depois de me humilhar e clamar por ajuda, o poder retornava sobre mim com todo o vigor. Esta tem sido a experiência da minha vida".

John N. Hyde, missionário presbiteriano na Índia, foi um dos fundadores da grande Convenção de Sialkot, na Índia, em 1904, por volta do tempo do grande reavivamento de Gales. Até hoje a Convenção de Sialkot continua sendo grande fonte de bênção para a igreja de Cristo. Antes das primeiras convenções, Hyde e R. M'Cheyne Paterson aguardaram diante de Deus durante trinta dias. Pouco mais de uma semana depois, George Turner juntou-se a eles. Durante mais 21 dias e noites, os três homens oraram e louvaram a Deus por um poderoso derramar de seu poder. Valeu a pena? Literalmente milhares de pessoas ao longo dos anos entraram para o reino pelas orações daqueles homens.

Os retiros pessoais de oração têm uma base bíblica definida. É possível que, antes do traslado, Enoque tenha vivenciado tais retiros com o Senhor. *Enoque andou com Deus durante trezentos anos [...] até que não foi mais visto, porque Deus o havia tomado* (Gn 5.22-24). Moisés passou dois períodos de quarenta dias cada um no monte Sinai a sós com Deus. Durante esse tempo, Deus se revelou mais plenamente a Moisés do que a qualquer outro ser humano antes ou depois disso. Muito do tempo de Elias junto ao ribeiro de Querite (1Rs 17.2-7) foi indubitavelmente passado em oração por Israel e Judá.

Jesus teve períodos pessoais de retiro para oração. Ele iniciou seu ministério com quarenta dias de oração e jejum. Às vezes, passava a noite toda em oração (Lc 6.12). Parece que, em muitas ocasiões, ele usou o monte das Oliveiras como lugar para oração prolongada (Mc 11.19; Lc 21.37).

Muitos líderes cristãos coreanos compreendem esse conceito. Eles tornaram essa prática um hábito para buscar a face de Deus e conhecer sua vontade. No 75º aniversário do trabalho da OMS na Coreia, realizamos uma série de seminários sobre a vida da igreja coreana que cresceu por meio do nosso ministério ali — a Igreja Evangélica Coreana. Um grupo de ministros respondeu às nossas perguntas. Quando o assunto do jejum foi mencionado, eles relataram registros de mais de 20 mil cristãos coreanos dedicados a períodos de quarenta dias em jejum e oração.

Você pode não ser levado pelo Espírito a passar quarenta dias em retiro espiritual, ou a jejuar durante um tempo tão prolongado. Se Deus o orientar nesse sentido, você aprenderá a cuidar do seu corpo e a quebrar o jejum. Mas os resultados são claros: os que buscam a face de Deus em retiros pessoais de oração recebem bênçãos significativas.

O propósito de um retiro de oração

O propósito do retiro pessoal de oração pode ser aproximar-nos de Deus. *Achegai-vos a Deus, e ele se achegará a vós* (Tg 4.8). *Mas, para mim, bom é estar junto a Deus* (Sl 73.28). Que privilégio é passar tempo junto ao coração de Jesus!

Você pode desejar tempo a sós com Deus porque precisa descobrir sua vontade em algum assunto de grande importância. Não se constranja. O Senhor quer que você compreenda a vontade dele. Ele tem uma *boa, agradável e perfeita vontade* para você (Rm 12.2). E quer *que sejais cheios do pleno conhecimento da sua vontade, em toda sabedoria e entendimento espiritual* (Cl 1.9). O Senhor pode revelar alguma nova direção para você durante seu retiro de oração. Ele fez isso por mim. Ou ele pode iniciar um processo que levará você à plena compreensão em um momento posterior. Ele o ama tanto que quer que você conheça e cumpra sua vontade.

Você pode desejar esse tempo prolongado a sós com Deus em razão do seu interesse em uma necessidade importante ou urgente. A necessidade pode ser em relação a algum aspecto da causa de Deus, da sua nação ou comunidade, a algum amigo ou ente querido ou à sua vida. Não hesite em orar por necessidades pessoais.

Como planejar um retiro de oração

1. Planeje orar em um local onde você não será perturbado. Em várias ocasiões na Índia, quando a privacidade era um prêmio, eu pegava um trem para a próxima parada e passava o dia na sala de espera da estação ferroviária, lendo e orando. Embora as condições não fossem ideais, porque havia pessoas à minha volta, eu ficava relativamente livre de perturbações.

Várias igrejas ligadas à OMS na Coreia têm em seus edifícios diversas salas de oração para uma única pessoa. Qualquer membro pode vir a qualquer momento, deixar o sapato do lado de fora para indicar que a sala está ocupada, e passar ali horas ou até mesmo um ou dois dias orando. Outras igrejas têm uma casa especial de oração nas montanhas, disponível para qualquer membro da igreja.

Quando a minha esposa e eu estávamos servindo como missionários na Índia, passamos várias semanas do verão em Landour, Mussoorie, nos Himalaias, a fim de escapar do calor opressivo. Encontrei alguns pontos ideais nas montanhas para os meus retiros de oração — um deles, a catorze quilômetros de distância de Landour. Várias vezes durante a estação quente, eu saía ao nascer do sol, caminhava os catorze quilômetros até o lugar e passava o dia sozinho com o Senhor. Que momentos abençoados!

Na cidade de Allahabad, fiz um arranjo com alguns amigos para usar um armazém como lugar de retiro. Não havia telefone ali ou pessoas que interrompessem o meu tempo a sós com Deus. Em outras ocasiões, eu usava uma sala vazia de uma igreja.

Se você sinceramente deseja buscar o Senhor em demorada comunhão, ele o levará ao lugar certo.

2. *Programe um tempo no qual você possa ficar livre de pressões e interrupções.* Para algumas pessoas, o domingo à tarde é um bom momento para um retiro de oração breve. Considere

dedicar parte das suas férias ou de um feriado nacional a um retiro mais demorado. Talvez meia noite de oração possa ser planejada, começando na hora do jantar. Você pode querer pular a refeição noturna e fortalecer a sua oração com um breve jejum.

3. Reúna todas as provisões de que você necessitará. Uma lista de itens para levar com você no retiro de oração pode incluir (a) Bíblia, (b) hinário, (c) caderno de anotações e lápis, (d) concordância bíblica (se sua Bíblia não tiver uma), (e) uma ou duas traduções da Bíblia ou do Novo Testamento, (f) livro devocional ou sobre reavivamento, oração ou Espírito Santo, (g) lanterna (se necessário), (h) almofada ou algo em que se ajoelhar, (i) relógio ou despertador (especialmente se você estiver planejando passar vários dias em oração), (j) agasalho adequado e (k) o seu diário de oração.

4. Informe alguém onde você pode ser localizado em caso de emergência. Embora o objetivo seja não divulgar o seu sagrado momento com Deus, avise algum membro da sua igreja ou da sua família onde você estará. Depois do retiro, você pode retornar e justificar a sua ausência àqueles que tentaram contatá-lo, mas isso deve ser feito com naturalidade. Há lugar para testemunho, mas tenha o cuidado de dar toda a glória a Deus e não atrair atenção para si mesmo.

5. Comece o retiro o mais descansado possível. Se você planeja um retiro de oração com a duração de vários dias, precisará estar descansado para o seu tempo com o Senhor. É perfeitamente espiritual dormir quando o seu corpo assim o exige. Em algum momento durante o seu retiro, você pode querer tirar uma breve soneca antes de retomar a oração e a meditação. Aqui, o seu despertador virá a calhar.

Como investir o seu tempo de oração

Deus pode orientá-lo a variar os métodos de oração de tempos em tempos. Confie no Espírito Santo para guiá-lo. Entretanto, as sugestões a seguir podem ser úteis.

1. *Comece o seu tempo de oração com alegre louvor.* O texto do Salmo 100.4 exorta você a entrar na presença de Deus com ações de graças e louvores. Dedique tempo para agradecer a Deus por quem ele é, por seu amor e outros atributos, por ele ter deixado o céu e ter vindo à terra, por seus feitos amorosos, por sua morte e ressurreição, por sua bondade para com você, por sua linda criação, pelos seus amigos cristãos e pela sua igreja.

As figuras de linguagem no livro de Apocalipse sugerem que os anjos, outros seres celestiais e os santos de Deus também cantam (Ap 4.8-11; 5.6-14; 7.9-12; 14.2,3; 15.2-4; 19.1-7). Deus ama o cântico. Havia cântico e regozijo no céu antes que houvesse seres humanos na terra (Jó 38.7). Deus mesmo é retratado cantando com alegria sobre nós, ou talvez conosco (Sf 3.17). Deus criou os pássaros, a humanidade e os anjos para cantar. Você alegra o coração de Deus quando canta louvores, de forma audível ou silenciosamente no seu coração.

Alguns dos grandes hinos da igreja são de louvor. É bom você memorizar alguns versos e coros para usar de vez em quando nos seus momentos diários de oração.

Descobri que o meu coração começa a se empolgar de alegria quando eu me aproximo do lugar e do tempo de oração especial. Ficarei a sós com Jesus! Como isso é sagrado! Como é maravilhoso! Como é abençoador!

2. *Comece a se alimentar da Palavra de Deus.* Normalmente é importante ouvir Deus primeiro. Ouvir é tão importante quanto falar; alimentar-se da Palavra é tão importante quanto

interceder. Você pode sempre ouvir a voz de Deus pela leitura de sua Palavra.

Dedique todo tempo necessário para impregnar o seu coração com a Palavra. Às vezes, você pode querer, de joelhos, ler alguns trechos das Escrituras. É prudente continuar sua leitura sistemática da Bíblia em vez de ler textos aleatórios. Por outro lado, você pode sentir-se dirigido a começar pela leitura de um trecho de Salmos ou ler um dos Evangelhos ou as Epístolas. Siga livremente a sugestão feita pelo Espírito Santo ao seu coração.

Leia para ser abençoado. Não prepare estudos bíblicos formais nem leia analiticamente, a menos que o Senhor assim o direcione. Apenas alimente-se da Palavra e da bondade de Deus. Você está preparando o seu coração para ter comunhão com ele, para adorar a seus pés, para interceder por outros e para vencer batalhas espirituais. Em todas essas ações, a Palavra de Deus constitui um fundamento eterno.

3. Concentre a sua oração nos interesses de Deus. Na oração que Jesus ensinou aos discípulos, as prioridades foram: (a) a santificação do nome de Deus, o Pai (sua reverência, honra e glória), (b) a vinda do reino de Deus (o total cumprimento do plano de Deus para a igreja e para o mundo, o avanço de seu governo sobre e entre os homens, e o retorno final de Jesus) e (c) a realização da vontade de Deus na terra, aqui e agora. Esses elementos devem fazer parte da sua preocupação diária de oração, mas particularmente de períodos prolongados de oração.

Ore por reavivamento entre o povo de Deus. Ore para que a igreja como um todo possa mostrar santidade de vida, separação das atitudes e ações do mundo, e um transbordante amor para com todos, especialmente uns para com os outros. Então os não salvos dirão novamente hoje o que disseram no primeiro século da igreja, destacando quanto os cristãos se amam uns aos outros!

Ore pela salvação de multidões de não salvos. Deus é glorificado quando o evangelho é proclamado aos não alcançados, quando a colheita de novos crentes é feita aqui e ao redor do mundo. Esse é o grande propósito de Deus, a Grande Comissão da igreja. A intercessão pelo perdido deve fazer parte do tempo de oração de todo crente.

Tenha o cuidado de não ficar absorvido demais pelas suas necessidades e seus interesses a ponto de negligenciar a oração pelos outros. Se a oração centrada no ego se tornar dominante na sua vida de oração, as suas orações poderão permanecer sem resposta. Desenvolva o hábito de orar mais pelos outros do que por si mesmo e pelos seus entes queridos. Quando você seguir a ordem de prioridade que Jesus nos ensinou, será necessário orar menos para que as suas necessidades sejam atendidas! *Buscai primeiro o seu reino e a sua justiça, e todas essas coisas vos serão acrescentadas* (Mt 6.33). Esta é a promessa do Senhor.

4. Humilhe-se perante Deus. A humildade perante o Senhor prepara o caminho para a petição por necessidades pessoais. Confesse a sua necessidade dele. Reconheça a soberania divina. Curve-se em humilde submissão perante Deus. Eleve os seus olhos enquanto se regozija nele e profere ações de graças; então curve-se em humildade de coração ao iniciar a sua intercessão.

Há momentos em que somos levados a ficar de joelhos por um senso de pecado pessoal, de grupo ou da nação. Nesses casos, a confissão de pecados e a total humilhação do ego perante Deus podem preceder quase todos os outros aspectos da oração. Esse é um padrão apresentado no Salmo 51, em que Davi se aproxima de Deus sob profunda convicção de seu pecado pessoal.

Se você está acalentando pecado no seu coração, o Senhor não ouvirá a sua oração (Sl 66.18). Em Cades-Barneia, Deus não ouviu as orações de Israel quando este derramou lágrimas de frustração (Dt 1.45). Nem ele honrará as orações do impenitente (Jó 35.13). O perdão pelo pecado pessoal e a reconciliação com irmãos cristãos que você possa ter ofendido devem preceder o seu retiro de oração (Mt 5.23,24; Rm 12.18).

Quando um crente cheio do Espírito que anda na luz de Deus vai à sua presença, é apropriado aproximar-se com alegria, não de cabeça baixa e olhos abatidos como o publicano (Lc 18.13). Ao contrário, como Jesus, ele deve elevar os olhos ao céu e primeiro louvar ao Senhor, regozijando-se em seu amor. Depois, tendo continuado com a intercessão pelos interesses do reino, o crente cheio do Espírito naturalmente chega às suas necessidades pessoais.

Com gratidão a Deus por sua bondade e misericórdia, mas com verdadeira humildade, confesse quão indigno você é de toda a bondade de Deus e quão destituído você está de sua glória (Rm 3.23). Então, ao examinar o próprio coração à luz da santidade de Deus, você pode relembrar as palavras apressadas, os passos imprudentes e os momentos em que você entristeceu o Espírito Santo. Então é o tempo de orar: *Perdoa-nos as nossas dívidas, assim como também temos perdoado aos nossos devedores* (Mt 6.12).

5. *Deus [...] dá graça aos humildes. Portanto, humilhai-vos sob a poderosa mão de Deus, para que ele a seu tempo vos exalte* (1Pe 5.5,6). Em humildade, você pode lançar todo o seu cuidado sobre o Senhor (v. 7). Deus revivificará o espírito do humilde e do contrito (Is 57.15). Quando o povo de Deus se humilha e confessa próprio pecado e o pecado de sua terra, Deus sempre perdoa e cura (2Cr 7.14).

6. Apresente as suas petições ao Senhor. Porque você é filho de Deus, tudo o que lhe diz respeito é importante para ele. Nada é grande ou pequeno demais para compartilhar com o Pai celestial. Você ora não para informar Jesus sobre o que ele não sabe, mas, sim, para compartilhar o desejo do seu coração, os seus problemas e as suas necessidades. Você conversa sobre eles com o seu amado Senhor. Ele o ouve, porque está à espera de que você lhe apresente as suas petições pessoais.

Enquanto você esperava ansiosamente pelo seu retiro espiritual, provavelmente deve ter feito uma lista de necessidades pessoais. Agora é o momento de consultar a lista. À medida que itens adicionais vierem à sua mente, anote-os. Apresente as suas petições, uma por uma. O tempo para pedir por tudo aquilo de que necessita é quando você está na presença de Deus (1Jo 5.14,15; Fp 4.19).

Da mesma forma que Ezequias, ao receber uma carta ameaçadora de Senaqueribe, foi ao templo e a apresentou perante o Senhor (2Rs 19.14-20), assim também você pode abrir o seu coração e compartilhar livremente com ele. E, assim como o Senhor respondeu a Ezequias, ele responderá a você: *Eu ouvi a tua súplica* (v. 20).

7. Planeje alguma variedade ou mudança durante o seu retiro de oração. A oração pode ser exaustiva quando você permanece contrito por horas seguidas. Você pode precisar mudar de posição ou postura. Levante-se e ande um pouco, cante um hino baixinho, alterne oração audível com oração silenciosa, ou, de alguma outra maneira, introduza uma mudança de ritmo. Se você não estiver jejuando, uma refeição ligeira pode revigorá--lo. Deus é Pai; ele compreende as suas necessidades físicas. Fique à vontade e relaxado na presença dele.

8. Aproprie-se da promessa de Deus. Anteriormente, quando você lançou as bases do seu momento de oração saturando a sua alma com a Palavra de Deus e jejuando sobre as Escrituras, Deus pode ter imprimido em você alguma promessa especial. Use-a agora. Ou, ao sentir a proximidade da presença de Deus, enquanto você intercede por outros e ora pelas próprias necessidades, Deus pode trazer à sua lembrança outras promessas especiais. Caso isso não aconteça, talvez o Senhor o guie a se voltar novamente para a Palavra, abençoando-o com uma promessa que talvez você não tenha notado antes, ou com uma promessa já usada em oração várias vezes. Não existem promessas mais cheias de bênção do que as que você emprega repetidas vezes. Agora Deus pode aplicá-la de uma forma nova e diferente à sua necessidade atual.

Quando Jacó retornou a Canaã e passou a noite toda em oração, ele lembrou Deus de sua promessa (Gn 32.9). Quando Moisés intercedeu com Deus, ele o lembrou de sua palavra (Êx 32.13). O salmista orou: *Lembra-te da promessa feita a teu servo, pela qual me deste esperança* (Sl 119.49). Pedro encorajou seus ouvintes no Pentecostes a reivindicarem o que Deus tinha prometido (At 2.39). Como Abraão, não podemos vacilar, incrédulos, em relação à promessa de Deus, mas, fortalecidos na fé pela promessa, dar louvores e glórias a Deus (Rm 4.20). Por quê? Porque estamos *plenamente certos* de que Deus tem poder para fazer o que promete (v. 21).

Com a Bíblia na mão e o coração apoiado na promessa do Senhor, aproxime-se corajosa, confiante e alegremente do trono de graça, *no qual temos ousadia e acesso a Deus com confiança, pela fé que nele temos* (Ef 3.12).

Portanto, irmãos, tendo coragem para entrar no lugar santíssimo por meio do sangue de Jesus, pelo novo e vivo acesso que ele nos abriu através do véu, isto é, do seu corpo. Tendo um grande sacerdote sobre a casa de Deus, aproximemo-nos com coração sincero, com a plena certeza da fé. (Hb 10.19-22)

Certifique-se de concluir o seu retiro de oração com outro momento de louvor, adoração e ação de graças. Quando você chegar ao término do seu momento de oração, Deus provavelmente lhe dará uma abençoada paz no coração, uma renovada e confiante segurança e uma profunda alegria de alma. Esse é o momento para a doxologia. É o momento de uma vez mais amar o Senhor, adorá-lo e louvá-lo.

Mesmo não podendo ver a plena resposta do Senhor ou ter certeza de como ele agirá, retorne às suas responsabilidades com o coração cantando e fortalecido na fé. Aqui cabem muito bem as palavras de um hino clássico intitulado "No segredo de tua presença", escrito por Ellen Lakshmi Goreh, de Allahabad, Índia:

> E sempre que você deixar o silêncio
> daquele feliz lugar de encontro,
> certamente trará a imagem
> do mestre na sua face.

32

Como orar por uma pessoa

Deus colocará no seu coração muitas pessoas em favor de quem você desejará orar diariamente. Você pode interceder resumidamente ao apresentá-las perante o Senhor em carinhosa petição para que Deus atenda a suas necessidades. Abençoado é quem abençoa os outros pela oração regular e sistemática.

Quando Deus deseja transformar a condição espiritual de uma pessoa, levando-a do pecado para a salvação, ou da vida egocêntrica para a vida obediente, contudo, ele pode convocar você a conduzir uma oração especial que pode requerer mais intensidade. Essa pessoa pode ser um parente ou amigo, algum líder nacional ou mundial ou uma figura do governo. O tema da oração pode abranger o campo da educação, negócios, esportes, leis, meios de comunicação ou a área militar. Os que atuam como exemplos precisam estar amparados pela oração, tanto quanto aqueles que atuam em círculos menos públicos.

Como orar por esses indivíduos? Seguem algumas sugestões que podem ser usadas na oração prolongada ou adaptadas a períodos de intercessão mais curtos.

1. Novamente, comece concentrando-se em Deus. (a) Agradeça a Deus por sua boa vontade para com todas as pessoas e por seu amor pelo mundo. (b) Agradeça a Deus por seu amor intenso pela pessoa específica. (c) Agradeça a Deus por seu plano e pela vida dessa pessoa. (d) Agradeça a Deus porque a morte de Jesus na cruz visou essa pessoa também. (e) Agradeça a Deus pela presença e pelas atividades do Espírito Santo em favor dessa pessoa: seus olhos constantemente observando sua vida, seu trabalho e suas necessidades (Gn 16.13; 2Cr 16.9; Zc 4.10; Ap 5.6); a providência de Deus coordenando tudo o que diz respeito à vida dessa pessoa; e sua imediata disponibilidade. (f) Visualize Jesus em pé ao lado da pessoa, com os braços estendidos em amor e dizendo: *Estou aqui, estou aqui* (Is 65.1,2). (g) Visualize as lágrimas de Jesus com amoroso anseio pela pessoa (Mt 23.37). (h) Agradeça a Deus pela disponibilidade dos anjos mensageiros de Deus para ajudar a prover respostas às suas orações (Hb 1.14).

2. *Agradeça a Deus por essa pessoa.* Comece a sua oração agradecendo a Deus por essa pessoa. Nunca ceda à tentação de criticar o objeto da sua preocupação. Não ressalte quão difícil, teimosa ou extravagante a pessoa é. Acusar é papel de Satanás. Ele não apenas acusa os nossos irmãos em Cristo (Jó 1.6-11; 2.1-5; Zc 3.1; Ap 12.10), mas intensifica suas acusações para gerar atritos pessoais.

Satanás faz qualquer coisa para desestimular as nossas orações em favor dos outros. Se ele não pode nos deter, tenta produzir curto-circuito na nossa oração, tornando-nos petulantes, críticos e negativos. Esse espírito atrapalha o nosso amor, destrói a nossa fé e anula o nosso espírito de louvor. Não espere respostas a orações feitas em espírito de crítica negativa. (a) Agradeça a Deus pelo potencial dessa pessoa, de suas habilidades e capacidades. (b) Agradeça a Deus pelas boas qualidades das quais você pode se lembrar. (c) Agradeça a Deus por saber que o Espírito Santo já está agindo, embora o trabalho dele possa não ser visível. (d) Agradeça a Deus pela resposta que você crê que virá no tempo de Deus.

3. Interceda pela pessoa. (a) Peça a Deus que o guie em oração por essa pessoa e aumente o seu interesse. (b) Peça a Deus que bloqueie e frustre os planos de Satanás contra essa pessoa. (c) Peça a Deus que abençoe a pessoa e manifeste sua bondade de tal forma que não haja dúvida de que se trata de uma obra de Deus, e não coincidência ou acaso. (d) Peça a Deus que ressalte cada traço de personalidade, cada desejo positivo e cada decisão correta da pessoa. (c) Peça a Deus que torne a pessoa aberta e receptiva à voz do Senhor e sensível ao próprio pecado e necessidade pessoal. (f) Peça a Deus que liberte a pessoa de qualquer preconceito, qualquer laço de pecado, hábito maligno ou poder maligno com o qual Satanás possa prendê-la. (g) Peça a Deus que cerque a pessoa com sua santa presença, lembre-a das muitas misericórdias passadas de Deus, prove sua misericordiosa intervenção de maneiras novas e poderosas, e dissipar toda hesitação com relação a seu grande amor. (h) Peça a Deus que use qualquer meio que ele julgar adequado para dissolver toda resistência a seu Espírito. Peça-lhe que utilize quaisquer de seus filhos, quaisquer circunstâncias da vida ou quaisquer ministérios de seus santos anjos.

4. Reivindique a promessa de Deus por salvação ou necessidade. (a) Apoie firmemente a sua fé nas promessas de Deus que se aplicam à pessoa por quem você está orando. (b) Fique alerta a qualquer outra promessa que possa ser aplicada enquanto a nova situação se desenvolve. (c) Peça a Deus que faça que alguma promessa especial ganhe vida para você em relação a essa pessoa. Enquanto estiver lendo as Escrituras, o Espírito Santo pode imprimir no seu coração um versículo ou uma passagem bíblica especial. Continue em oração e suplique por esse trecho repetidas vezes.

5. *Persevere em oração.* (a) Lembre a Deus que você ama a pessoa e sabe que o divino amor por ela nunca cessará. (b) Reconheça que algumas respostas de Deus à oração não vêm instantaneamente. O aparente silêncio de Deus não quer dizer que ele está inativo. Quase sempre leva tempo para desemaranhar o pensamento de alguém com relação a erro, preconceito ou obstinação. A pessoa pode não ser capaz de reconhecer a voz de Deus ou compreender plenamente o que Deus está tentando dizer. Disponha-se a ser tão paciente quanto é o Espírito Santo. (c) Lembre-se de que nenhuma oração feita por você jamais é perdida. Toda vez que você ora, o Espírito Santo fala de forma diferente à pessoa. (d) Reconheça que os propósitos de Deus são normalmente realizados na mente e no coração de uma pessoa. Deus pode escolher usar meios evidentes de intervenção — como impedir uma viagem, causar o cancelamento de planos, permitir uma enfermidade. Mas possa você discernir ou não a atividade de Deus na vida da pessoa por quem está orando, você pode ter certeza de que Deus está agindo. (e) Lembre-se de que as aparências exteriores são quase sempre o extremo oposto do que está acontecendo interiormente. Deus pode estar agindo mais intensamente no momento exato em que a pessoa parece totalmente indiferente. Deus lembrou a Saulo que era doloroso recalcitrar contra a ação do Espírito Santo. Assim, Saulo, o perseguidor, deu a impressão de estar mais violento contra Cristo no exato momento em que o Espírito Santo incitava sua consciência com a lembrança do rosto radiante e da oração de perdão de Estêvão (At 26.14). (f) Creia em Deus diante dos sintomas de desestímulo e das reações hostis. Não é da vontade de Deus que alguém pereça, mas que venha a se arrepender (2Pe 3.9). (g) Deus pode dirigi-lo a convocar a oração de outras pessoas.

Isso deve sempre ser feito com a segurança da orientação de Deus e com sutileza e discrição. Você se une em oração para produzir poder e bênção, não para ofender. (h) Deus pode conduzi-lo a dizer à pessoa que você está se lembrando dela em carinhosa oração. Mesmo que essa pessoa não mostre simpatia no momento, Deus pode trazer à memória dela sua paciente e persistente intercessão. Esse pode ser um testemunho particularmente poderoso quando você ora por uma pessoa que não tem esperança de contatar pessoalmente. (i) Quando Deus confirma no seu coração uma incumbência específica de oração, espere pela resposta de Deus a qualquer momento. Quando uma pessoa é coberta e saturada com muita oração por um prolongado período de tempo, é provável que a submissão final ao Senhor venha rapidamente. Deus não o chama para orar em vão. Ore, creia e louve até obter a resposta.

Às vezes, aqueles por quem oramos podem parecer espiritualmente indiferentes durante anos. Nessas ocasiões é natural nos perguntarmos por que a nossa oração parece tão ineficiente. Não desanime. Deus pode estar realizando muito mais do que você é capaz de perceber.

33

Como preparar listas de oração

Todo cristão que assume o chamado à intercessão ora seriamente com alguma agenda em mente. Mas a intercessão pode ser grandemente aprimorada por meio de listas de oração escritas. Deus guiará você quanto aos nomes a serem incluídos.

Alguns intercessores têm várias dessas listas — uma lista básica que é usada diariamente e outras que podem ser alternadas em diferentes dias da semana. Alguns têm uma lista mais longa para o domingo ou dias em que podem passar mais tempo em oração.

As seguintes categorias sugeridas orientarão você no preparo de suas listas de oração.

Líderes governamentais. É ordenado aos cristãos que intercedam pelos líderes do governo (1Tm 2.1-4). Entre esses líderes, estão o presidente, os governadores e os prefeitos. Provavelmente, você desejará mencionar também os senadores, os seus representantes no Congresso e talvez os juízes da Suprema Corte. Certifique-se de orar por outras autoridades, especialmente aquelas que servem em posições relevantes ou desempenham papel estratégico na formulação de políticas públicas.

Líderes eclesiásticos. É sua responsabilidade espiritual orar diariamente por todos os líderes de sua igreja local — pastores, professores da escola dominical, presbíteros e diáconos e outros (1Ts 5.12,13).

Outros líderes cristãos. Ore por outros líderes cristãos influentes. Você pode orar por um ou mais evangelistas, professores da Bíblia, estudiosos, editores e escritores, cantores sacros, líderes de jovens e obreiros com crianças.

Missões. Visto que a evangelização mundial é a prioridade que Jesus deu à igreja até sua volta, e desde que grande parte do mundo permanece amplamente não alcançado, Deus obviamente espera que todo cristão ore por missões (Mt 24.14; 28.18-20; Jo 20.21; At 1.8). Na sua oração por missões, inclua as seguintes áreas específicas:

- *Missionários.* Quando Deus assim orientar, selecione um ou mais missionários com quem você permanecerá em parceria diária de oração.
- *Nações.* Peça a Deus que coloque no seu coração uma ou mais nações como herança especial de oração (Sl 2.8).
- *Organizações missionárias.* De modo geral, ore por todas as organizações, concentrando-se em uma ou mais quando surgirem necessidades especiais.
- *Cristãos nacionais.* Ore por um ou mais pastores ou obreiros leigos em outros países.

Outros ministérios cristãos. Ministérios por meio de rádio e TV, equipes de evangelização, ministérios na prisão, ministérios de jovens, missões urbanas, editoras cristãs — todos são alvo do ataque de Satanás e, consequentemente, áreas essenciais para intercessão.

Os seus entes queridos. Inclua tanto os familiares salvos quanto os não salvos por quem você sente responsabilidade pessoal.

Pessoas não salvas. Peça a Deus que designe alguma pessoa não salva como sua responsabilidade pessoal de oração. Ore diariamente até que essa pessoa se entregue a Cristo. Deus provavelmente providenciará oportunidades para que você mostre interesse, amor ou testemunho. Você pode também ser levado a orar por alguém a quem nunca poderá dar uma palavra de testemunho.

Necessidades especiais. O Espírito Santo irá sugerir necessidades urgentes para oração intercessora imediata. Essa lista mudará de tempos em tempos. Você pode sentir a necessidade de orar ao ler o jornal, ou ouvir o noticiário da TV relatando uma tragédia, fome, ao saber sobre conferências internacionais, processos judiciais, feridos em acidentes, enfermos graves, problemas de harmonia doméstica entre conhecidos, reuniões especiais da igreja e assim por diante.

Como usar as listas de oração

1. Registre as listas de oração num pequeno diário ou caderno de notas. Uma lista portátil pode ser mantida no bolso da camisa de um homem ou na bolsa de uma mulher. Uma pequena fita ou pedaço de papel pode servir como marcador. Separe alguns momentos durante o dia para meditar, usando os nomes e os itens registrados na lista.

Durante os meus dias de faculdade, eu orava por centenas de missionários e líderes cristãos todos os dias. Para a minha surpresa, encontrei vários momentos em que pude usar as minhas listas — na fila da cafeteria, no correio, antes do início das aulas.

Orações curtas podem ser muito usadas pelo Espírito Santo. Essas manifestações instantâneas do seu amor cristão, da sua preocupação e do seu desejo são chamadas de "orações telegráficas", "oração-relâmpago" ou "orações instantâneas". Você pode chamá-las de orações do tipo "Deus abençoe". Elas sempre são ouvidas por Deus. Toda pessoa que ora, usa esse método para levar a Deus as preocupações imediatas. Há muitas pessoas que simplesmente querem pedir a Deus para abençoá-las, guiá-las, curá-las ou cercá-las com seu amor. Ocasionalmente, Deus pode orientá-lo a orar por um período mais longo em favor de alguém de sua lista "Deus abençoe", em virtude de alguma necessidade especial que você desconhecia. Confie na orientação do Espírito.

2. Tenha à mão as listas de oração. Mantenha uma lista ao lado da pia da cozinha à qual você possa recorrer enquanto lava os pratos ou prepara as refeições. Coloque outra lista perto da mesa de jantar para ser usada durante a refeição. Providencie uma lista curta no espelho do banheiro para você consultar enquanto se barbeia ou se arruma. Utilize uma lista básica como marcador da Bíblia para o seu momento de devoção diária.

3. Use os incidentes do dia como uma lista não escrita de oração. Ao passar por uma igreja, você pode orar pelo pastor ou pelas pessoas que ali adoram. Ao passar por uma escola, você pode orar pelos alunos e professores. Ore pelo balconista enquanto ele registra suas compras na loja e pelo garçom que o serve no restaurante. Enquanto está ao telefone, ore durante alguns momentos pela pessoa com quem você estiver falando. Ao selar uma carta, ore pela pessoa que a receberá. Enquanto o seu pastor prega, peça a Deus que o unja e use. Quando um cantor ministra no culto da igreja, peça a Deus que o abençoe. Ao notar a manchete de um jornal, faça uma oração pela pessoa que precisa de ajuda divina.

Orar ao longo do dia dessa forma é uma linda maneira de orar sem cessar (1Ts 5.17).

34

COMO CONCORDAR EM ORAÇÃO

Jesus prometeu uma bênção especial aos que se reúnem em seu nome e concordam em oração (Mt 18.19,20). É plenamente possível concordar com outros em oração mesmo estando a quilômetros de distância e mesmo tendo como único meio de comunicação a correspondência ou o telefone. No entanto, há mais probabilidade de você concordar com uma ou mais pessoas quando o grupo se reúne presencialmente para orar.

Os parceiros que habitualmente oram juntos desenvolvem a capacidade de concordar em oração mais facilmente do que as pessoas que não se relacionam tão intimamente em oração. O dr. R. Stanley Tam, presidente da *United States Plastics Corporation of Lima*, Ohio, e vice-presidente da Diretoria de Curadores da OMS International, mantém há 23 anos um momento regular de oração com Art, outro homem de negócios de Lima. Os dois se encontram no parque da cidade ou sentam num estacionamento para momentos semanais de oração. Eles viram notáveis respostas às suas petições ao concordarem com respeito a assuntos de oração.

BÊNÇÃOS DA CONCORDÂNCIA EM ORAÇÃO
A concordância em oração aumenta a consciência da presença de Deus.
Teologicamente, sabemos que Deus está sempre conosco, porque

ele é onipresente. Sabemos que Cristo está conosco quando nos reunimos em seu nome (Mt 18.20). Mas, quando você concorda em oração com outra pessoa, há uma consciência especial da presença de Deus. *Se sabemos que nos ouve em tudo o que pedimos, sabemos que já alcançamos o que lhe temos pedido* (1Jo 5.15).

A concordância em oração ajuda a esclarecer a vontade de Deus. Deus pode conceder uma segurança interna especial de sua vontade a uma pessoa do grupo que concorda em oração e, por meio dessa pessoa, às demais. Quando o grupo se une novamente em intercessão, alguém mais pode sentir a vontade de Deus em outro aspecto da oração. Quando o grupo continua orando, o Espírito Santo pode unir todos num profundo consenso sobre o propósito e o desejo de Deus. Essa segurança unificada produz especial estímulo e convicção a respeito da vontade de Deus — uma segurança que pode transcender aquela que é possível quando uma pessoa ora sozinha.

A concordância em oração ajuda a aprofundar o interesse de cada membro do grupo de oração. Em íntima comunhão, quando os corações estão harmonizados em concordância intercessora, Deus usa a profundidade do desejo de um coração para aprofundar o desejo dos outros. Esses, por sua vez, podem ser movidos a expressar seu desejo aprofundado em palavras ou lágrimas, por meio das quais Deus então abençoa o grupo interior. O desejo genuíno concede poder tremendo à intercessão perante Deus.

A concordância em oração ajuda a purificar a nossa oração. É possível que a oração seja inconscientemente motivada pelo interesse próprio ou por motivos menos nobres. Quando várias pessoas concordam em oração, Deus refina, guia e purifica a motivação de todos.

A concordância em oração aumenta a fé e a confiança perante Deus. Deus quer que oremos com profunda confiança e santa ousadia. *Portanto, aproximemo-nos com confiança do trono da graça, para que recebamos misericórdia e encontremos graça, a fim de sermos socorridos no momento oportuno* (Hb 4.16). Quando alguém prevalece com santa insistência em oração, outros se unem com maior urgência à intercessão. Essa audaciosa confiança é muito valorizada por Deus (Ef 3.12; Hb 10.19).

A concordância em oração fortalece a persistência em oração. As situações nas quais a concordância em oração é necessária tendem a ser situações nas quais a persistência é também essencial. Jesus teve muito interesse em que seus discípulos aprendessem a persistir em oração (Lc 18.1). Quando várias pessoas concordam em oração, cada uma se torna um estímulo para as demais.

A concordância em oração produz bênção espiritual a todos os interessados. A concordância espiritual na intercessão aprofunda a mútua compreensão, a empatia e a comunhão de todos no grupo. É eficiente, também, para fortalecer a unidade no Espírito (Ef 4.3,13). Os seguidores de Cristo persistiram em oração durante dez dias antes que o Espírito Santo fosse derramado no Pentecostes. Teria sido essa demora necessária para que os discípulos acabassem com os ciúmes e as ambições egoístas antes que Deus pudesse mandar seu Espírito? A desunião é um grande empecilho à oração, e a história do reavivamento na igreja prova que a profunda união no Espírito pode levar à renovação e à bênção espiritual.

Como concordar em oração

Ao começar a concordar em oração com um ou mais irmãos, vocês podem inicialmente ver-se concordando sobre um aspecto específico da necessidade. Ao buscar a face de Deus, entretanto, você descobrirá que o seu coração está se movendo para uma harmonia mais completa. Os seguintes passos são sugeridos:

1. Concordar que Deus deu a você uma necessidade pela qual orar.
2. Concordar em apresentar essa necessidade a Deus em mútuo interesse e fé.
3. Concordar que a suprema motivação em oração é a glória de Deus.
4. Concordar que, embora o pedido seja formulado com palavras diferentes pelos vários membros do grupo, o "Amém" será unânime.
5. Concordar em reivindicar uma ou mais promessas de Deus relacionadas à necessidade em questão.
6. Concordar em fé conjunta que Deus atenderá à necessidade, que Deus já está operando e até mesmo agindo por meio do Espírito Santo para responder à oração.
7. Concordar em persistir em oração até obter a resposta.
8. Concordar em orar juntos em determinado horário do dia, mesmo que nem sempre seja possível uma reunião fisicamente.
9. Concordar em resistir ao Diabo em sua oposição à resposta de Deus, para que, com a firmeza da sua fé, Satanás acabe fugindo (Tg 4.7).
10. Concordar, com a direção de Deus, em deter Satanás quanto à situação em questão (Mt 12.29; 18.18-20).
11. Concordar em dar a Deus toda a glória quando a resposta se concretizar.

A MINHA ORAÇÃO DE COMPROMISSO COM A INTERCESSÃO

Senhor Jesus, eu te agradeço por teres revelado na tua Palavra que Deus é o meu Pai, que eu sou filho de Deus pela fé em ti, e que sempre sou bem-vindo ao trono do Pai.

Agradeço-te pela tua vida de oração quando estavas na terra, por teres nos ensinado a orar, e pela tua vitoriosa oração de agonia no Getsêmani.

Agradeço-te por teres ido ao Calvário por mim, por morreres em meu lugar e por teres derrotado Satanás para sempre por meio da tua morte na cruz.

Agradeço-te por teres ressurgido dentre os mortos, ascendido aos céus e agora estares entronizado à direita do Pai, vivendo eternamente para interceder por mim e por toda a tua Igreja e em favor do mundo pelo qual morreste.

Senhor Jesus, quero cultuar-te, adorar-te e amar-te mais a cada dia. Quero, como Maria, escolher a melhor parte e sentar-me aos teus pés. Ensina-me a adorar-te mais, a me alimentar da tua Palavra. Ensina-me a ter uma vida ininterrupta de comunhão contigo.

Agradeço por me ensinares pela tua Palavra que devo ser um sacerdote intercessor da parte de Deus. Agradeço por me dares permanente acesso a ti a qualquer momento em oração, e por me chamares agora para ser um guerreiro de oração para ti, no teu exército de intercessores.

Senhor, quem sou eu para teres desejado me unir a ti e ao bendito Espírito Santo na intercessão pelas necessidades da tua igreja e pelo mundo ainda não alcançado? Sou indigno do teu amor. Não sei orar como se deve. Mas quero alcançar o mundo pela oração. Que o poder do teu Espírito possa me ungir para alcançar e abençoar o mundo, que é teu, e o teu povo. Senhor, ensina-me a orar.

Ensina-me, Senhor, a ver o mundo através dos teus olhos, a amar o mundo com teu amor, a chorar contigo pelos sofrimentos e pecados do mundo. Sou indigno de carregar as responsabilidades de oração, mas estou disposto a compartilhá-las contigo. Não sei como vencer em oração. Ensina-me, Senhor, a prevalecer.

Ensina-me a disciplinar a minha vida de modo que eu reserve tempo para interceder. Ensina-me a ter ouvidos que ouçam para que eu possa discernir as tuas incumbências de oração para mim. Que o meu coração compartilhe algo dos teus anseios e das tuas lágrimas enquanto eu intercedo. Capacita-me por meio do teu Espírito Santo a crer e a permanecer nas tuas promessas. Capacita-me a ser forte na batalha de oração, a resistir aos poderes das trevas e a rechaçá-las pela autoridade do teu nome.

Senhor Jesus, não peço por sucesso mundano ou por elogios; peço por um coração que ora. Não peço por um papel de liderança; peço pelo poder de prevalecer em intercessão. Não peço nada, a não ser a tua vontade, a tua glória e o teu triunfo. Faze-me uma pessoa segundo o teu coração. Faze de mim o teu parceiro de intercessão.

Que a minha adoração, o meu amor em oração e a minha intercessão oculta produzam alegria ao teu coração, vitórias na tua causa, de acordo com tua vontade, e glória ao teu nome. Amo a ti mais do que a minha língua é capaz de expressar. Sou teu eternamente, meu Salvador e Senhor.

Pela tua graça eu vivo; no teu amor me regozijo e em teu nome oro, Jesus, meu o maravilhoso Senhor. Amém.